D0519396

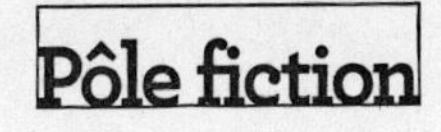
Pôle fiction

Du même auteur
chez Gallimard Jeunesse :

Le Chaos en marche :

Le Cercle et la Flèche (tome 2)

Patrick Ness

La Voix du couteau

Le Chaos en marche. 1

Traduit de l'anglais
par Bruno Krebs

GALLIMARD JEUNESSE

Titre original : *The Knife of Never Letting Go*
Chaos Walking Book One
Édition originale publiée en Grande-Bretagne
par Walker Books Ltd en 2008
Calligraphie d'Alex Viougeas

Pour Michelle Kass

Si nous pouvions parfaitement appréhender et sentir toute vie humaine ordinaire, ce serait comme entendre l'herbe pousser ou battre le cœur de l'écureuil, et nous ne pourrions survivre à ce rugissement tapi de l'autre côté du silence.

George Eliot, *Middlemarch*

PREMIÈRE PARTIE

01 Un trou dans le bruit

La première chose que vous apprenez quand votre chien se met à parler, c'est que les chiens n'ont pas grand-chose à dire. Sur rien.

– Faire popo, Todd.

– Ferme-la, Manchee.

– Popo, popo, Todd.

– Boucle-la, je te dis.

Nous marchons à travers champs, au sud-est de la ville, ceux qui descendent vers la rivière et continuent jusqu'aux marais. Ben m'a envoyé cueillir des pommes des marais et il m'a fait prendre Manchee avec moi, même si tout le monde sait parfaitement que Cillian l'a acheté juste pour se faire bien voir de Maire Prentiss, et voilà comment je me suis retrouvé avec ce chien tout neuf en cadeau d'anniversaire l'année dernière, pourtant j'avais jamais demandé de chien, j'avais seulement demandé que Cillian me répare enfin le vélo à fission, pour pas avoir à marcher chaque fois que je me déplace d'un coin paumé à l'autre de cette ville paumée, mais non, joyeux anniversaire, Todd, on t'a dégotté un chiot tout beau tout neuf, Todd, et même si t'en veux pas, même si t'as jamais demandé de chien, devine un peu qui va devoir le nourrir et l'élever et le laver et l'emmener faire popo et l'écouter déblatérer maintenant qu'il est assez grand pour que le virus du parler lui chatouille les mâchoires ! Hein, devine un peu !

– Popo, aboie tranquillement Manchee, rien que pour lui. Popo, popo, popo !

– Fais-le donc, ton popo, et cesse donc de japper comme un demeuré.

J'arrache une grande herbe au bord du sentier, pour le fouetter. Je le touche pas, je cherche pas à le toucher, et le voilà qui rit de son petit rire aboyé en continuant à dévaler le sentier. Je le suis, giflant le talus avec mon herbe, grimaçant dans le soleil, essayant de penser à rien, rien du tout.

On a absolument pas besoin de pommes des marais, autant vous le dire tout de suite. Ben peut les acheter au magasin de Mr. Phelps, s'il en veut vraiment. Et puis, aller au marais cueillir quelques pommes, c'est pas un travail d'homme. À cause que les hommes, on les laisse jamais sans vrai travail. Bon, d'accord, je serai officiellement un homme que dans trente jours. J'ai vécu douze années de treize longs mois chacune, et une autre encore de douze mois – et je les ai vécues toutes vivant, ce qui signifie que j'en suis encore à un mois du grand anniversaire. Les plans sont en cours de plafinication, les prérapatifs se prérapent, ce sera une fête, enfin je suppose, mais bon, je commence à me faire un drôle de film sur le sujet, trop sombre et trop clair à la fois, enfin, quand même, je deviendrai un homme, et cueillir des pommes dans le marais, c'est pas un travail d'homme, même pas de presque-homme.

Mais Ben sait qu'il peut me demander d'y aller, et il sait bien que je dirai oui, à cause que le marais c'est le seul endroit près de Prentissville où on peut s'isoler un minimum de tout le Bruit que les hommes répandent hors d'eux-mêmes, de toute cette clameur, tout ce raffut qui se calme jamais, même quand ils dorment, les hommes et leurs pensées qu'ils savent même pas qu'ils pensent, même quand tout le monde les entend. Les hommes et leur Bruit. Je sais pas comment ils font, comment ils le supportent et se supportent.

Les hommes sont des criatures Bruyantes.

– *Cureuil!* aboie Manchee, et le voilà parti, bondissant hors du chemin.

Je peux toujours l'appeler, moi aussi je dois y aller, à travers ces (je regarde autour de moi, vérifie que je suis seul) *feuttus* prés, Cillian aura une attaque si Manchee tombe dans un de ces *feuttus* nids à serpents et bien sûr ce sera ma *bon D*… de faute, même si je l'ai jamais demandé ce *bon D*… de chien.

– Manchee! Reviens ici!

– *Cureuil!*

J'avance à grands coups de pied dans les herbes, et des asticotis collent à mes semelles. J'en explose un en secouant ma tennis, belle tache verte maintenant, et en plus ça part pas, je le sais.

– Manchee!!!…

– Cureuil! Cureuil! Cureuil!

Il aboie autour de l'arbre et l'écureuil galope de haut en bas du tronc, pour le narguer. Viens, chien Toupie, dit son Bruit. Viens, chope, viens, chope, Toupie, Toupie, Toupie!

– Cureuil! Todd! Cureuil!…

Bon D… Ce que les animaux peuvent être débiles.

J'attrape Manchee par le collier et lui balance un coup de pied sur les fesses.

– Ouaïe ! Todd ! Ouaïe !

Je le frappe encore. Et encore.

– Ouaïe !

– Viens, je dis, mon propre Bruit une telle rage, je m'entends à peine penser, mais ça je vais le regretter, attendez voir un peu.

Garçon Toupie, garçon Toupie, pense l'écureuil. Chope-moi, garçon Toupie.

– Et toi aussi, va te faire *feuttre*, je réponds. Sauf que je dis pas *feuttre*, je dis un autre mot pour *feuttre*.

Et vraiment, là vraiment, j'aurais mieux fait de regarder autour de moi.

Parce qu'Aaron il est là, juste là, surgi de nulle part il se dresse au-dessus des herbes, il se dresse et me balance une énorme gifle, il écorche ma lèvre avec sa grosse bague, puis, ramenant son poing fermé de l'autre côté, cogne ma pommette, mais au moins il rate mon nez, à cause que je tombe dans l'herbe, essayant de l'éviter, et je lâche le collier de Manchee, et le voilà ce traître, Manchee, qui repart en courant vers l'écureuil, aboyant comme un malade, et je tombe dans l'herbe à quatre pattes, des taches d'asticotis partout.

Et je reste là sur le sol, à chercher mon souffle.

Aaron se tient au-dessus de moi, son Bruit m'arrive par fragments de scripture et de son prochain sermon et Langage, jeune Todd et La découverte d'un sacrifice et Le saint choisit sa voie et Dieu entend et la marée d'images et de choses quotidiennes et d'éclairs remuée dans le Bruit de tous, et…

Quoi ? Bon D…, mais qu'est-ce que… ?

Alors déboule le flot sonore du sermon qui bloque tout et je regarde dans ses yeux et soudain non, je veux rien plus savoir. J'ai déjà le goût du sang là où sa bague a coupé ma lèvre, et je veux plus, rien plus savoir. Jamais il vient par ici, les hommes y viennent *jamais*, ils ont leurs raisons, les hommes, il y a juste moi et mon chien, et pourtant le voilà, alors je veux rien, surtout rien savoir.

Il me sourit, et son sourire traverse sa barbe, descend jusqu'à moi dans l'herbe.

Un gros poing souriant.

– Le langage, jeune Todd, nous lie comme des prisonniers enchaînés. N'as-tu donc rien appris de ton église, garçon ?

Alors il sort l'un de ses prêches favoris :

– Si l'un de nous tombe, nous tombons tous.

Oui, Aaron, je pense.

– Avec ta bouche, Todd.

– Oui, Aaron, je dis.

– Et les *feuttus* ? Et les *bondieuzes* ? Crois pas que je ne l'ai pas entendu, ça aussi. Ton Bruit révèle tout. Le Bruit nous révèle tous.

Pas tous, je pense, et très vite en même temps je dis :

– Désolé, Aaron.

Il se penche vers moi, sa bouche si près de ma figure, je sens l'haleine qui en sort, et je sens son poids, comme des doigts qui cherchent à m'attraper.

– Dieu entend, chuchote-t-il. Dieu *entend*.

Et à nouveau il lève le poing. Je ferme les yeux et il rit – puis s'en va.

Parti, il est parti.

Il a repris le chemin de la ville, emportant son Bruit avec lui.

Je tremble et mon sang pulse si fort d'avoir été battu, je tremble enflammé si surpris et si en colère, haïssant tellement cette ville et les hommes dedans qu'il me faut un peu de temps avant de me relever, pour aller récupérer mon chien. *Qu'est-ce que tu feus ici de toute façon?* je pense, tellement détruit, tellement bouillant de colère et de haine encore *(et de peur, mais oui, de peur, oh, ça va, hein)* que je regarde même pas autour de moi pour vérifier si Aaron a entendu mon Bruit. Je regarde pas, non, je préfère pas.

Puis je regarde et vais chercher mon chien.

– Aaron, Todd? Aaron?

– Répète pas ce nom, Manchee.

– Saigne, Todd. Todd? Todd? Todd saigne?

– Merci, je sais. Ferme-la.

– Toupie, jappe-t-il, comme pour rien dire, son cerveau aussi vide que le ciel.

Je lui balance une claque sur les fesses.

– Dis pas ça non plus.

– Ouaïe, Todd!

On continue à marcher, laissant la rivière à l'écart sur notre gauche. Elle s'écoule par une série de ravins, à l'est de la ville, démarre loin au nord après notre ferme, puis descend en bordure de la ville pour s'aplanir vers une zone inondée qui finalement devient le marais. Avant les arbres du marais, il faut éviter la rivière et surtout cette zone inondée, à cause que les crocos vivent justement là-dedans, bien assez gros pour tuer un presque-homme et son chien. Les voiles sur leurs dos font comme une crête de roseaux et si on s'approche trop, *VOOM!* – ils jaillissent hors de l'eau, se jettent sur vous avec leurs griffes tendues et leurs gueules qui claquent et alors vous avez pratiquement plus aucune chance.

On descend le long de la zone inondée et je scrute le marais qui se rapproche tranquille. Il y a plus rien vraiment à voir, là-dedans, pour ça que les hommes viennent pas. Et l'odeur, quoique, bien sûr ça sent, mais pas aussi mauvais que les hommes prétendent. Ils sentent leurs souvenirs, les hommes, voilà ce qu'ils sentent, et ce qui est ici, ils le sentent comme c'était avant. Toutes les choses mortes. Les spacks et les hommes, ils voyaient pas l'enterrement de la même façon. Les spacks utilisaient simplement le marais, ils balançaient leurs morts dans l'eau, les laissaient couler, une très bonne chose, du fait qu'ils étaient bons pour les enterrements de marais, je suppose. Ben dit ça. L'eau, la vase et la peau des spacks allaient très bien ensemble, ils empoisonnaient rien, rendaient simplement le marais plus riche, comme les hommes enrichissent la terre.

Et puis brusquement il y a eu beaucoup plus de spacks à enterrer que d'habitude, trop de spacks à avaler, même pour un marais aussi grand, et c'est un rutain de marais, pourtant. Et puis il est plus resté un seul spack en vie, tout le monde sait ça. Juste des corps de spacks empilés dans le marais, pourrissant et puant et il a fallu longtemps pour que le marais redevienne à nouveau marais, non pas juste un grand brouillard de mouches et d'odeurs et qui sait quels virus les spacks nous avaient encore gardés en réserve.

Je suis né dans tout ça, ce brouillard, ce marais surpeuplé et ce cémitière surpeuplé et cette ville pas franchement du tout surpeuplée, alors je me souviens de rien d'autre, et encore moins d'un monde sans Bruit. Papa est mort de maladie avant ma naissance et puis maman est morte, bien sûr, là, pas de surprise. Ben et Cillian m'ont pris avec eux, ils m'ont élevé. Ben dit que maman elle a été la dernière des femmes à mourir mais tout le monde dit la même chose pour la mère de tout le monde. Ben ne ment peut-être pas, il croit que c'est vrai, mais allez savoir.

Je suis le plus jeune de toute la ville, en fait. J'allais jeter des pierres aux corbeaux des champs avec Reg Oliver (sept mois et huit jours plus âgé) et Liam Smith (quatre mois et vingt-neuf jours plus âgé) et Seb Mundy, le plus jeune à part moi, de trois mois et un jour plus âgé, et même lui me parle plus depuis qu'il est homme.

Aucun garçon vous parle plus, une fois qu'il a ses treize ans.

C'est comme ça que les choses se passent à Prentissville. Les garçons deviennent hommes et ils vont à leurs réunions pour hommes où ils parlent de qui sait quoi et aucun garçon peut y assister et si t'es le dernier garçon de la ville, t'as plus qu'à attendre, tout seul dans ton coin, de plus être garçon.

Enfin, toi et un chien dont tu ne veux pas.

D'ailleurs, peu importe. Voilà le marais et on y entre, sans quitter les chemins pour contourner et dépasser le pire de l'eau, les chemins sinueux autour des grands arbres bulbeux qui poussent dedans et jusqu'en dehors du marais dressant leur toit d'aiguilles, des mètres et des mètres plus haut. L'air est épais, il fait obscur et il fait lourd, mais cette épaisseur, obscurité ou lourdeur n'a rien de vraiment effrayant. Il y a plein de vie ici, des tonnes d'une vie qui se moque bien de la ville – il y a des oiseaux et des serpents verts et des grenouilles et des kivits et les deux sortes d'écureuils et (je vous jure) un kassor ou deux, et c'est sûr des serpents rouges à se méfier, quoique, même qu'il fasse noir, des zébrures de lumière descendent des trous dans le toit feuillu et, si vous me posez la question, ce qu'est peut-être pas le cas, je vous le garantis, pour moi le marais, c'est comme une grande chambre confortable, pas trop Bruyante. Obscure mais vivante, vivante mais amicale, amicale mais pas étouffante.

Manchee lève la patte presque partout jusqu'à être pratiquement à sec de pipi, et puis il fonce sous un taillis en murmurant quelque chose, pour se trouver un coin où faire son autre commission, je suppose.

Le marais s'en moque. Et pourquoi pas ? C'est juste de la vie qui s'en retourne à elle-même, se recycle et se mange elle-même pour renaître. Je veux pas dire qu'il y a pas du Bruit, ici. Bien sûr que c'est Bruyant, on échappe pas au Bruit, nulle part, mais c'est plus paisible qu'en ville. Le son, ici, prend une forme différente, à cause que le son du marais, c'est juste de la curiosité, des criatures essayant de deviner qui tu es, une menace ou quoi. Alors que la ville sait déjà tout sur toi et elle veut en savoir plus et te taper dessus avec ce qu'elle sait jusqu'à ce que tu puisses plus garder rien de toi-même – à cause que comment tu pourrais ?

Bruit de marais, quoique. Bruit de marais c'est juste les oiseaux tous à penser leurs petites inquiétudes de petits zozios. Où manger? Où dormir? Où me cacher? Et les écureuils cirés, tous ces petits punks qui te taquinent dès qu'ils te voient, qui se taquinent s'ils te voient pas, et les écureuils rouillés, ces petits morveux débiles, et quelquefois il y a des renards du marais dans les branches, tu les entends imiter le Bruit des écureuils qu'ils daivorent, et encore moins souvent il y a les crabeaux qui chantent leurs bizarres chants de crabeaux et une fois, je le jure, j'ai vu un kassor s'enfuir sur ses deux longues pattes, mais Ben a dit non, les kassors ont disparu du marais depuis longtemps.

J'en sais rien. Moi je me crois.

Manchee sort des broussailles et il s'assied à côté de moi stoppé là en plein milieu du sentier. Il regarde autour de lui pour voir ce que je vois, puis déclare :

– Bon popo, Todd.

– Tant mieux pour toi, Manchee.

Pas question d'avoir un autre purain de chien pour mon anniversaire prochain. Cette année, je veux un couteau de chasse comme celui que Ben porte à l'arrière de son ceinturon. Ça, c'est un cadeau pour homme.

– Popo, répète tranquillement Manchee.

On avance. Le plus gros massif de pommiers c'est plus loin dans le marais, en bas du chemin, après un tronc abattu où je dois toujours aider

Manchee à passer. Là, je le prends sous le ventre, et je le soulève. Il a beau savoir, il agite quand même les pattes et se trémousse et se débat comme une araignée en chute libre.

– Tu vas rester tranquille, pauvre galeux!

– Par terre! Par terre! Par terre! il jappe, pagayant dans le vide.

– Chien crétin.

Je le plante en haut du tronc et me hisse dessus. On saute tous les deux de l'autre côté. Manchee aboie « Saute! » en atterrissant, et continue à aboyer « Saute! » en courant.

Le saut par-dessus le tronc, c'est ici que le marais commence vraiment. Et la première chose que vous voyez ce sont les vieilles contruxions des Spackle. Elles sortent de l'ombre penchées vers vous, comme des cornets de glace fondante couleur caramel, de la taille d'une hutte. Personne sait ni se rappelle à quoi elles pouvaient bien servir, mais Ben il a son idée (et Ben c'est monsieur j'ai-mon-idée) comme quoi elles avaient quelque chose à voir avec l'enterrement de leurs morts. Comme une sorte d'église, peut-être même, quoique les spacks ils avaient aucun genre de religion que quelqu'un à Prentissville s'en souvienne.

Je me tiens à bonne distance et rentre dans le massif de pommiers sauvages. Les pommes sont mûres, presque noires. Pour ainsi dire mangeables, dirait Cillian. J'en cueille une sur le tronc et je la croque, le jus coule sur mon menton.

– Todd?

– Quoi, Manchee?

J'ai pris le sac plastique dans ma poche arrière pour le remplir de pommes.

– Todd ? il aboie. Alors je remarque comment il l'aboie et je me retourne. Il pointe vers la contruxion Spackle, tout son poil en crête sur le dos, et ses oreilles papillonnent dans tous les sens.

Je me redresse d'un coup.

– Qu'est-ce qui se passe, mon vieux ?

Il grogne maintenant, retrousse les babines sur ses crocs. Mon sang pulse encore.

– Un croco ?

– Paix, Todd, il grogne.

– Quoi, *« paix »* ?

– *Est* paix, Todd.

Il lâche un petit aboiement, un vrai aboiement, un vrai wouah de chien qui signifie rien d'autre que « Wouah ! » et l'électricité de mon corps monte d'un cran, comme prête à se décharger de ma peau.

– Écoute, gronde Manchee.

Alors j'écoute.

J'écoute.

Je tourne un peu la tête et j'écoute.

Il y a une sorte de trou dans le Bruit.

Mais ça se peut pas.

C'est trop bizarre vraiment, ici, caché dans les arbres ou un endroit pas visible, un endroit où vos oreilles et votre esprit vous disent qu'il y a pas de Bruit. Comme une forme qu'on voit pas sauf à cause de tout ce qu'elle touche d'autre, autour. Comme de l'eau dans un verre, mais sans verre. C'est un trou et tout ce qui tombe dedans, c'est plus Bruit, plus rien, plus. Pas comme le calme du marais, qu'est jamais silencieux bien sûr, juste moins Bruyant. Mais ça, c'est une forme, une forme de *rien*, un trou où le Bruit s'arrête.

Impossible.

Il y a rien, rien que Bruit dans ce monde, rien que les pensées continuelles des hommes et des choses qui vous arrivent et vous arrivent, toujours, depuis que les spacks ont lâché le virus du Bruit durant la guerre, le virus qu'a tué la moitié des hommes et toutes les femmes sans esseption, maman avec, le virus qu'a rendu fou le reste des hommes, le virus qu'a signé la fin de tous les Spackle quand la folie des hommes a pris un fusil.

– Todd ?

Manchee a la trouille, je l'entends.

– Quoi, Todd ? C'est quoi, Todd ?

– Tu sens rien ?

– Sens juste *paix*, Todd, il aboie, puis aboie plus fort : Paix ! Paix !

Alors, quelque part autour des contruxions spacks, le paisible *bouge*.

Ma pulsation de sang bondit si fort, elle me renverse, presque. Manchee jappe en cercle autour de moi, il aboie et aboie, redouble ma trouille. Alors je le frappe encore sur les fesses (*Ouaïe ! Todd !*) pour le calmer.

– Les trous, ça existe pas. Rien, ça existe pas. Alors c'est forcément quelque chose, hein ?

– Quelque chose, Todd, aboie Manchee.

– T'entends d'où c'est parti ?

– C'est *paix*, Todd.

– Oui, mais où ?

Manchee hume l'air et s'avance d'un pas, puis deux, puis plus encore vers les contruxions des Spackle. Je crois bien qu'on y va, maintenant. Je marche comme au ralenti vers le plus gros des cônes fondus. Je reste à l'écart de tout ce qui pourrait nous observer du petit porche en triangle. Manchee hume l'encadrement du porche mais ne grogne pas, alors je respire un bon coup et je regarde à l'intérieur.

C'est plus vide que vide. Le plafond s'élève jusqu'au double de ma taille. Sur le sol, des plantes de marais poussent maintenant, des lianes ou des choses du genre, mais rien d'autre. Pas de *vrai* rien, pas de *trou*, et impossible de savoir ce qui avait bien pu être là avant.

Bon, d'accord, c'est une idée débile, mais autant vous le dire tout de suite.

Je me demande si les Spackle sont de retour.

Impossible, évidemment.

Mais un trou dans le Bruit, c'est impossible aussi.

Quelque chose d'impossible peut donc être vrai.

J'entends Manchee flairer dehors. Je me dirige vers le deuxième cône. Il y a quelque chose d'écrit à l'extérieur de celui-là, les seuls mots écrits qu'on ait jamais vus en langue spack. Les seuls mots qu'ils aient jugé bon d'écrire, je suppose. Les lettres sont des lettres spacks, mais Ben dit qu'elles font le son « Es'Paqili », ou quelque chose comme ça. « Es'Paquili », le Spackle, ou « spack », si vous voulez le cracher, ce que tout le monde fait depuis qu'est arrivé ce qui est arrivé. Spacks ou Spackle, ça signifie : « Gens ».

Rien non plus dans le deuxième cône. Je ressors, écoute encore. Baissant la tête, j'écoute, je déploie les parties auditives de mon cerveau et j'écoute.

J'écoute.

– Paix ! Paix ! aboie Manchee, deux fois très vite, puis il s'arrache en courant vers le dernier cône.

Je m'élance derrière lui, courant moi aussi, mon sang pulsé, à cause que c'est là, il est là, le trou dans le Bruit.

Je l'entends.

Enfin, je *l'entends* pas, justement, mais quand je cours vers lui, le vide de *ça* me touche la poitrine et l'immobilité de *ça* me tire, et il y a tant de paix dedans, ou non, non, pas paix: *silence* – tant de silence incroyable que je commence à me sentir vraiment déchiré, comme si j'allais perdre la chose la plus précieuse que j'ai à moi, comme si c'était là, une mort, et je cours et mes yeux se mouillent et ma poitrine s'écrase, et il y a personne pour voir et je veux pas mais mes yeux se mettent à pleurer, ils se mettent à pleurer mes purains d'yeux et je m'arrête une minute et je me plie en deux et *Nom, Prénom de Dieu (oh, ça va, hein)*, je perds une longue interminable minute, une longue purain de minute cassée là – après quoi, bien sûr, le trou s'éloigne, il s'est éloigné, il est parti.

Manchee hésite, entre le courser ou revenir vers moi, puis finalement revient vers moi.

– Pleure, Todd ?

– Ferme-la, je dis, et lui balance un coup de pied.

Je le rate exprès.

02 Prentissville

On sort du marais pour reprendre le chemin de la ville, et le monde paraît tout noir et tout gris, peu importe ce que dit le soleil. Même Manchee aboie presque rien pendant qu'on remonte à travers prés. Mon Bruit écume et bouillonne tant, comme une cocotte sur le feu, je dois m'arrêter un instant pour le calmer.

Le silence, ça n'existe pas. Pas ici, nulle part. Pas quand tu dors, pas quand t'es seul. Jamais.

Je ferme les yeux.

Je m'appelle Todd Hewitt. J'ai douze ans et douze mois. J'habite à Prentissville, Nouveau Monde. Je serai un homme dans un mois exactement.

Ce truc, c'est Ben qui me l'a appris pour m'aider à calmer mon Bruit. On ferme les yeux, et bien tranquillement, bien distinctement, on se raconte qui on est, à cause que c'est ça justement qui se perd dans tout ce BRUIT.

Je m'appelle Todd Hewitt.

– Todd Hewitt, marmonne Manchee à côté de moi.

Je prends une longue respiration puis rouvre les yeux.

Voilà qui je suis. Todd Hewitt.

On continue à remonter, du marais et de la rivière, remonter les prés et les champs jusqu'à la crête au sud de la ville où était la petite école pendant la période courte, inutile où elle a existé. Avant ma naissance, les enfants apprenaient auprès de leur maman à la maison, mais quand il est plus resté que des garçons et des hommes, on s'est retrouvés assis devant des vidéos à apprendre nos leçons, jusqu'à ce que Maire Prentiss il interdise ces choses comme *« pernicieuses pour la discipline de nos esprits »*.

À cause que, comprenez, Maire Prentiss, il a un *Point de Vue*.

Et donc, pendant presque la moitié d'une absurde année, tous les garçons ont été réunis autour de la triste figure de Mr. Royal pour se faire bassiner la tête dans un bâtiment bien à l'écart, loin du Bruit principal de la ville. Ce qui changeait pas grand-chose. Comment voulez-vous enseigner dans une salle pleine de Bruit de garçons, et comment voulez-vous, à plus forte raison, leur faire subir n'importe quel genre de contrôle ? Vous trichez même sans intention de tricher, et tout le monde veut évidemment tricher.

Et puis, un jour, Maire Prentiss a décidé de brûler tous les livres, sans esseption, même ceux des maisons des hommes. Paraît-il que les livres étaient pernicieux, eux aussi, et Mr. Royal, un homme doux qui s'était endurci en buvant du whisky en classe, il a laissé tomber et il a pris un fusil et il a mis fin à ses jours et voilà c'est tout pour l'école.

Ben m'a appris le reste à la maison. La mécanique, la cuisine, le réparement des habits, les rudiments de la ferme et ces choses-là. Mais aussi beaucoup de trucs de survie comme la chasse et quels fruits on peut manger et comment suivre les lunes pour l'orientement et comment se servir d'un couteau et d'un fusil et des remèdes contre les morsures de serpents et comment calmer le Bruit du mieux qu'on peut.

Il a essayé de m'apprendre à lire et à écrire, aussi, mais un matin Maire Prentiss il en a entendu l'écho dans mon Bruit, alors il a enfermé Ben pendant une semaine, et voilà, fini mon attrempissage des livres et puis avec tout ce que j'avais encore à apprendre et tout le travail de la ferme qui doit quand même être fait tous les jours et la simple survie, bien sûr j'ai jamais trop bien su lire.

Enfin bref. Pas demain la veille qu'on va écrire un bouquin à Prentissville.

Manchee et moi on passe devant l'école, et sur la crête on regarde vers le nord et bon, la voilà, notre ville en question. Pas qu'il en reste des masses. Une boutique – y en avait deux. Un pub – y en avait deux. Une clinique, une prison, une stassion-service hors service, une grande maison pour le Maire, un poste de police. L'église. Un petit bout de route traverse le centre, goudronné à l'époque, jamais refait depuis, bientôt plus rien que du gravier. Toutes les maisons comme en banlieue autour et plus loin, des fermes, conxtruites comme fermes, certaines encore des fermes, d'autres vides, certaines pires que vides.

Et là c'est tout très franchement ce qu'on peut dire de Prentissville. Polupassion 147 en baisse, en baisse, et encore en baisse. 146 hommes, plus un presque-homme.

Ben dit qu'il y avait d'autres agglorémassions éparpillées à Nouveau Monde, que tous les vaisseaux ont atterri à peu près en même temps, dix ans environ avant ma naissance, puis que la guerre a éclaté avec les spacks, et que les spacks ont lâché les virus et toutes les autres agglorémassions ont été anéanties, complètement, Prentissville presque complètement, seulement presque à cause de Maire Prentiss, de son talent militaire, du fait que, quoique Maire Prentiss soit un cauchemar ambulant, on lui doit au moins ça, à cause que grâce à lui on survit seuls sur un grand monde entièrement vide sans femmes, un monde qu'a rien de bon à dire pour sa défense, dans une ville de 146 hommes qui meurt un peu plus chaque jour qui passe.

Parce que, vous croyez que tous les hommes peuvent supporter ça ? Certains se liquident eux-mêmes comme Mr. Royal, certains disparaissent purement et simplement, comme Mr. Gault, notre vieux voisin qui s'occupait de l'autre ferme à moutons, ou Mr. Michael, notre deuxième meilleur charpentier, ou Mr. Van Wijk, qui a disparu le jour où son fils est devenu un homme. C'est pas si rare. Si votre monde est plus rien qu'une seule et unique ville Bruyante sans futur, parfois vous avez plus qu'à partir, même si vous avez nulle part où aller.

Parce que, quand moi le presque-homme j'observe cette ville, j'entends les 146 hommes qui restent. J'entends jusqu'au dernier de ces rutains d'hommes. Leur Bruit dévale la colline comme une inondation, comme un incendie, comme un monstre de la taille du ciel venu m'attraper et là il y a nulle part où courir.

Voici à quoi ça ressemble, Prentissville. Voici à quoi ressemble chaque minute de ma sinistre vie de paumé dans cette sinistre ville paumée. Et inutile de se boucher les oreilles, ça sert à rien :

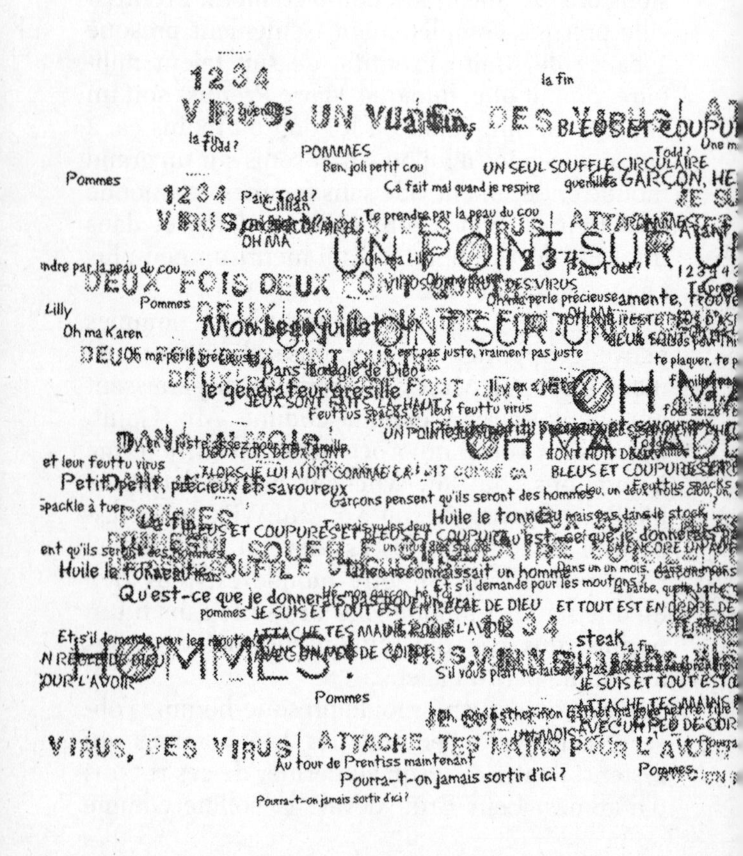

OH MA

FOIS HUIT FONT SEIZE

BLEUS ET COUPURES ET BLEU

Todd EUX SONT| FAITS, LÀ-HAUT ?

CE GARÇON, HEWITT

la fin

LES FOURMIS AVANCENT DEUX

Avant, comment elle guenilles

Pommes

POMMES

1234321

UN SEUL SOUF

amente, trouvé, détrouvé et retrouvé BLEUS ET COUPURES

TOI IL NE RESTE PLUS D'ASPIRINE

JEUX SONT| FAITS, LÀ-HAUT ? BLEUS ET COUPURE

de fraises pour l'hiver non plus

Te prendre par la peau du cou.

OH MA

te plaquer, te plaquer au sol, plaquer

Oh ma Lilly

Oh ma Karen

dégoûtant

JE SUIS ET TOUT EST EN RÈGLE DE DIEU

Deux fois seize font trente-deux fois trente-deux font soixante-quatre

Oh ma perle préc

HUIT FONT SEIZE HEURES SONNENT L'HEURE, L'HEURE PLUS DIX

Oh ma Julie

TES MAINS POUR L'AVOIR

ET BLEU

DÉSENCLENCHE LE VERROU, CHARGE LA CARTOUCHE

un virus, des spacks

AVEC UN PEU DE CORDE !

Il y en a juste as

Clou, un, deux, trois, clou, un, deux, trois

Je le tuerai, c'est sûr

La fin

Le jour approche

Ces spacks et leur foutu virus

TOUT EST EN RÈGLE

UN FIN MOI

Petit, petit, précie

ENCORE UN AUTRE, CHARLIE

Plus de Spackle à tuer

UN MOIS

BLEU

S LE POINT ET LE POINT C'EST MOI

Oh, joli petit cou

Quelle barbe, quelle barbe, quelle barbe

Ça fait mal

qu'ils seront des homme:

ET TOUT EST EN ORDRE DE DIEU

Huile le tonneau mai

quatre-vingt-dix jours sans pluie

DIEU

rouvé et retrouvé

Qu'est-ce

Dix rangs, fini

REGARDE LES PETITES MAINS

UN MOIS

QU'AVONS-NOUS FAIT, MON DIEU

1234

Et s'il demande pour les m

ma Karen

VIRUS, UN VIRUS, DES VIRUS

Pommes...

JE SUIS ET TOUT EST EN RÈGLE DE DIEU

JADE

ATTACHE TES MAINS POUR L'AVOIR

beau juillet

AVEC UN PEU DE CORDE

L'HEURE PLUS DIX

C'est pas juste, vraiment pas juste

S'il vous plaît ne laissez

la sainteté du silence

Il y en a juste assez pour ma famille, pas de en règle de Dieu

JE

CHARGE LA CARTOUCHE

Le générateur grésille

Pommes

ATTACHE

SON VISAGE

VIRUS, UN VIRUS, DES VIRUS

Oh, mon Esther mon E

etit, petit, précieux et savoureux,

UN MOIS

UN POINT SUR UN

EN LIGNE, LIGNE, LIGNE

Le jour approche

BLEUS ET COUPURES

Pourra-t-on jamais sortir d'ici ?

ALORS JE LUI AI DIT COMME ÇA

qu'ils seront des hommes. Tu te rappelles

Pourra-t-on jamais sortir d'ici ?

QU'AVONS-NOUS FAIT, OH MON DIEU ?

CIPLINE, HOMMES SONT SUR UN

Qu'est-ce

DEUX FOIS DEUX

des spacks

DEUX

guenilles

Par pitié, Tomas, autrefois Dieu reconnaissait un homme

RÈGLE DE DIEU

Hé, mon garçon, hé, toi

pommes

OH MA JAD

R L'AVOIR

Une maladie

RÈGLE DE DIEU

DISCIPLINE, HOMMES !

JE LUI AI DIT COMME ÇA

S'il vous plaît ne laissez pas la fièvre me prendre mon un mois

CERCLE SUR UN POINT SUR UN CERCLE

Oh, mon Esther mon Esther ma jolie petite fille

UN MOIS POMMES

4 3 2 1

TINS TES PENSÉES EN LIGNE, LIGNE, LIGNE

CE GARÇON HEWITT

Dans un mois

amente, trouvé, détrouvé et retrouvé

[illegible] SON VISAGE

IL NE RESTE PLUS D'ASPIRINE

1234321

de fraises pour l'hiver non plus

12 34 te plaquer, te plaquer au sol, plaquer

VIRUS, UN VIRUS, DES VIRUS | dégoûtant

DIX HEURES SONNENT L'HEURE

DÉSENCLENCHE LE VERROU, CHARGE LA CARTOUCHE

Clou, un deux trois, clou un deux trois

L'HEURE PLUS DIX

Le jour approche

FERME-LA, S'IL TE PLAÎT,

LÀ ENCORE UN AUTRE CHAL[illegible]

la barbe, quelle barbe, quelle barbe

DIEU

ET TOUT EST EN ORDRE DE DIEU

BOUCLE-LA

Et ça juste des mots, des voix qui parlent, se lamentent et pleurent. Et il y a des images aussi, des images qui viennent à l'esprit en coup de vent, peu importe qu'on en veuille ou pas ou surtout pas, des images de souvenirs et de rêves et de secrets et de plans et de mensonges, mensonges, mensonges… À cause que, vous pouvez mentir dans le Bruit, même quand tout le monde sait ce que vous pensez, vous pouvez empiler des trucs par-dessus d'autres trucs, vous pouvez les cacher en plein jour, suffit juste de pas penser clairement ou de vous convaincre que le contraire de ce que vous cachez est vrai et alors, qui pourra faire la différence dans ce flot, entre l'eau véritable et celle qui va pas mouiller ?

Les hommes mentent – pire que ça, ils *se* mentent.

Par exemplaire, j'ai jamais vu une femme ni un Spackle en vrai, évidemment. J'ai vu les deux en vidéo, avant qu'elles soient interdites (les vidéos), mais je les vois *tout le temps* dans le Bruit des hommes du fait que, à quoi d'autre pensent les hommes, à part au xexe et aux ennemis ? Pourtant, les spacks ont l'air drôlement plus grands et drôlement plus méchants dans le Bruit que sur les vidéos. Et les femmes du Bruit, elles ont des cheveux plus blonds et des poitrines plus grosses et moins d'habits, et elles montrent beaucoup plus librement leur affexion que sur les vidéos, aussi. Alors la chose à se rappeler, la chose la plus importante de toutes celles que je pourrais dire dans ce racontement des choses, c'est que le Bruit n'est pas la vérité : le Bruit, c'est ce que les hommes *veulent* être vrais, et il y a une rutain de différence entre ces deux choses, une différence énorme et elle pourrait bien vous tuer si vous faites pas très attenssion.

– Maison, Todd ?

Manchee aboie un peu plus fort contre ma jambe à cause que c'est comme ça qu'il faut parler dans le Bruit.

– T'inquiète, on y va.

On habite de l'autre côté, au nord-est, et va falloir passer à travers la ville pour y arriver, alors voilà cette ville à traverser aussi vite qu'on peut.

Le premier dans la côte, c'est le magasin de Mr. Phelps. Il agonise, son magasin, comme le reste de la ville, et Mr. Phelps passe tout son temps à despérancer. Même quand vous lui achetez un truc et qu'il se montre aussi poli qu'il peut, sa despérance vous dégouline dessus comme le pus d'une vieille plaie. *La fin*, dit son Bruit, *La fin, c'est la fin de tout et guenilles* et *guenilles et guenilles* et *Ma Julie, ma chérie, ma Julie chérie* qui était sa femme et qui porte aucun vêtement non aucun dans le Bruit de Mr. Phelps.

– 'Jour, Todd! fait-il, alors que Manchee et moi on passe aussi vite fait que possible.

– 'Jour, Mr. Phelps.

– Beau temps, pas vrai?

– Oui, très beau, Mr. Phelps.

– Beau! aboie Manchee, mais Mr. Phelps, son Bruit arrête pas de dire *La fin* et *Julie* et *guenilles* et les images de ce qu'il regrette chez sa femme et de ce qu'elle faisait comme si c'était quelque chose d'unique ou de je sais pas quoi.

Je pense rien de particulier dans mon Bruit sur Mr. Phelps, juste les trucs habituels qu'on peut pas empêcher. Bon, j'avoue que j'y pense un tout petit peu plus fort pour couvrir mes pensées sur le trou que j'ai découvert dans le marais, pour les bloquer derrière un Bruit plus fort.

Pourquoi je me sens obligé de faire ça, à cause de quoi je devrais le cacher, j'en sais rien.

Mais je le cache.

Manchee et moi on continue à marcher assez vite du fait qu'après il y a la stassion-service et Mr. Mortard. La stassion-service marche plus, le générateur à fission qui fabriquait l'essence s'est mis en berne l'année dernière et reste là derrière les pompes comme un énorme orteil tuméfié, et personne habiterait à côté, sauf Mr. Mortard, et Mr. Mortard est carrément pire que Mr. Phelps à cause que lui vous vise avec son Bruit et je vous promets qu'il vous rate pas.

Et c'est un Bruit laid, un bruit colérique, des images de soi comme on en voudrait surtout pas, des images violentes et des images sanglantes, et tout ce qu'on peut faire alors c'est rendre son propre Bruit aussi Bruyant que possible pour essayer de balayer le Bruit de Mr. Phelps avec, aussi, pour le renvoyer direct vers Mr. Mortard. *Pommes* et *La fin* et *poing sur main* et *Ben* et *Julie* et *Beau temps, Todd?* et *le générateur grésille* et *guenilles* et *tais-toi donc, ferme-la* et *Regarde-moi, garçon.*

Pourtant je tourne la tête, même si je veux pas, mais parfois on se laisse surprendre et donc je tourne la tête, et voilà Mr. Mortard à sa fenêtre qui me regarde et *Un mois*, c'est ce qu'il pense, et voilà une image de son Bruit et elle me représente debout tout seul mais d'une certaine façon encore plus seul que ça, et je comprends pas ce que ça veut dire, si c'est réel ou si c'est un mensonge intenssionnel, et donc je pense à un marteau cognant Mr. Mortard sur et dans son crâne mais il me sourit toujours à sa fenêtre.

La route contourne la stassion-service et passe devant la clinique, le docteur Baldwin et tout ce que font les hommes qui pleurent et geignent devant le médecin alors qu'ils ont rien. Aujourd'hui c'est Mr. Fox, il dit qu'il peut pas respirer, on le plaindrait bien sûr s'il fumait pas tant. Et puis, après la clinique, sacré bon D..., vous avez le feuttu pub même à cette heure de la journée rien qu'un feuttu hurlement de Bruit à cause que ce qu'ils y font c'est pousser la musique si fort qu'elle noie le Bruit, mais ça marche que moite-moite, vous avez une musique à fond et un

Bruit à fond, pire, un Bruit *ivre* qui vous frappe comme un maillet. Cris et hurlements et sanglots d'hommes mais leurs visages changent pas, juste horripilassionnés par leur passé, toutes leurs femmes trépassées, mais rien n'aurait aucun sens, tellement le Bruit ivre c'est comme un homme ivre – flou, rasoir et dangereux.

J'ai de plus en plus de mal à contourner le centre de la ville, du mal à prévoir le pas suivant, le Bruit pèse si lourd sur mes épaules. Honnêtement, je sais pas comment les hommes font, je sais pas comment je vais y arriver quand je serai homme, sauf quelque chose que j'ignore change ce jour-là.

La route oblique à droite après le pub, elle passe devant le poste de polisse et la prison, même endroit pour les deux et bien plus utilisés qu'on croirait pour une ville si petite. Le shérif c'est Mr. Prentiss Jr., âgé de deux ans à peine plus que moi et donc homme depuis pas longtemps mais son boulot lui va comme un gant, dans sa cellule il garde qui Maire Prentiss lui demande de garder pendant la semaine, pour l'exemplaire. Là, tout de suite, c'est Mr. Turner qu'a pas livré assez de maïs pour *« le bon usage de toute la ville »* – bref, pas assez de maïs gratuit à Mr. Prentiss et à ses hommes.

Donc, vous avez traversé la ville avec votre chien et vous avez tout ce Bruit derrière vous, Mr. Phelps et Mr. Mortard et docteur Baldwin et Mr. Fox et le Bruit puissance dix du pub et le Bruit de Mr. Prentiss Jr. et le Bruit plaintif de Mr. Turner, et vous en avez pas encore fini avec le Bruit de la ville à cause que maintenant voici l'église.

L'église, en gros, c'est pourquoi on est tous ici à Nouveau Monde, bien sûr, et tous les dimanches ou presque vous entendez Aaron prêcher comme quoi on a rejeté la corruspion et le péché de Vieux Monde et comme quoi on avait pour but de démarrer une nouvelle vie de pureté et de fraternité dans un Éden complètement neuf.

Pas franchement une réussite, faut bien dire.

Les gens vont toujours à l'église, d'accord, principalement parce qu'obligés de toute façon, même si le Maire, lui, s'en donne presque jamais la peine, nous laissant écouter Aaron prêcher, comme quoi nous sommes la seule chose que chacun de nous possède ici, nous les hommes, et que nous devons tous former une seule communauté unie.

Comme quoi si l'un de nous tombe, nous tombons tous.

Celle-là, il la répète souvent.

Manchee et moi, on fait le moins de bruit possible en passant devant le porche de l'église. Un Bruit priant sort de l'intérieur, avec un effet assez spécial, maladif et violet, comme du sang que des hommes saigneraient, toujours le même sang violet qui continuerait à couler. Aide-nous, sauve-nous, pardonne-nous, aide-nous, sauve-nous, pardonne-nous, sors-nous de là, s'il te plaît, mon Dieu, s'il te plaît, mon Dieu, s'il te plaît, mon Dieu, mais à ma connaissance personne a jamais entendu un Bruit venir de ce type – Dieu, quoi.

Aaron est là-dedans, aussi, rentré de sa petite promenade et prêchant par-dessus les prières. J'entends sa voix, pas seulement son Bruit, et c'est tout sacrifice par-ci et scripture par-là et bénédiction par-ci et saintété par-là et il y va à un tel débit de mitraille que son Bruit fait comme un feu gris derrière lui et que vous pouvez rien en attraper et qu'il pourrait très bien préparer un mauvais coup en douce. Le sermon pourrait couvrir quelque chose et je commence à me demander si je saurais pas à quoi rime ce quelque chose.

Et puis j'entends Jeune Todd? dans son Bruit et je dis « Dépêche, Manchee », et on accélère le mouvement.

La dernière chose devant quoi vous passez sur la crête de Prentissville c'est la maison du Maire, qui fait le Bruit le plus étrange et le plus pénible à cause que, Maire Prentiss...

En fait, Maire Prentiss est différent.

Son Bruit est effarriblement clair, et je dis bien effarriblement, dans le sens d'effarrible. Il croit, voyez-vous, qu'on peut mettre de l'ordre dans le Bruit. Il croit qu'on peut trier le Bruit, que si on le domestique, en quelque sorte, alors on peut s'en servir. Et quand vous passez devant la maison du Maire, vous l'entendez, lui et ses hommes, ses adjoints et les autres, et ils sont toujours en plein exercice, à penser, à compter, à imaginer des choses parfaites et à scander des hymnes bien disciplinées comme JE SUIS LE CERCLE ET LE CERCLE EST MOI ce qui veut dire quoi j'en sais feuttre rien et c'est comme s'il modelait une petite armée, comme s'il se préparait à quelque chose, comme s'il se fabriquait une sorte de Bruit armé.

Ça ressemble à une menace. Ça ressemble à un monde qui change et qui vous abandonne.

1 2 3 4 4 3 2 1 JE SUIS LE CERCLE ET LE CERCLE EST MOI 1 2 3 4 4 3 2 1 SI L'UN DE NOUS TOMBE NOUS TOMBONS TOUS

Je vais bientôt être un homme et les hommes fuient pas, mais je presse encore Manchee et on marche encore plus vite, traçant un cercle aussi large que possible autour de la maison du Maire pour la dépasser et prendre le chemin en gravier qui va vers notre maison.

Au bout d'un moment, la ville disparaît derrière nous et le Bruit commence à se faire un rien plus tranquille (attention, il s'arrête jamais jamais) et tous les deux on respire un peu mieux.

– Bruit, Todd, aboie Manchee.

– Mais oui, je sais.

– Paix dans le marais, Todd. Paix, paix, paix.

– Oui, t'inquiète, et puis je pense et puis je me dépêche de dire « Ferme-la, Manchee », et je lui tape sur les fesses et il fait « Ouaïe ! Todd ! » et je me retourne vers la ville, mais on peut pas arrêter un Bruit une fois qu'il est sorti, bien sûr. Et si c'était quelque chose qu'on pouvait voir, traversant les airs, je me demande si on pourrait voir flotter le trou dans le Bruit sorti de moi, des pensées où je le protégeais, un si petit morceau de Bruit, ça serait facile de le manquer dans le grand rugissement de tout le reste, mais le voilà parti, il s'en va, il retourne tout droit vers le monde des hommes.

03 *Ben et Cillian*

À peine on apparaît au détour du chemin, moi et Manchee, voilà Cillian *(on prononce Killian)* qui dit :

– Hé ! où as-tu encore été traîner ?

Allongé par terre, plongé dans notre petit générateur à fission, celui de devant la maison, il répare je sais quoi d'encore détraqué ce mois-ci. Ses bras couverts de graisse et sa figure couverte d'énervement et son Bruit bourdonne comme des abeilles enragées et je me sens déjà presque en colère et je suis même pas vraiment arrivé à la maison.

– J'étais au marais, chercher des pommes pour Ben.

– Super… On croule sous le travail, et les garçons partent s'amuser.

Il se replonge dans le générateur. Quelque chose fait un gros clonk à l'intérieur.

– Sacré bon D… !

– Je m'amusais pas, si tu veux bien m'écouter ! je dis (ou je crie, plutôt). Ben voulait des pommes, alors j'ai été lui chercher des purains de pommes !

– Hmm, fait Cillian en me jetant un coup d'œil. Et ces pommes, elles sont où ?

Bien sûr, j'ai pas de pommes. Je me rappelle même pas avoir lâché le sac que j'avais commencé à remplir, mais sûrement c'est arrivé quand…

– Quand quoi ? dit Cillian.

– Arrête d'écouter si près.

Il lâche son soupir à la Cillian et le voilà reparti.

– C'est pas comme si on t'en demandait tellement, Todd *(des histoires)*, mais on ne peut pas faire marcher cette ferme à nous seuls *(ça, c'est vrai)*, et même si tu faisais correctement tout ton boulot, ce qui n'est pas le cas *(là, des histoires encore, ils me font trimer comme un esclave)*, on serait toujours très loin du compte… *(Vrai. La ville peut pas grandir, seulement se ratatiner, aucune aide à espérer.)*

– Tu m'écoutes quand je te parle ? il enchaîne.

– M'écoutes ! aboie Manchee.

– Ferme-la, je dis.

– Ne parle pas à ton chien comme ça.

Je parlais pas à mon chien *(je pense, assez fort et clair pour être entendu)*.

Cillian me fixe et je le fixe et c'est toujours comme ça, notre Bruit gonflé rouge d'énervement et d'irrirassion. On s'est jamais bien entendus avec Cillian, enfin, presque jamais, Ben a toujours été le gentil, Cillian a toujours été l'autre, mais c'est devenu pire depuis que le jour approche quand je serai finalement un homme et quand j'aurai plus à écouter tout son baratin.

Cillian ferme les yeux, souffle un bon coup par le nez.

– Todd… il reprend, baissant un peu la voix.

– Où est Ben ? je demande.

Son visage durcit un peu plus.

– Les agneaux, c'est dans une semaine, Todd.

Je réponds pas, répète :

– Où est Ben ?

– Tu donnes à manger aux moutons, tu les rentres aux paddocks, et puis je veux que tu répares cette barrière de pré une fois pour toutes, Todd Hewitt. Je te l'ai déjà demandé au moins deux fois.

– Alors, c'était comment ta promenade dans le marais, Todd ? je fais, cambré en arrière, avec un maximum de sarcasme dans la voix.

– Super, et puis très chic, là-bas, Cillian, merci.

– T'as vu quelque chose d'intéressant, là-bas, dans le marais ?

– Eh bien oui, c'est drôle que tu me poses la question, Cillian, parce qu'en fait j'ai vu quelque chose d'intéressant, vraiment, qui pourrait espliquer cette coupure à ma lèvre, mais comme tu m'as rien demandé, je suppose que ça attendra que les moutons aient mangé et que j'aie réparé cette *purain de barrière* !

– Parle autrement, s'il te plaît. Et je n'ai pas de temps à perdre avec tes devinettes. Va plutôt t'occuper des moutons.

Je serre les poings, lâche un borborygme supposé faire comprendre à Cillian que je supporterai pas une seconde de plus sa non-raison.

– Viens, Manchee, je dis.

– Moutons, Todd ! fait Manchee. Moutons d'abord !

– Ouais, on va s'en occuper, des purains de moutons, je marmonne.

Je m'éloigne plus vite maintenant, mon sang pulse et le rugissement de mon Bruit énerve Manchee.

– Moutons ! il aboie. Moutons, moutons, Todd ! Moutons, moutons, paix, Todd ! Paix, paix dans le marais, Todd !

– Ferme-la, Manchee.

– Quoi ? demande Cillian brusquement, quelque chose d'autre dans la voix, et on se retourne tous les deux.

Le voilà assis devant le générateur maintenant, toute son attenssion concentrée sur nous, son Bruit dirigé vers nous comme un laser.

– Paix, Cillian ! aboie Manchee.

– Qu'est-ce qu'il veut dire, « paix » ?

Les yeux et le Bruit de Cillian me fouillent partout.

– Qu'est-ce que ça peut te faire ? (Je m'éloigne à nouveau.) J'ai les purains de moutons à nourrir.

– Todd, attends !...

Mais quelque chose commence à biper sur le générateur et il lâche « Bon D... » et doit y retourner, mais je sens toutes sortes de points d'interrogassion dans son Bruit qui me suivent, de plus en plus faibles du fait qu'on s'éloigne vers nos prés.

Qu'il aille se faire voir, qu'ils aillent se faire voir tous, je pense, plus ou moins avec ces mots et même pire. On habite à un kilomètre à peu près au nord-est de la ville, on fait du mouton sur une moitié et du blé sur l'autre. Le blé, c'est plus difficile, alors Ben et Cillian ils s'en occupent presque tout seuls. Depuis que je suis plus haut qu'un mouton, c'est d'eux que je m'occupe. Moi, j'insiste, pas moi et Manchee, à cause que, autre excuse mensongère quand on me l'a donné, soi-disant que je pourrais en faire un chien de berger, chose qui, pour des raisons évidentes – je veux dire sa parfaite stupidité –, a pas vraiment fonctionné comme prévu.

Donner à manger, donner de l'eau, tondre, agneler et même castrer et même saigner, je le fais. On est l'un des trois fournisseurs de viande et de laine pour la ville, avant on était cinq, bientôt on sera plus que deux quand Mr. Marjoribanks sera mort, d'un jour à l'autre, maintenant, avec son alcoolisme. On repliera son troupeau sur le nôtre. Ou plutôt je devrais dire, je replierai son troupeau sur le nôtre, comme j'ai fait quand Mr. Gault a disparu il y a deux hivers, et il va y en avoir d'autres à saigner, d'autres à castrer, d'autres à tondre, d'autres à mettre dans les enclos avec les brebis au moment voulu, et qui me dira merci ? Personne évidemment.

Je m'appelle Todd Hewitt, je pense, et cette journée continue à ne pas calmer mon Bruit. *Je suis presque un homme.*

– Moutons ! font les moutons quand je passe devant leur pré sans m'arrêter. Moutons ! ils appellent en me regardant m'éloigner. Moutons ! Moutons !

– Moutons ! aboie Manchee.

– Moutons ! répliquent les moutons.

Les moutons, ils en ont encore moins à dire que les chiens.

J'ai guetté le Bruit de Ben de l'autre côté de la ferme, et je l'ai pisté plus bas, au coin d'un champ de blé. Les semailles sont passées, la moisson dans plusieurs mois, alors il y a pas grand-chose à faire avec le blé pour l'instant, juste s'assurer que tous les générateurs et les batteuses électriques et le tracteur à fission sont prêts à fonctionner. Mais allez pas imaginer que ça me vaudrait un peu d'aide pour les moutons.

Le Bruit de Ben murmure une petite mélodie près d'un robinet d'irrigassion, alors je bifurque et traverse le champ vers lui. Son Bruit, il ressemble pas du tout à celui de Cillian. Il est plus calme et plus clair. Même si on voit pas le Bruit, celui de Cillian a toujours l'air rougeâtre, alors que celui de Ben paraît bleu, et parfois vert. Ils sont des hommes très différents, différents comme le feu et l'eau, Ben et Cillian, mes plus ou moins parents.

L'histoire, c'est que ma maman était copine avec Ben avant qu'ils partent pour Nouveau Monde, ils étaient tous les deux membres de l'église quand leurs vaisseaux ont atterri et qu'ils ont fondé la colonie. Ma maman et mon papa élevaient les moutons sur la ferme juste derrière l'exploitation de blé de Ben et Cillian, et tout était doux et gentil et le soleil se couchait jamais et les hommes et les femmes chantaient des chansons ensemble et vivaient et s'aimaient et tombaient jamais malades et mouraient jamais.

Voilà l'histoire que dit le Bruit, en tout cas, mais qui sait comment c'était vraiment avant? Vu que, bien sûr, tout a changé quand je suis né. Les spacks ont lâché leur virus tueur de femmes, et voilà, c'était la fin pour maman, et la guerre est venue, puis elle a été gagnée, et ce fut la fin aussi pour pratiquement tout le reste de Nouveau Monde. Et me voici juste bébé, sachant rien de rien, et bien sûr je suis pas le seul bébé, on est des tas, mais soudain une demi-ville d'hommes seulement pour s'occuper de tous ces bébés et garçons. Alors, beaucoup sont morts et j'étais parmi les chanceux, du fait que c'était tout naturel pour Ben et Cillian de me prendre avec eux, de me nourrir et de m'élever et de m'enseigner et de rendre possible en général que je continue à rester vivant.

Et donc je suis un peu comme leur fils. Bon, d'accord, plus qu'un peu, mais moins qu'en vrai. Ben dit que Cillian se dispute tout le temps avec moi uniquement parce qu'il tient tellement à moi, mais si c'est vraiment vrai, moi je dis que c'est une façon bizarre de le montrer, une façon qui ressemble pas franchement à de l'affexion, si vous me posez le questionnement.

Mais Ben est un genre d'homme différent de Cillian, un gentil genre d'homme, ce qui le rend pas très normal à Prentissville. Les 145 hommes de cette ville, même les tout nouveaux juste en âge, même Cillian quoique, à un degré moindre, ils me considèrent au mieux comme une chose à ignorer, au pire comme une chose à frapper et donc je passe le plus gros de mes journées à inventer des trucs pour me faire ignorer, pour pas me faire frapper.

Esseplé Ben, que je peux pas décrire plus sans avoir l'air gnan-gnan et débile comme un garçon – alors je le fais pas, juste dire que j'ai jamais connu mon papa, mais que si je me réveillais un jour avec la possibilité d'en choisir un dans une sélexion, si quelqu'un me disait «Allez, garçon, choisis qui tu veux», alors Ben il serait pas le pire choix, et loin de là.

Il sifflote à notre approche, je le vois pas encore et il me voit pas, mais quand il me sent venir il change de chanson pour une que je reconnais – Après un très long, long so-o-mmeil, à peine se levait le so-o-leil... Il dit que c'était l'une des préférées de maman, mais je pense que c'est juste une de ses préférées à lui, vu que, aussi loin que j'ai des souvenirs, il me l'a toujours sifflée et chantée. Mon sang tempête encore après Cillian, mais aussitôt je commence à me sentir un peu plus calme.

(Même si c'est une chanson pour bébés, je sais, ça va.)

– Ben! aboie Manchee qui se met à courir autour du système d'irrigassion.

– Salut, Manchee!

Et le voilà Ben qui gratouille Manchee entre les oreilles. Manchee ferme les yeux, une patte tambourinant le sol de plaisir et même si Ben devine évidemment à mon Bruit que je me suis encore disputé avec Cillian, il dit rien du tout, à part:

– Salut, Todd.

– Salut, Ben.

Je regarde par terre, shoote dans une pierre.

Et le bruit de Ben dit Pommes et Cillian et Te voilà bien grand et Cillian encore et démange au creux de mon bras et pommes et dîner et Bouf, fait chaud dehors et tout ça si doux et sans agripper c'est comme s'allonger dans un frais ruisseau par une très chaude journée.

– Tu retrouves ton calme, maintenant, Todd? fait-il finalement. Tu te rappelles qui tu es?

– Oui, bon, mais quand même, pourquoi il m'agresse comme ça? Pourquoi il peut même pas me dire bonjour? Pas même «Salut!», mais juste

«Je sais que t'as fait quelque chose de mal et je te lâcherai pas tant que j'aurai pas trouvé quoi».

– Il est comme ça, Todd, tu sais bien.

– Tu dis toujours ça.

Je détache une tige de blé vert, plante le bout entre mes dents, sans vraiment le regarder.

– T'as laissé les pommes à la maison, alors?

Je continue à mâchonner le blé. Il sait bien que non. Il devine, continuant à gratter Manchee.

– Et il y a une raison, hein? Une raison qu'a pas l'air trop nette, dis?

Il essaye de lire mon Bruit, de voir quelle vérité peut filtrer à travers, chose qui chez la plupart des hommes suffit largement comme prétexte à déclencher une bagarre, mais avec Ben j'ai pas ce genre de problèmes. Il relève la tête, cesse de gratouiller Manchee.

– Aaron?

– Hmm, j'ai vu Aaron.

– C'est lui qui t'a fait ça, à la lèvre?

– Hmm.

– Le fils de purain...

Front plissé, il fait un pas en avant.

– Je crois que je devrais avoir une conversation avec ce monsieur.

– Non. Ça ferait qu'empirer les choses. Et puis, j'ai pas si mal.

Il prend mon menton entre ses doigts, me relève le visage pour mieux voir la coupure.

– Le fils de catin... il répète, doucement, et touche la coupure avec ses doigts. Je sursaute.

– C'est rien, je te dis.

– T'approche plus de cet homme, Todd Hewitt.

– Comme si je m'étais précipité au marais en espérant le rencontrer!

– Il est pas clair.

– Merci beaucoup pour l'info, Ben.

Et puis je capte un bout de son Bruit qui dit Un mois, et c'est un nouveau truc, un bout de truc complètement nouveau que très vite il recouvre avec un autre Bruit.

– Hé, qu'est-ce qui se passe, Ben? Il se passe quoi, avec mon anniversaire?

Il sourit. Une seconde, mais c'est pas vraiment un vrai sourire, pendant une seconde un sourire inquiet, puis le sourire redevient presque vrai.

– Une surprise. Alors, cherche pas, d'accord?

Même si je suis presque un homme, et même si j'atteins déjà presque sa taille maintenant, il se penche encore un peu pour mettre son visage au niveau du mien, pas trop près, que je me sente à l'aise, mais assez près pour vérifier mon Bruit, et je détourne les yeux. Même si c'est Ben, même si je fais confiance à Ben plus qu'à n'importe qui dans cette petite ville paumée, même si Ben il m'a sauvé la vie et le referait, je le sais, j'hésite encore à ouvrir mon Bruit sur ce qui s'est passé dans le marais, surtout que je recommence à sentir ma poitrine se comprimer chaque fois quand la pensée revient plus proche.

Ben m'observe attentivement.

– Todd?

– Paix, Manchee aboie doucement. Paix dans le marais.

Ben regarde Manchee, puis moi, ses yeux pleins de douceur et d'inquiétude.

– Hé, de quoi il parle, Todd?

Je pousse un soupir.

– On a vu quelque chose. Là-bas, dans le marais. Enfin, on l'a pas vraiment vu, ça s'est caché, mais c'était comme une déchirure dans le Bruit, comme…

J'arrête de parler parce qu'il écoute plus ma voix. Je lui ai ouvert mon Bruit et j'essaye de rendre ma mémoire aussi fidèle que je peux et il me regarde comme voyant quelque chose de terrible et loin derrière moi j'entends arriver Cillian et il appelle « Ben ? » et « Todd ? » et il y a de l'inquiétude dans sa voix et son Bruit, et Ben commence à bourdonner un peu lui aussi, et je continue simplement à penser aussi fidèlement que possible au trou qu'on a découvert dans le Bruit mais tout doux aussi, tout doux pour empêcher la ville de l'entendre si je peux, et voilà Cillian, et Ben me regarde simplement et il me regarde toujours, alors finalement je demande :

– Les spacks ? Hein ? Ils sont de retour, les spacks ?

– Ben ? hurle maintenant Cillian en traversant le champ.

– On est en danger ? je demande. Il va y avoir une autre guerre ?

Mais Ben répond rien d'autre que « Oh, mon Dieu », tout doucement, et puis il répète ça, « Oh, mon Dieu », puis, sans même bouger ou regarder ailleurs, il dit :

– Nous devons te faire sortir d'ici. Nous devons te faire sortir d'ici, *et tout de suite*.

04 N'y pense pas

Cillian arrive en courant, mais avant qu'il dise rien, Ben le coupe:

– N'y *pense* pas!

Puis il se tourne vers moi.

– Et toi, n'y pense surtout pas non plus. Couvre ça avec ton Bruit. Cache ça. Cache-le comme tu peux.

Il m'agrippe par les épaules et les serre tellement que mon sang pulse encore plus fort.

– Mais enfin, qu'est-ce qui se passe?

– Tu as traversé la ville pour rentrer? demande Cillian.

– Évidemment que j'ai traversé la ville. Parce qu'il existe un autre purain de chemin pour rentrer, peut-être?

Cillian crispe les mâchoires, mais pas à cause de mon ton. Il les crispe de peur, une peur que dans son Bruit j'entends aussi forte qu'un cri. Ils ne m'enguirlandent pas pour «purain» non plus, et c'est presque pire. Manchee, lui, aboie à s'en dévisser la tête «Cillian! Paix! Purain! Todd!», mais personne pense même à lui dire de se taire.

Cillian regarde Ben.

– Il va falloir le faire, maintenant.

– Je sais.

– Mais qu'est-ce qui se passe ? je demande, presque à haute voix. « Faire » quoi, maintenant ?

Je m'arrache aux mains de Ben et les fixe tous les deux.

Ben et Cillian se jettent encore un regard, puis Ben fait :

– Tu dois quitter Prentissville.

Les globes de mes yeux ricochent entre leurs yeux, plusieurs fois, mais ils me laissent rien attraper de leur Bruit, sauf une inquiétude, envahissante.

– Et ça veut dire quoi, je « dois quitter Prentissville » ? Il y a rien d'autre ailleurs à Nouveau Monde, à part Prentissville.

Ils se lancent encore un regard.

– Vous allez arrêter de faire ça ! je crie.

– Viens, dit Cillian. On a déjà fait ton sac.

– Comment ça, vous avez déjà fait mon sac ?

(Cillian, à Ben.)

– On n'a sans doute pas beaucoup de temps.

(Ben, à Cillian.)

– Il peut descendre par la rivière.

(Cillian, à Ben.)

– Tu sais ce que ça veut dire.

(Et Ben, à Cillian.)

– Ça ne change pas le plan.

– MAIS QU'EST-CE QUI SE PASSE, PURAIN ? j'explose. Et je dis pas « purain », évidemment. La situation semble essiger quelque chose d'un peu plus osé. *QUEL* FEUTTU PLAN ?

Ils s'énervent toujours pas.

Ben baisse la voix, je le sens essayer de mettre un peu d'ordre dans son Bruit, puis il me dit :

– Surtout, surtout, fais le maximum pour bien garder en dehors de ton Bruit ce qui s'est passé dans le marais.

– Pourquoi ? Les spacks ? Ils reviennent nous tuer ?

– N'y *pense* pas ! coupe Cillian. Couvre ça, garde-le profond, silencieux, jusqu'à ce que tu sois tellement loin de la ville que personne ne puisse t'entendre. Et maintenant, allons-y !

Et il s'élance vers la maison en courant – parfaitement, en courant.

– Viens, Todd, me fait Ben.

– Pas avant que quelqu'un m'esplique quelque chose.

– Tu l'auras, ton esplication… (Il me tire par le bras.) Tu en auras même largement plus qu'il ne faut.

Et il y a tellement de sagesse en lui quand il le dit que je me tais. Je le suis en courant vers la maison, Manchee aboyant comme un malade derrière nous.

Quand on arrive à la maison, je m'attends à…

Je sais pas à quoi je m'attendais, au juste. À voir une armée de Spackle sortant des bois, peut-être – ou Maire Prentiss et ses hommes, fusils en joue – ou la maison en flammes. Je sais pas. Le Bruit de Ben et de Cillian a pas vraiment de sens, mes pensées à moi bouillonnent comme un volcan et Manchee arrête pas d'aboyer, alors qui pourrait tirer quelque chose d'un tel raffut ?

Mais non, il y a personne. Ma maison, notre maison, elle est comme d'habitude, tranquille dans son genre ferme. Cillian se précipite par la porte arrière, il entre dans la salle de prières qu'on utilise jamais et il s'agenouille pour soulever des lames du plancher. Ben va dans le cellier. Il enfourne des aliments, des fruits secs dans un sac en coton, puis il va aux toilettes et il prend une petite trousse de secours et il la met avec le reste.

Je reste là planté comme un débile à me demander à quoi tout ça rime.

Je sais ce que vous pensez, comment je peux ne pas comprendre puisque toute la journée, tous les jours j'entends chaque pensée des deux hommes de la maison ? Mais c'est comme ça. Le Bruit, c'est du bruit. Ça craque et ça crépite et ça finit généralement par une grande purée de sons et de pensées et d'images, et la moitié du temps, impossible d'y comprendre quelque chose. L'esprit des hommes est rien qu'un fouillis et le Bruit, c'est comme la version active, respirante de ce fouillis. C'est ce qui est vrai et ce qui est cru et ce qui est imaginé et ce qui est rêvé, et ça dit une chose et son contraire total en même temps, et même si la vérité s'y trouve forcément, comment faire la différence entre ce qui est vrai et ce qui l'est pas quand vous captez tout, absolument tout ?

Le Bruit, c'est un homme non filtré, et sans filtre, un homme, c'est rien qu'un chaos sur pattes.

– Je partirai pas.

Ils font pas attention à moi, continuent à s'activer. Je répète « Je pars pas », alors que Ben passe derrière moi pour aider Cillian à déclouer les planches dans la salle de prières. Cillian en retire un sac à dos, un vieux que je croyais avoir perdu. Ben l'ouvre, y jette un coup d'œil et j'aperçois des habits à moi et ce qui ressemble à...

– C'est un livre ? Vous étiez pas supposés les avoir tous brûlés il y a longtemps ?

Mais ils m'écoutent pas et l'air s'est juste arrêté de circuler là, pendant que Ben sort le livre du sac et que lui et Cillian le regardent et je vois que c'est pas tout à fait un livre, plutôt un genre de journal avec une jolie reliure en cuir et quand Ben le feuillette, les pages sont couleur crème, toutes écrites à la main.

Ben le referme comme une chose importante, il l'enveloppe dans un sac en plastique pour le protéger et il le glisse dans le sac à dos.

– Je vais nulle part, je répète.

Alors quelqu'un frappe à la porte.

Pendant une seconde, deux secondes, personne dit rien, on reste juste paralysés. Manchee a tellement de choses à aboyer que ça sort pas tout de suite puis enfin il aboie « Porte ! », mais Cillian l'attrape par le collier d'une main, et par le museau de l'autre pour lui fermer le clapet. On se regarde tous, sans savoir quoi faire.

Ça frappe encore, puis une voix traverse les murs :

– Je sais que vous êtes là !

– Bon sang de... fait Ben.

– Ce purain de Davy Prentiss, lâche Cillian.

C'est Mr. Prentiss Jr. L'homme de la loi.

– Vous croyez que je l'entends pas, votre Bruit ? fait Mr. Prentiss Jr. à travers la porte.... Benison Moore. Cillian Boyd. (La voix marque une petite pause.) Todd Hewitt.

– Alors là, bravo pour le secret, je ricane, croisant les bras, mais encore un peu énervé par tout ça.

Cillian et Ben se regardent encore, puis Cillian libère Manchee, nous dit « Restez ici » à tous les deux et s'avance vers la porte. Ben fourre le sac de nourriture dans le sac à dos et le boucle soigneusement. Il me le tend, chuchote :

– Passe-le sur tes épaules.

Je le prends pas tout de suite mais il me fait signe d'un air tellement sérieux, alors bon. Ça pèse une tonne.

On entend Cillian ouvrir la porte de devant.

– Qu'est-ce que tu veux, Davy ?

– Shérif Prentiss, pour ta gouverne, Cillian.

– Nous sommes en plein déjeuner, Davy. Repasse plus tard.

– Non, je crois que je préférerais dire un mot au jeune Todd, et tout de suite.

Ben me regarde, inquiet dans son Bruit.

– Todd a du travail à la ferme, répond Cillian. Il est juste en train de sortir par l'arrière, il s'en va.

Un code pour moi et Ben, bien sûr. Mais je veux trop entendre ce qui se passe et je résiste à la main de Ben quand il essaye de me tirer par l'épaule vers la porte arrière.

– Tu me prends pour un idiot, Cillian ? fait Mr. Prentiss Jr.

– Tu veux vraiment connaître la réponse, Davy ?

– J'entends son Bruit à même pas cinq mètres derrière toi. Celui de Ben, aussi. (On entend son esprit se déplacer.) Je veux juste lui parler. Il n'a pas besoin de s'en faire.

– Alors pourquoi ce fusil, Davy ? répond Cillian.

Ben me serre plus fort l'épaule, pas exprès je crois.

La voix et le Bruit de Mr. Prentiss Jr. changent encore.

– Fais-le sortir, Cillian. Tu sais pourquoi je suis là. Semblerait que de ton gars ait laissé un drôle de petit Bruit dans la ville, l'air de rien. Alors on voudrait juste y regarder d'un peu plus près, c'est tout.

– *On?* fait Cillian.

– Son Honneur le Maire voudrait s'entretenir avec le jeune Todd…

Il hausse le ton :

– Tu vas sortir, maintenant, d'accord? T'as pas à t'en faire! Juste une petite discussion amicale!

Ben me désigne la porte de derrière. Cette fois, pas moyen de discuter. On s'avance lentement, mais Manchee a gardé son clapet fermé trop longtemps, il peut plus se retenir et aboie « Todd? ».

– Hé! Vous auriez pas dans l'idée de filer en douce par l'arrière, hein? Écarte-toi, Cillian!

– Sors de ma propriété, Davy, rétorque Cillian.

– Je vais pas te le redire deux fois.

– Je crois bien que tu me l'as déjà dit trois fois, Davy. Alors, si c'est une menace, ça ne marche pas.

Il y a une pause, puis le Bruit qui vient d'eux se fait plus fort et Ben et moi on sait ce qui va arriver et soudain tout se passe très vite et on entend un son sourd mais fort, puis deux autres encore et moi et Ben et Manchee on court à la cuisine, mais c'est déjà fini. Mr. Prentiss Jr., il est par terre, la main sur sa bouche d'où le sang coule déjà. Cillian a pris le fusil de Mr. Prentiss Jr., et il le pointe sur Mr. Prentiss Jr.

– Je te le répète, sors de ma propriété, Davy.

Mr. Prentiss Jr. le regarde, puis il nous regarde, la main toujours sur sa bouche pleine de sang. Comme j'ai dit, il a tout juste deux ans de plus que moi, peut à peine sortir une phrase complète sans se casser la voix, mais il a eu son anniversaire d'homme, et le voilà notre shérif.

Le sang de sa bouche dégouline sur les petits poils bruns qu'il appelle moustache et que tout le monde appelle rien.

Il crache un peu de sang et une dent sur le sol.

– Tu sais que ça répond à ma question, pas vrai ? Tu sais que c'est pas fini… (Il me fixe droit dans l'œil.) T'as trouvé quelque chose, hein, mon gars ?

Cillian pointe le canon vers sa tête.

– Dehors.

Mr. Prentiss Jr. me grimace un sourire sanglant et se relève.

– On a prévu des choses pour toi, mon garçon. Le dernier garçon. Encore un mois, pas vrai ?

Je regarde Cillian, qui se contente d'armer le fusil avec un grand clac, et de le mettre en joue.

Mr. Prentiss Jr. nous dévisage, crache encore du sang, puis, avec un ton de dur à cuire :

– On se reverra.

Mais sa voix s'étrangle et le voilà qui tourne les talons pour reprendre vite fait le chemin de la ville.

Cillian claque la porte derrière lui.

– Todd doit filer, maintenant. Par le marais.

– Je sais, dit Ben. J'espérais…

– Moi aussi, dit Cillian.

– Hé, ho ! Moi, je retourne pas au marais. C'est plein de Spackle !

– Garde tes pensées pour toi, coupe Cillian. C'est plus grave que tu ne crois.

– Ça, c'est pas bien difficile, vu que je crois rien. Alors je vais nulle part tant que quelqu'un m'aura pas dit ce qui se passe !

– Todd… commence Ben.

– Ils vont revenir, Todd, dit Cillian. Davy Prentiss va revenir et il ne sera pas seul et on ne pourra pas te protéger de tout le monde en même temps.

– Mais…

– Pas de discussion, coupe Cillian.

– Allez, Todd, fait Ben. Manchee doit partir avec toi.

– Alors là, de mieux en mieux !

– Todd… dit Cillian.

Je le regarde. Il a changé, un peu, quelque chose de nouveau dans son Bruit, une tristesse, une sorte de tristesse, comme un chagrin. « Todd », il répète, puis soudain m'attrape et me presse contre lui très fort, de toutes ses forces. C'est trop, ma lèvre coupée cogne son col et je fais « Oughnn ! » et je le repousse.

– Tu vas peut-être nous en vouloir à mort, Todd, mais essaye de comprendre que c'est uniquement parce qu'on t'aime, d'accord ?

– Non. Je suis pas d'accord. Pas d'accord du tout.

Cillian n'écoute pas, comme d'habitude. Il se lève et dit à Ben :

– Vas-y, cours, je vais les retenir aussi longtemps que je pourrai.

– Je reviendrai par un autre chemin, pour essayer de les lancer sur une fausse piste.

Ils se serrent la main pendant une bonne minute. Puis Ben me regarde et fait «Allons-y», et pendant qu'il me tire hors de la pièce jusqu'à la porte de derrière, je vois Cillian qui reprend le fusil puis lève les yeux, me regarde, et il y a quelque chose chez lui, quelque chose d'écrit partout sur lui et sur son Bruit, un au revoir plus grand qu'il y paraît, comme si ça y est, c'est la dernière fois qu'il pense me voir, et j'ouvre la bouche pour dire quelque chose, mais alors la porte se referme sur lui et il a disparu.

05 Les choses que tu sais

Pour la seconde fois ce matin, on court à travers nos prés.

– Je t'emmène jusqu'à la rivière. Tu devras la suivre jusqu'au marais.

– Il y a pas de chemin dans cette direxion, Ben. Et des crocos partout. Tu veux vraiment te débarrasser de moi ?

Il me regarde, les yeux bien stables, mais continue à filer.

– Il n'y a pas d'autre chemin, Todd.

– Crocos ! Marais ! Paix ! Popo ! aboie Manchee.

Je demande même plus ce qui se passe, puisque personne juge utile de me dire quelque chose, alors on continue à avancer, les moutons pas encore dans leurs paddocks, et peut-être jamais plus maintenant.

« Moutons », ils disent, en nous regardant passer. On continue, après la grange principale, on descend l'une des grandes allées d'irrigassion, on en prend une plus petite à droite, filant vers où commencent les étendues sauvages, autant dire le commencement du reste de toute cette planète vide.

Ben parle plus, seulement quand on arrive à la lisière des arbres.

– Il y a de la nourriture dans ton sac à dos, ça devrait aller pour un moment, mais essaye de la faire durer aussi longtemps que possible, mange les fruits que tu trouves et tout ce que tu peux chasser.

– Combien de temps je dois la faire durer? Combien de temps avant de pouvoir revenir?

Il s'arrête, sous les premiers arbres. La rivière est à trente mètres mais on l'entend parce qu'ici elle commence à dévaler la pente jusqu'au marais.

Brusquement, c'est comme l'endroit le plus solitaire de tout le vaste monde entier.

– Tu ne reviendras pas, Todd, fait Ben doucement. Tu ne peux pas.

Ma voix sort comme un miaulement de chaton, mais j'y peux rien:

– Et pourquoi? Qu'est-ce j'ai fait, Ben?

Il se rapproche.

– Tu n'as rien fait, Todd. Tu n'as rien fait du tout.

Il me serre fort, très fort dans ses bras et je sens ma poitrine se comprimer encore et je me sens perdu effrayé et colère. Rien au monde n'avait changé quand je suis sorti du lit ce matin et maintenant on me chasse et Ben et Cillian on dirait que je vais mourir et c'est pas juste je sais pas pourquoi mais vraiment c'est pas juste.

Ben s'écarte un peu, me fixe bien droit.

– Non, ce n'est pas juste, tu as raison. Mais il y a une explication.

Il ouvre mon sac à dos, sûrement pour en retirer quelque chose.

Le livre.

Je cligne des yeux, embarrassé.

– Tu sais que je suis pas très doué en lecture, Ben.

Il plie un peu les jambes, qu'on soit vraiment face à face. Son Bruit me dit rien qui vaille.

– Oui, je sais, fait-il avec une sorte de douceur. J'ai toujours voulu essayer d'y passer plus de temps, mais… (Il s'arrête. Il reprend le livre.) C'est à ta maman. C'est son journal, depuis le jour où tu es né, Todd. (Il baisse les yeux dessus.) Jusqu'au jour où elle est morte.

Mon Bruit s'ouvre en grand.

Ma maman. Le livre de maman.

Ben passe la main sur la reliure.

– Nous lui avions promis que nous veillerions sur toi. Nous lui avions promis et puis il a fallu sortir ça de nos esprits, pour qu'il n'y ait rien dans notre Bruit, rien qui apprenne à quelqu'un ce que nous allions faire.

– Même pas à moi ?

– Même pas à toi. Si un seul petit morceau entrait dans ton Bruit, puis en ville…

Il finit pas.

– Comme le silence que j'ai trouvé dans le marais aujourd'hui. Comme rentrer en ville et causer tout ce ramdam.

– Non. Ça, on ne l'avait pas prévu. (Il lève les yeux vers le ciel, comme pour lui dire à quel point c'était une surprise complète.) Personne n'aurait pu imaginer ça.

– C'est *dangereux*, Ben. Je l'ai senti.

Il répond pas, regarde le livre encore.

Je secoue la tête :

– Ben...

– Je sais, Todd. Mais fais de ton mieux.

– Non, Ben...

Il croise mon regard. Il le retient dans le sien.

– As-tu confiance en moi, Todd Hewitt ?

Je me gratte les côtes. Je sais pas quoi répondre.

– Bien sûr. Enfin, en tout cas, avant que tu commences à remplir ce sac dont je savais rien.

Il me regarde plus fixement, son Bruit concentré comme un rayon de soleil.

– *As-tu confiance en moi ?*

Je le regarde et... oui, bien sûr, même encore maintenant.

– J'ai confiance en toi, Ben.

– Alors, fais-moi confiance quand je dis : les choses que tu sais maintenant, Todd, ces choses ne sont pas vraies.

– Quelles choses ? (Ma voix monte d'un cran.) Pourquoi tu me le dis pas, tout simplement ?

– Parce que la connaissance est dangereuse, prononce-t-il d'un ton tellement grave, jamais je l'ai entendu parler comme ça, et quand je regarde dans son Bruit voir ce qu'il cache, ça rugit et ça m'envoie comme une gifle.

– Si je te le disais maintenant, ça bourdonnerait en toi plus fort qu'une ruche au temps de la récolte, et Maire Prentiss te trouverait plus vite qu'il ne crache. Il faut que tu partes d'ici. Il le faut, et aussi loin que tu peux.

– Mais où ? *Il y a nulle part ailleurs* !

Ben prend sa respiration.

– Si. Il y a un ailleurs... Plié dans à la première page du livre, tu trouveras une carte. Je l'ai faite moi-même, mais *ne la regarde pas*, pas avant d'être déjà loin de la ville. D'accord ? Va jusqu'au marais. À partir de là, tu sauras quoi faire.

Mais dans son Bruit je devine qu'il est pas du tout certain que je saurai quoi faire, une fois là.

– Quoi faire, ou quoi trouver ?

Il répond rien à ça.

Et je réfléchis.

– Comment savais-tu qu'il fallait garder un sac tout prêt ? (Je recule d'un pas.) Si cette chose dans le marais, c'est une telle surprise, pourquoi es-tu si bien préparé à me balancer dans la nature, aujourd'hui ?

– C'était le plan, depuis longtemps, depuis que tu étais tout petit. (Je le vois avaler sa salive, j'entends sa tristesse partout.) Dès que tu serais assez grand pour te débrouiller seul.

Je fais encore un pas en arrière.

– Tu allais juste me jeter dehors pour que les crocos me mangent.

– Non, Todd.

Il s'avance, le livre dans la main. Je recule encore. Il fait un geste comme pour dire « Bon, d'accord ».

Et il ferme les yeux et il ouvre son Bruit pour moi.

Dans un mois, c'est la première chose que ça dit –

Et voici venir mon anniversaire –

Le jour où je deviendrai un homme –

Et –

Et –

Et tout est là –

Ce qui arrive –

Ce que les autres garçons ont fait quand ils sont devenus hommes –

Comment le plus petit morceau d'enfance est éliminé –

Et –

Et –

Et ce qui est vraiment arrivé aux gens qui –

Sacré bon sang de –

Et je ne veux plus rien dire là-dessus.

Et je ne veux plus en parler.

Je regarde Ben et c'est un homme différent de ce qu'il a toujours été, il est différent de celui que j'ai toujours connu.

La connaissance est dangereuse.

– C'est pour ça que personne ne te dit rien. Pour que tu ne t'enfuies pas.

– Tu m'aurais pas protégé ? *(Oui, je miaule, comme un gosse. Ça va, hein.)*

– C'est comme ça qu'on te protège, Todd. En te faisant partir. Nous devions être sûrs que tu saurais survivre tout seul, c'est pour ça que nous t'avons appris tous ces trucs. Maintenant, Todd, il faut partir.

– Si c'est ce qui va arriver dans un mois, pourquoi attendre si longtemps ? Pourquoi ne pas m'avoir emmené plus tôt ?

– Nous ne pouvons pas venir avec toi. C'est là tout le problème. Et nous n'avions pas le courage de te faire partir tout seul. De te voir partir. Si jeune. (Il caresse la reliure du livre.) Et puis, on espérait qu'il y aurait un miracle. Un miracle qui ferait qu'on n'aurait pas à –

Te perdre, dit son Bruit.

– Mais un miracle, il y en a pas eu, j'ajoute après une pause.

Il secoue la tête. Il tient le livre.

– Je suis désolé. Je suis désolé que les choses doivent se passer ainsi.

Et il y a tellement de vrai chagrin dans son Bruit, tellement d'inquiétude et d'affolement, je sais qu'il dit vrai, je sais qu'il ne peut pas empêcher ce qui arrive, et j'ai de la haine mais je lui prends le livre et le remets dans le sac plastique et dans le sac à dos. On dit plus rien. Quoi dire d'autre ? Tout ou rien. Vous pouvez pas tout dire, alors vous dites rien, voilà.

Il m'attire vers lui, plaquant ma lèvre contre son col exactement comme Cillian, mais cette fois je me dégage pas.

– N'oublie jamais, quand ta maman est morte, tu es devenu notre fils, et je t'aime et Cillian t'aime, depuis toujours, pour toujours.

Je vais, je veux dire « Je veux pas partir », mais rien ne sort –

À cause qu'un Bang !!! éclate, la chose la plus forte que j'aie jamais entendue à Prentissville, comme une esxplosion, en plein dans le ciel.

Et ça vient forcément de la ferme.

Aussitôt, Ben me relâche. Il dit rien mais son Bruit hurle Cillian partout et partout.

– Ben, je vais revenir avec toi, je vais vous aider à combattre.

– Non ! Tu dois partir. Promets-moi. Traverse le marais et *PARS* !

Je dis rien.

– Promets-moi, il répète, et d'un ton sans réplique cette fois.

– Promets ! aboie Manchee, et il y a de la peur, même là.

– Je te promets.

Ben tend une main derrière son dos, pour prendre quelque chose. Il se tortille un peu, puis me le tend. C'est son couteau de chasse. Le grand couteau avec le manche en os et la lame dentelée qui couperait pratiquement n'importe quoi, le couteau que j'espérais avoir pour mon anniversaire quand je deviendrais un homme. Il me le donne avec sa ceinture.

– Prends-le, dit Ben. Prends-le avec toi dans le marais. Tu en auras peut-être besoin.

– J'ai jamais lutté contre un Spackle, Ben.

Il tient toujours le couteau, alors je le prends.

Un autre BANG, du côté de la ferme. Ben jette un coup d'œil dans sa direction, puis se retourne vers moi.

– Vas-y. Suis toujours la rivière, jusqu'au marais, et puis pour en sortir. Cours aussi vite que tu peux… et tu ferais sacrément bien de ne pas revenir en arrière, Todd Hewitt.

Il me prend par le bras, le serre bien fort.

– Si je peux te trouver, je te trouverai. Je te le jure. Mais ne t'arrête pas, Todd. Tiens ta promesse.

Nous y voilà. C'est un au revoir. Un au revoir que j'attendais même pas.

– Ben…

Il crie :

– Pars ! et puis il s'élance, tournant la tête une fois en courant, puis accélérant vers la ferme, vers ce qui arrive dans ce bout du monde.

06 Le couteau devant moi

– Allez, viens, Manchee, je fais en démarrant, même si mon corps tout entier brûle de suivre Ben qui court à travers champs dans une direxion différente, juste comme il avait dit, pour tromper ceux qui chercheraient le Bruit.

Je m'arrête un instant quand j'entends un bouquet de bang ! plus petits vers la ferme, des coups de feu sûrement et je pense au fusil que Cillian a pris à Mr. Prentiss Jr. et à tous les fusils que Maire Prentiss et ses hommes gardent enfermés à clé en ville et comment tous ces fusils contre le fusil volé de Cillian et les quelques autres que nous avons à la maison risquent de pas faire durer la bataille très longtemps et alors je me demande ce qu'étaient ces plus gros bang ! et je réalise que Cillian a probablement fait sauter les générateurs pour perturber les hommes et rendre le Bruit de chacun si fort qu'ils pourraient rien entendre, même pas l'ombre du mien ici.

Et tout ça juste pour me faire partir.

– Allons-y, Manchee, je répète, courant sur les derniers mètres qui nous séparent de la rivière.

Alors on prend à droite pour descendre le long de la berge, bien à l'écart des joncs serrés au bord de l'eau.

Les joncs où vivent les crocos.

Je retire le couteau de son étui et je le garde dans ma main, sans ralentir vraiment.

– Qui se passe, Todd ? aboie Manchee.

– Sais pas, Manchee. Tais-toi, que je puisse réfléchir.

Le sac rebondit sur mon dos, mais je continue à filer aussi vite que possible, balançant mes pieds à travers les broussailles, sautant par-dessus les troncs abattus.

Je reviendrai. Voilà ce que je ferai. Je reviendrai. Ils ont dit que je saurais quoi faire et maintenant je sais. Je vais aller dans le marais et tuer le Spackle si j'y arrive, et puis je reviendrai aider Cillian et Ben, et alors on pourra tous partir vers ce quelque part ailleurs dont Ben a parlé.

Parfaitement, voilà ce que je vais faire.

– Promis, Todd ! fait Manchee, l'air inquiet du fait que le talus que nous suivons se rapproche des roseaux.

– Ferme-la.

J'ai promis de toujours continuer mais peut-être que toujours continuer veut dire revenir d'abord.

– Todd ? fait Manchee.

D'accord, j'y crois pas plus que lui.

Nous voilà maintenant hors d'écoute de la ferme et la rivière oblique un peu vers l'est avant de pénétrer dans le marais, elle nous éloigne donc de la ville aussi, et au bout d'une minute plus rien nous suit pendant qu'on court, sauf mon Bruit et le Bruit de Manchee et le courant de la rivière juste assez fort pour couvrir le Bruit d'un croco en chasse. Ben appelle ça l'évolussion, mais il dit aussi de pas y penser trop près des oreilles d'Aaron.

Je suis essoufflé, Manchee halète comme s'il allait chavirer mais on s'arrête pas. Le soleil va bientôt se coucher, on dirait, pourtant il fait encore bien assez jour, un jour pas franchement prêt à vouloir vous cacher. Le terrain devient plus plat et on descend presque au niveau de la rivière qui commence à se transformer en marais. Tout devient plus boueux alors on est bien obligés de ralentir. Les roseaux sont plus touffus aussi, mais difficile de faire autrement.

– Attention aux crocos, je fais à Manchee. Dresse tes oreilles.

À cause que l'eau de la rivière ralentit, et si vous arrivez à baisser suffisamment votre Bruit, alors vous pouvez bientôt les entendre. Le sol devient encore plus trempé. On marche à peine maintenant, on glisse dans la gadoue. Je serre le couteau et je le tiens brandi devant moi.

– Todd? fait Manchee.

– Tu les entends? je chuchote, essayant de surveiller où je mets le pied, de surveiller les roseaux et de surveiller Manchee en même temps.

– Crocos, Todd, dit Manchee, à peu près aussi doucement qu'il peut le faire en aboyant.

Je m'arrête et j'écoute.

Là, dans les roseaux, là, à plus d'un endroit, je les entends.

Chair, ils disent.

Chair et festin et dent.

– Purain... je fais.

– Crocos, répète Manchee.

– Viens...

On patauge en pleine vase maintenant. Mes chaussures s'enfoncent à chaque pas et l'eau les recouvre et il y a plus d'autre chemin que les roseaux. En avançant, je fais des grands gestes avec mon couteau, pour faucher les joncs au passage.

Je regarde devant, en haut et à droite, et je repère où on se trouve. On a dépassé la ville et l'endroit où les prés passent devant l'école pour descendre jusqu'au marais, et si on arrive à traverser ce secteur, alors on sera en terrain sûr et on pourra prendre les chemins qui mènent au plus sombre des marécages.

J'y étais ce matin seulement, si c'était bien ce matin.

– Dépêche-toi, Manchee. On y est presque.

Chair et festin et dent et je jurerais que ça se rapproche.

– Allez !

Chair.

– Todd ?

Je me taille un chemin à travers les roseaux, j'estirpe mes pieds de la vase et chair et festin et DENT.

Puis j'entends CHIEN TOUPIE...

Et je sais que là on est foutus.

– Cours ! je hurle.

Et on court et Manchee lâche un jappement effrayé et il bondit devant moi mais je vois un croco se dresser hors des roseaux en face de lui et sauter pour l'attraper, mais Manchee a si peur qu'il saute encore plus haut, plus haut qu'il a jamais sauté, et les dents du croco claquent dans le vide et le croco atterrit en m'éclaboussant d'un air terriblement frustré et j'entends son Bruit siffler Garçon toupie et je cours et il bondit pour m'attraper et je pense juste à rien et je me retourne et je lève la main et le croco s'écrase sur moi et sa gueule est ouverte et ses griffes sont sorties et je pense bon, je suis bientôt mort, et je me débats pour m'extirper de la vase, me traîner sur le sol sec, et le voilà sur ses pattes arrière, il se cabre au-dessus des roseaux et toute une minute je hurle et Manchee aboie à s'en décrocher la mâchoire quand je réalise qu'il m'attaque pas, qu'il est totalement mort, ce croco, que mon couteau neuf lui traverse toute la tête, encore planté dedans, et la seule chose qui agite le croco c'est moi qui me débats et je dégage le couteau du croco et le croco retombe et je tombe pratiquement mort moi aussi en célèbrement d'être pas mort.

Et c'est quand je suffoque sang pulsé cherchant ma resparition et Manchee aboyant et aboyant et tous les deux riant de soulagement que je réalise comment notre Bruit nous a caché quelque chose d'important.

– Tu vas quelque part, jeune Todd ?

Aaron. Debout au-dessus de moi.

Avant que je fasse rien, il me cogne en pleine figure.

Je retombe en arrière, le sac s'enfonce dans mon dos, je suis comme une tortue renversée. Ma joue et mon œil piaillent de douleur et j'ai pas encore pu remuer qu'Aaron m'attrape par ma chemise et la peau en dessous pour me remettre debout. Je crie ça fait trop mal.

Manchee en colère aboie «Aaron!», cherche le mollet d'Aaron, mais Aaron le regarde même pas et s'en débarrasse d'un grand coup de pied.

Aaron me tient, que je le regarde bien en face. Je peux seulement garder ouvert l'œil qui fait pas mal pour croiser le sien.

– Au nom du Dieu de l'Éden généreux et glorifié, que fais-tu ici dans le marais, Todd Hewitt?

Son haleine sent la viande et son Bruit c'est le truc le plus dingo et le plus effarrible qu'on puisse jamais entendre.

– Tu serais pas supposé être à la ferme, désormais, mon garçon?

De sa main libre, il me flanque un coup à l'estomac. Je cherche à me recroqueviller tellement j'ai mal, mais il me retient toujours par ma chemise et la peau en dessous.

– Il faut que tu y retournes, là-bas. Il y a des choses que tu dois voir.

Je cherche mon souffle, mais à sa façon de parler je tends l'oreille et les étincelles que je capte dans son Bruit me laissent entrevoir un peu de vérité.

– Vous les avez envoyés... C'est pas moi qu'ils ont entendu. C'était vous...

Il grimace, tourne comme une vis la main qui me serre.

– Les garçons malins font des hommes inutiles.

Je crie, mais, purain, je continue à parler aussi:

– Ils ont pas entendu la paix dans mon Bruit. Ils l'ont entendue dans votre Bruit à vous, et vous me les avez envoyés pour les empêcher de venir à vous.

– Oh, non, Todd. Ils l'ont entendue dans ton Bruit. Je me suis juste assuré qu'ils l'entendent. J'ai pris mes précautions pour qu'ils sachent bien qui apportait du danger à notre bonne ville…

Dans sa barbe, ses dents grincent un large sourire.

– … et qui devra être récompensé pour ses bons efforts.

– Vous êtes malade, je fais. *(Et c'est la pure vérité, qu'on le veuille ou non.)*

Son sourire se gomme, ses mâchoires se serrent.

– Il me revient, Todd. Il me revient de droit.

Ce qu'il veut dire par là j'en sais rien, mais je m'attarde pas trop sur la question parce qu'Aaron et moi on a oublié un détail.

Je lâche jamais le couteau.

Alors un tas de choses arrivent toutes en même temps.

Aaron entend « couteau » dans mon Bruit et réalise son erreur. Il ajuste son poing libre pour m'en filer un nouveau coup.

Je recule mon couteau et me demande si je vais vraiment pouvoir le poignarder.

Quelque chose fait craquer les roseaux et…

– Crocos ! aboie Manchee.

Puis tous au même moment on entend Homme toupie.

Avant qu'Aaron puisse même se retourner, le croco est sur lui, referme ses mâchoires sur son épaule, lui plante ses griffes dans la chair et le tire vers les roseaux. Aaron me lâche et je retombe par terre, main crispée sur toutes les marques qu'il a laissées sur mon torse. Je lève les yeux et je vois Aaron se débattre dans la vase maintenant, luttant avec le croco, et les voiles sur le dos des autres crocos se dirigent vers lui aussi.

– On se casse ! aboie, glapit presque Manchee.

– Oh, ça oui, purain !…

Et titubant, déséquilibré par mon sac à dos je me relève, mon œil fermé essaie de se décoller, mais on s'arrête pas et on court et on court, oh ! comme on court !

On quitte la berge et on court au bas des prés, jusqu'au début du sentier du marais et on court dans le marais, et quand on arrive au tronc où Manchee faut toujours l'aider, il le survole planant comme un écureuil, et je le suis tout près et on court jusqu'aux bâtiments des Spackle, exactement comme ce matin.

Et le couteau est toujours dans ma main et mon Bruit tambourine si fort et je suis effrayé et blessé et raide dingue – et je sais, là, aucun doute, que je vais trouver le Spackle caché dans son trou de Bruit et que je vais le tuer à mort mort mort pour tout ce qui est arrivé aujourd'hui.

– Est où ? demande Manchee. Est où, paix ?

Il flaire tous azimuts, trottinant d'un bâtiment à l'autre, et je fais mon possible pour calmer mon Bruit, mais ça m'étonnerait rudement que j'y arrive.

– Dépêche, je fais. Avant qu'il…

Et là, j'ai pas fini que je l'entends. Le déchirement dans le Bruit, aussi grand et terrorifiant que la vie vraie, je l'entends un peu plus loin, derrière les bâtiments Spackle, derrière des taillis.

Il va pas s'en tirer, cette fois.

– Paix ! aboie Manchee, surexcité, puis il se précipite vers les taillis.

La paix bouge aussi, et même si je sens revenir la pression dans ma poitrine et les terribles choses de deuil dans mes yeux, cette fois je m'arrête pas, cette fois je cours derrière mon chien et je m'arrête pas et je bloque ma respiration et je ravale la pression et j'essuie l'eau de mes yeux et j'agrippe le couteau et j'entends Manchee aboyer et j'entends le silence et c'est juste derrière cet arbre, juste derrière cet arbre et je hurle et je passe derrière l'arbre et je hurle au silence et j'ai sorti les dents et Manchee aboie et…

Et je m'arrête.

Je m'arrête net.

Je baisse pas mon couteau, surtout non je le baisse pas.

À cause que c'est là, à nous regarder, à respirer fort, accroupi au pied de l'arbre, recroquevillé devant Manchee, les yeux presque mourants de peur mais à faire semblant de menacer pitoyable avec ses bras.

Je m'arrête.

Je tiens mon couteau brandi.

– Spackle ! aboie Manchee, trop trouillard pour attaquer, maintenant que je reste sans bouger. Spackle ! Spackle ! Spackle !

– Ferme-la, Manchee, je fais.

– Spackle !

– Je t'ai dit, ferme-la ! je crie encore, et ça le calme.

– Spackle ? questionne Manchee, moins sûr de lui maintenant, finalement.

J'avale ma salive, essaye de soulager la pression dans ma gorge, l'incroyable tristesse qui arrive et m'arrive pendant que je la regarde qui me regarde.

La connaissance est dangereuse et les hommes mentent et le monde change toujours et j'y peux rien. À cause que ça, c'est pas un Spackle.

– C'est une fille, je murmure.

Une fille.

DEUXIÈME PARTIE

07 *Si une fille existait*

C'est une fille.

Je retiens toujours ma respiration, je sens toujours la pression dans ma poitrine, et, surtout, je brandis toujours mon couteau droit devant.

Une fille.

Ça nous regarde comme si on allait la tuer. C'est recroquevillé en petite boule, ça cherche à se faire tout petit, ça quitte Manchee des yeux seulement pour me lancer quelques brefs coups d'œil.

Moi et mon couteau.

Manchee halète, le dos tout hérissé, il fait des cercles en bondissant comme si le sol lui brûlait les pattes, aussi nerveux et perturbé que moi, mais lui parfaitement incapable de rester tranquille une seconde.

– Quoi, fille ? il aboie. Quoi, fille ?

Et quand la fille semble se préparer à sauter derrière la grosse racine où elle se tient, l'aboiement de Manchee se transforme en grognement fairosse : « Bouge pas, bouge pas, bouge pas… »

– Bon chien, je fais, même si je vois pas trop ce qu'il fait de bon, mais quoi dire d'autre ? Ça n'a aucun sens, absolument aucun, et tout a l'air de vouloir glisser, comme si le monde était une table inclinée et que tout basculait.

Je suis Todd Hewitt. Quoique. Je me demande, maintenant.

– Qui es-tu ? je lâche enfin, si ça peut seulement s'entendre par-dessus tout mon Bruit en tempête et la crise de nerfs de Manchee. Qui es-tu ? je répète, plus fort et plus clair. Que fais-tu ici ? D'où viens-tu ?

Ça me regarde, finalement, plus d'une petite seconde cette fois, décollant les yeux de Manchee. Ça regarde mon couteau, puis mon visage au-dessus de mon couteau.

Elle me regarde.

Elle fait ça.

Elle.

Je sais ce que c'est qu'une fille. Bien sûr, que je le sais. J'en ai vu dans le Bruit de leurs pères en ville, pleurées comme leurs femmes mais pas si souvent. Je les ai vues en vidéo, aussi. Les filles sont petites et polies et sucrées. Elles portent des robes et leurs cheveux sont longs et tirés derrière leur tête ou de chaque côté. Elles font toutes les corvées du dedans-de-la-maison, pendant que les garçons font le dehors. Elles deviennent femmes quand elles ont treize ans, pendant que les garçons deviennent des hommes, et puis elles deviennent des épouses.

C'est comme ça que Nouveau Monde marche, enfin, en tout cas c'est comme ça que Prentissville marche. Enfin, marchait, en tout cas, vu qu'on a plus de filles. Elles sont toutes mortes. Elles sont mortes avec leurs mères et leurs grands-mères et leurs sœurs et leurs tantines. Elles sont mortes pendant les mois après ma naissance. Toutes. Sans exception.

Mais là, pas d'erreur, c'en est une.

Et les cheveux de ça, ils sont pas longs. Les cheveux d'elle. Et elle porte pas de robe, elle porte des habits comme une version neuve des miens, si neuve qu'on dirait presque comme un uniforme, même s'ils sont déchirés et boueux, et elle est pas si petite, elle fait ma taille, on dirait, et enfin, et surtout, elle a vraiment rien de sucré.

Vraiment rien de sucré, ni de souriant.

– Spackle ? aboie doucement Manchee.

– Tu veux bien la fermer, purain ?

Alors, comment je le sais ? Comment je peux savoir que c'est une fille ?

Bon, et d'une, c'est pas un Spackle. Les Spackle ressemblaient à des hommes mais un peu gonflés de partout, partout un peu plus longs et plus bizarres qu'un homme, la bouche un peu plus haute que la normale, et les oreilles et les yeux – alors là, complètement différents au niveau des oreilles et des yeux. Et les spacks faisaient pousser leurs vêtements sur leur corps, comme une mousse qu'on peut coiffer tant qu'on veut. « Produits de l'habitat du marais », selon une autre formule de Ben-j'ai-mon-idée, et elle ressemble pas à ça et ses habits sont normaux et donc elle peut pas, vraiment pas être un Spackle.

Et puis, deuxièmement, je le sais. Point final. Je peux pas vous dire pourquoi, mais je regarde et je vois et je le sais. Elle ressemble pas aux filles que j'ai vues sur les vidéos ou dans le Bruit, et j'ai jamais vu de filles en vrai, mais celle-là c'est une fille et point final. Me demandez pas pourquoi. Quelque chose dans sa forme, quelque chose dans son odeur, quelque chose que je connais pas mais qu'est là et c'est une fille.

Si une fille existait, elle serait comme ça.

Et c'est pas un garçon. Non. Elle est pas moi. Elle est pas du tout comme moi. Elle est quelque chose de complètement autre, et ça, je sais pas comment je le sais, mais je sais qui je suis, je suis Todd Hewitt, et je sais ce que je suis et je suis pas elle.

Elle me regarde. Elle regarde mon visage, mes yeux. Regarde et puis regarde.

Et j'entends – *rien*.

Oh, bon sang. Ma poitrine. Comme une chute dans ma poitrine.

– Qui es-tu ? je répète, mais ma voix coince, se casse presque, peut-être du fait que je suis si triste *(oh, ça va)*.

Je grince des dents et je me sens encore plus colère, alors je répète :

– Qui es-tu ? Hein ?... et je pointe mon couteau un peu plus en avant.

Avec mon autre bras, vite je m'essuie les yeux.

Quelque chose doit se passer. Quelqu'un doit bouger. Quelqu'un doit faire quelque chose.

Mais il y a pas de quelqu'un, sauf moi, peu importe le reste du monde.

– Tu sais parler ? je demande.

Elle me regarde, c'est tout.

– Paix, aboie Manchee.

– Ferme-la, Manchee. Je dois penser.

Et elle me regarde toujours, c'est tout. Sans Bruit, du tout.

Alors, je fais quoi ? C'est pas juste. Ben m'a dit qu'une fois dans le marais je saurais quoi faire mais je sais pas quoi faire. Ils m'ont pas parlé d'une fille, et ils m'ont pas dit pourquoi la paix me fait tellement mal que je peux tout juste m'empêcher de pleurer, purain, comme si quelque chose me manquait si grave que je peux même plus penser pour de bon, comme si le vide était pas en elle mais en moi, et qu'il y avait rien qui pourrait jamais, jamais arranger ça.

Je fais quoi ?

Hein, je fais quoi ?

Elle a presque l'air de se calmer un peu. Elle tremble plus autant, ses bras plus si haut, et elle a plus l'air de vouloir s'enfuir à la première occasion, mais comment être sûr quand une personne, elle a pas de Bruit ?

Est-ce qu'elle peut m'entendre ? Est-ce qu'une personne sans Bruit peut l'entendre, le Bruit ?

Je la regarde et je pense, aussi fort et clair que je peux : *Tu m'entends* ?

Mais son visage change pas, son regard change pas.

– D'accord, je fais reculant d'un pas. D'accord. Mais tu bouges pas, hein ? Tu bouges surtout pas.

Je recule encore un peu sans la quitter des yeux et elle continue à me fixer. Je baisse mon bras, mon couteau et je dégage une bretelle du sac à dos, je me penche et je laisse tomber le sac par terre. Je garde le couteau dans une main. Avec l'autre j'ouvre le sac à dos et je sors le livre.

C'est plus lourd qu'on croirait, cette chose pleine de mots. Et ça sent le cuir. Et il y a des pages et des pages de ma maman…

Ça devra attendre.

– Surveille-la, Manchee.

– Rurveille ! il aboie.

Je regarde à l'intérieur de la couverture et voilà le papier plié dedans comme Ben avait dit et je le déplie. Il y a une carte dessinée à la main d'un côté, et tout un tas d'écriture derrière, mais rien qu'un gros pâté de lettres que j'ai pas la tranquillité de Bruit pour essayer de lire maintenant, alors j'examine juste la carte.

Notre maison, elle est tout en haut et la ville, juste en dessous avec la rivière que Manchee et moi on a descendue jusqu'au marais, et c'est là qu'on est maintenant. Mais il y a encore autre chose, bien sûr. Le marais continue puis redevient une rivière et il y a des flèches dessinées sur la berge, donc c'est par là que Ben veut que moi et Manchee on aille, et je suis les flèches avec mes doigts et ça me mène droit à…

WOMP !!!

Pendant une seconde, le monde entier s'illumine quand quelque chose me frappe sur le côté de la tête, juste à l'endroit où Aaron m'a déjà cogné, et je bascule mais en basculant je projette le couteau vers le haut. J'entends un piaillement de douleur et je me rattrape avant de tomber complètement, plaque la main au couteau sur ma tête, et regarde d'où l'attaque est venue. Alors j'apprends ma toute première leçon : les Choses sans Bruit peuvent faire leur coup en douce. Faire leur coup comme si elles étaient même pas là.

La fille, elle est tombée sur les fesses aussi, elle se tient l'avant-bras d'une main, et le sang coule entre ses doigts. Elle a lâché le bâton avec lequel elle m'a frappé et son visage est tout effondré sur lui-même à cause de ce qu'elle doit sentir de la coupure.

– BON D… MAIS POURQUOI TU FAIS ÇA? je crie, sans appuyer trop sur mon visage.

Purain, j'en peux plus de me faire cogner dessus, aujourd'hui.

La fille me regarde, c'est tout, front plissé, doigts sur sa coupure.

Qui saigne apparemment pas mal.

– Bâton, Todd! aboie Manchee.

– Et toi, t'étais passé où, pauvre corniaud?

– Popo, Todd.

Je lâche un son informe, lui balance un coup de pied dans le vide. Il recule en crabe, puis flaire des buissons comme si tout ça n'avait rien, absolument rien d'extraordinaire. Les chiens ont une capacité d'attention à peu près aussi durable qu'une allumette.

Des vrais crétins.

Il commence a faire sombre maintenant. Le soleil se couche pour de bon, le marais, déjà obscur, devient encore plus obscur, et j'ai toujours pas de réponse. Le temps continue à passer et je suis pas supposé attendre ici, et je suis pas supposé revenir, et *cette fille elle est pas supposée exister.*

Et cette coupure saigne salement.

– Hé! je fais.

Ma voix tremble sous la pression qui me traverse.

Je suis Todd Hewitt, je crois. *Je suis presque un homme…*

– Hé! je répète, essayant de me calmer.

La fille me regarde.

Je cherche ma respiration, comme elle.

– Je vais pas te faire de mal. T'entends ? Je vais rien te faire. Tant que t'essayes pas de me frapper avec d'autres bâtons. D'accord ?…

Elle fixe mes yeux. Puis le couteau.

Est-ce qu'elle comprend ?

Je baisse le couteau, le baisse jusqu'au sol. Mais je le lâche pas. Avec ma main libre, je fouille dans le sac à dos, tâte la trousse de secours que Ben y a glissée. Je la retire.

– C'est une trousse de secours…

Elle réagit pas.

– Trousse-de-se-cours, je répète lentement. Je pointe sur mon propre avant-bras, là où elle est coupée. Tu saignes.

Rien.

Je soupire, me redresse lentement. Elle grimace, recule sur les

fesses. Je soupire encore, agacé.

– Je vais pas te faire de mal. (Lui montrant la trousse.) Des médicaments. Ils vont arrêter le sang de couler.

Toujours rien. Peut-être qu'il y a vraiment rien à l'intérieur d'elle.

– Regarde.

J'ouvre la trousse. D'une main je fouille, sors un pansement hémostatique, déchire l'enveloppe en papier avec mes dents. Je saigne probablement à l'endroit où m'a frappé Aaron, puis la fille, alors je prends le pansement et le passe sur mon œil et mon arcade. Je le retire et, bon, il y a du sang. Je montre le pansement.

– Tu vois ? (Je désigne mon œil.) Tu vois ? Ça s'arrête de saigner.

Je fais juste un pas en avant, juste un. Elle a un mouvement de recul, mais pas tant que ça. Je fais un deuxième pas, puis un autre. Maintenant près d'elle. Elle regarde toujours mon couteau.

– Je vais pas le lâcher, ça, aucune chance, tu peux oublier.

J'avance le pansement vers son bras.

– Même si c'est profond, ça va le refermer, d'accord ? J'essaye de t'aider...

– Todd ? aboie Manchee, plein de points d'interrogassion.

– Attends, je fais. Regarde, tu saignes partout, d'accord ? Et je peux arranger ça. Mais t'oublies tes purains de bâtons, hein.

Elle regarde. Et elle regarde. Et regarde encore. J'essaye d'être aussi calme que je le suis pas. Je sais vraiment pas pourquoi je l'aide, maintenant qu'elle m'a cogné sur la tête, mais de toute façon je sais pas quoi faire sur rien. Ben a dit qu'il y aurait des réponses dans le marais mais y a feuttre rien comme réponses, y a juste cette fille qui saigne du fait que je l'ai coupée même si elle le méritait, et si je peux arrêter ce saignement alors peut-être que je fais quelque chose.

Je sais pas. Je sais pas quoi faire, alors voilà, je fais ça.

La fille me regarde toujours, respire encore très fort. Mais elle s'enfuit pas et elle recule pas, et je suis pas sûr qu'elle me tend vraiment son avant-bras, un peu, pour que je l'atteigne.

– Todd ? aboie Manchee, encore.

– Chut !... je fais, voulant pas effrayer plus la fille.

Être aussi près de son silence, c'est comme si mon cœur se brisait en mille morceaux. Je le sens son silence, comme s'il m'attirait dans un gouffre sans fond, comme s'il m'appelait juste pour que je tombe et tombe et tombe encore plus profond.

Mais je garde mon calme. Je reste calme et je presse le pansement hémostatique sur son bras, frottant la coupure qui est assez profonde, jusqu'à ce que ça se referme un peu et cesse de saigner.

– Va falloir faire attention. C'est pas une citacrisassion permanente. Tu dois faire attention en attendant que ton corps citacrise le reste, tu comprends ?

Elle me regarde, c'est tout.

– D'accord, je fais.

Bon, autant me parler à moi-même ou à n'importe qui, et maintenant il se passe quoi ?

– Todd ? aboie Manchee. Todd ?

– Et plus de bâtons, hein ? On me cogne plus dessus…

– Todd ? fait Manchee, encore.

– … et, si tu veux tout savoir, je m'appelle Todd.

Et là, juste là, juste là dans la lumière qui faiblit, ça serait pas comme une ombre, un début de sourire ? Non ?…

Je plonge dans ses yeux, aussi profond que la pression de ma poitrine me le permet.

– Tu peux… Tu me comprends ?

– Todd !

L'aboiement de Manchee a grimpé d'un coup.

Je me retourne :

– *Quoi ?*

– Todd ! TODD !!!

Et alors on l'entend. Son pas qui froisse les taillis et brise les branches, sa course de fracas et son Bruit, son Bruit ! Oh ! son bon D… de Bruit !

– Lève-toi, je fais à la fille. Lève-toi! Maintenant!

J'attrape mon sac à dos, et la fille a l'air terrorifiée, paralysée, vraiment pas aidée, alors je crie «Allez!» et je lui saisis le bras, sans penser à la coupure maintenant, et j'essaye de la remettre sur pied mais tout d'un coup c'est trop tard et il y a un cri et un rugissement et un son comme des arbres entiers qui s'abattent sous la hache, et moi et la fille on peut seulement se retourner pour regarder, et c'est Aaron et il est enragé il est dans tous ses états il fonce droit sur nous.

08 Le choix du couteau

Trois pas seulement, et le voilà sur nous. Avant que je puisse même essayer de courir, il arrive sur moi mains tendues, il m'attrape par le cou et il me plaque contre un arbre.

– Petite ORDURE !!! le voilà qui hurle, en enfonçant ses pouces dans mon cou.

Je cherche ses bras, essaye de le toucher avec le couteau, mais mon sac est tombé et la sangle cloue mon bras contre l'arbre, alors il peut bien m'étrangler tranquille maintenant tout le temps que ça prendra.

Sa figure c'est un cauchemar, une chose effarrible que jamais je cesserai de voir si jamais je m'en sors. Les crocos ont pris son oreille gauche et une longue bande de chair avec, le long de sa joue droite. On voit ses dents à travers la plaie, et ça fait sortir son œil gauche comme si sa tête avait esplosé à moitié. Il y a d'autres plaies ouvertes sur son menton et sur son cou, et ses habits sont déchirés et il y a du sang pratiquement partout, et même une dent de croco plantée là, dans un lambeau rouge d'épaule.

Je tousse en cherchant mon souffle, mais je trouve rien et vous imaginez pas comme ça fait mal, et le monde s'est mis à tourner et mon cerveau devient bizarre et j'ai cette petite pensée débile qu'Aaron il a pas survécu aux crocos, en fait, qu'il est mort mais tellement furieux contre moi que mourir l'a pas empêché de venir ici pour me tuer de toute façon.

– ET C'EST QUOI CE SOURIRE??? il vocifère, crachouillonnant des petits jets de salive et de sang et de chair dans ma figure.

Il serre mon cou plus fort et je crois que je vais vomir mais ça passe pas et je peux vraiment plus respirer et toutes les lumières et les couleurs se mélangent et je meurs et je vais mourir.

– HAAGAAAH!!!

Aaron se rejette brusquement en arrière, et me libère du même coup. Je tombe sur le sol et je vomis tout partout et j'avale une immense goulée d'air qui me fait tousser comme si jamais j'allais m'arrêter. Je lève les yeux et je vois le mufle de Manchee dans la cuisse d'Aaron, mordant de tout son cœur.

Bon chien.

Aaron frappe Manchee du revers du bras, il l'envoie valdinguer dans les fourrés. J'entends un bruit mou, un jappement et un «Todd?».

Aaron pivote vers moi et je peux pas m'empêcher de regarder encore son visage, ses plaies partout, personne aurait pu y survivre, non, personne, ça, j'y crois pas.

Peut-être qu'il est vraiment mort.

– Où est le SIGNE? fait-il, son expression déchirée changeant d'un coup pendant qu'il regarde autour de lui, paniqué.

Le signe?

Le…

La *fille*.

Je regarde, moi aussi. La fille, elle a filé.

Aaron pivote encore, d'un côté, de l'autre, et puis je le vois l'entendre en même temps que moi, entendre le frôlement et les craquements de brindilles quand elle court, entendre le silence qui s'écoule et s'échappe. Sans même me regarder, il s'élance à sa poursuite et disparaît.

Alors comme ça, je me retrouve seul.

Comme ça, comme si j'avais rien à voir avec rien ici.

Purain de journée.

– Todd ?

Manchee sort des fourrés en boitillant.

– Tout va bien, vieux, j'essaye de dire et de sortir les mots malgré la toux, même si c'est pas vrai. Tout va bien.

J'essaie de respirer entre les quintes, appuie mon front contre le sol, bave la salive et le dégueulis.

Je respire à fond et les pensées commencent à débouler. Toujours comme ça, les pensées.

À cause que peut-être maintenant c'est tout, finalement. Peut-être que c'est terminé, voilà. La fille, c'est manifestement ce qu'Aaron cherchait, et peu importe ce qu'il veut dire par « le signe », peu importe. La fille, c'est manifestement ce que toute la ville veut, avec tout le ramdam qu'ils ont fait à propos de cette paix dans le Bruit. Et donc, si Aaron peut l'avoir et que la ville peut l'avoir, alors tout serait fini, non ? Ils auraient ce qu'ils veulent et ils me laisseraient tranquille et je pourrais revenir et tout pourrait redevenir comme avant et, d'accord, ça serait sans doute pas très bon pour la fille, mais au moins ça pourrait sauver Ben et Cillian.

Et me sauver moi.

Je fais que penser, d'accord? Les pensées déboulent, c'est tout.

Des pensées comme quoi tout ça pourrait être fini à peine commencé.

– Fini, murmure Manchee.

Et puis j'entends le cri effarrible, effarrible le cri bien sûr celui de la fille attrapée et le choix se fait là, maintenant.

Le cri suivant arrive une seconde plus tard, mais déjà je suis debout sans même y penser, je me dégage du sac à dos, penché un peu, toussant un peu, cherchant un peu d'air mais mon couteau dans la main et courant.

Ils sont faciles à suivre. Aaron s'est rué dans les taillis comme un taureau et son Bruit projette un rugissement et toujours, toujours il y a le silence de la fille, même derrière ses cris, de quoi les rendre presque plus insupportables. Je cours aussi vite que je peux, Manchee sur mes talons et ça fait pas plus de trente secondes que je cours et déjà on y est, moi petit génie sans la moindre idée de ce que je dois faire maintenant que j'y suis. Aaron l'a poursuivie jusque dans l'eau à mi-cheville et l'a bloquée contre un arbre. Il la tient par les poignets mais elle se bat, elle se débat, elle donne des coups de pied, mais son visage chose si effarrisée que je peux à peine articuler :

– Laisse-la tranquille…

Ma voix s'éraille et personne m'entend. Le Bruit d'Aaron fait un tel vacarme assourdissant, je suis même pas sûr qu'il m'entendrait si je hurlais. LE SAINT SACREMENT et LE SIGNE DE DIEU et LE CHEMIN DU SAINT et des images de la fille dans une église, des images de la fille buvant le vin et mangeant l'hostie, des images de la fille en ange.

De la fille en sacrifice.

Aaron capture ses deux poignets dans une main, il dénoue la cordelette de sa robe, et il commence à l'attacher. La fille lui envoie des coups de pied là où Manchee l'a mordu et il la frappe au visage du revers de la main.

– Laisse-la tranquille ! je répète, essayant de hausser le ton.

– Tranquille ! aboie Manchee, toujours boitant mais toujours fairosse. Rudement bon chien.

Je fais un pas. Aaron me tourne le dos, comme s'il s'en fichait que je sois là, comme s'il me considérait même pas comme une menace.

– Laisse-la tranquille, j'essaye de crier mais ça me fait juste encore plus tousser.

Et toujours rien. Rien d'Aaron ni de personne.

Va falloir que je le fasse. Va falloir que je le fasse. Bon D… de bon D… de bon D… va falloir que je le fasse.

Va falloir que je le tue.

Je lève le couteau.

J'ai levé le couteau.

Aaron se retourne, même pas vraiment vite, se tourne juste comme quelqu'un qu'on appelle. Il me voit là debout, couteau levé, sans bouger, pauvre trouillard que je suis, et il sourit et bon sang je peux même pas dire comme un sourire c'est effarrible sur ce visage ravagé.

– Ton Bruit te révèle, jeune Todd…

Et il lâche la fille si ligotée et battue maintenant, elle essaye même pas de fuir. Il fait un pas vers moi.

Je recule d'un pas en arrière. (*Fermez-la, s'il vous plaît, fermez-la, hein?*)

– Le Maire va être déçu d'apprendre ton départ précipité de cette plaine terrestre, mon garçon…

Il fait un pas de plus, et moi aussi, couteau levé mais pouvant me servir à rien.

– Mais Dieu n'a que faire d'un couard, n'est-ce pas, mon garçon?

Rapide comme un serpent, son bras gauche frappe mon bras droit, éjectant le couteau de ma main. Il me frappe au visage avec le plat de la main droite, me renverse dans l'eau, et je sens ses genoux atterrir sur ma poitrine et ses mains presser ma gorge pour finir le travail, et cette fois ma figure sous l'eau et donc tout ira bien plus vite.

Je lutte mais j'ai perdu. J'ai perdu. J'ai eu ma chance et j'ai perdu et je le mérite et je me débats mais je suis nettement moins fort qu'avant et je sens la fin venir. Je me sens abandonner.

Je suis perdu.

Perdu.

Et puis, dans l'eau, ma main trouve une pierre.

BOUM!… Je l'ai soulevée, je l'ai frappé sur la tempe avant même d'y penser.

BOUM!… Je recommence.

BOUM!… Et encore.

Je le sens glisser et je redresse la tête, étouffé par l'eau et l'air, mais je m'assieds et je lève la pierre encore pour le frapper mais le voilà étendu dans l'eau, sa figure moitié dedans, moitié dehors, et ses dents me sourient à travers la plaie ouverte dans sa joue.

Je recule en crabe pour m'écarter, toussant et crachant mais il reste là, il s'enfonce un peu, bouge plus.

J'ai le cou comme brisé et puis je vomis un peu d'eau et j'arrive à respirer presque.

– Todd ? Todd ? Todd ? fait Manchee, venant vers moi, tout lécheur et aboyeur comme un petit chiot.

Je le gratte entre les oreilles à cause que je peux pas parler encore.

Et alors on sent tous les deux le silence et on regarde et la fille se tient debout au-dessus de nous, les mains attachées.

Tenant le couteau entre ses doigts.

Je reste assis paralysé un instant, et Manchee se met à grogner. J'avale encore quelques bouffées d'air puis je prends le couteau entre ses doigts et je coupe la corde qui lui attachait les poignets. Elle tombe et elle se frotte là où c'était attaché, me fixant toujours, disant toujours rien.

Elle sait. Elle sait que je pouvais pas le faire.

Enff... je me dis. *Pauvre enff*...

Elle regarde le couteau. Elle regarde Aaron couché dans l'eau.

Il respire encore. Il fait gargouiller l'eau à chaque souffle, mais il respire encore.

Je serre le couteau. La fille me regarde moi, le couteau, Aaron, puis moi encore.

Est-ce qu'elle me le dit ? Me dit de le tuer ?

Il est allongé là, sans défense, peut-être en train de se noyer pour de bon.

Et j'ai un couteau.

Je me remets sur pied, retombe pris de vertige, me relève encore. J'avance vers lui. Je lève mon couteau. Encore.

La fille, je l'entends bloquer sa respiration.

Manchee dit: «Todd?»

Et je tiens mon couteau levé au-dessus d'Aaron. Une fois de plus, j'ai ma chance. Une fois de plus, j'ai mon couteau levé.

Je pourrais le faire. Personne sur Nouveau Monde m'en voudrait. Je serais dans mon droit.

Mais un couteau, c'est pas qu'une chose, d'accord? C'est un choix, c'est quelque chose qu'on fait. Un couteau dit oui ou non, coupe ou ne coupe pas, meurt ou ne meurt pas. Un couteau prend une décision dans votre main et la met dans le monde et jamais ça peut revenir en arrière.

Aaron va mourir. Sa figure est déchirée, sa tête écrabouillonnée, il s'enfonce dans l'eau et la vase sans même se réveiller. Il a essayé de me tuer, il voulait tuer la fille, il est responsable de tout ce ramdam en ville, c'est sûrement lui qui a envoyé le Maire à la ferme et à cause de ça il est responsable pour Ben et Cillian. Il mérite de mourir. Il le mérite.

Et je peux pas baisser le couteau pour finir le travail.

Qui suis-je?

Je suis Todd Hewitt.

Je suis le plus parfait moins que rien des hommes.

Je peux pas le faire.

Enff..., je me répète, encore une fois. Puis, à la fille:

– Viens. Faut qu'on se tire d'ici.

09 Quand la chance est pas avec toi

D'abord je crois pas qu'elle va venir. Elle a pas de raison de le faire, et j'ai pas de raison de le lui demander, mais quand je lui répète « Viens » pour la seconde fois, avec un geste plus décidé, plus impatient de la main, elle me suit, elle suit Manchee, et c'est comme ça, c'est ce qu'on fait, et qui sait si on fait bien, mais on le fait.

Ça y est, la nuit est tombée pour de bon, maintenant. Ici le marais semble encore plus épais, plus noir que tout. On se dépêche pour retourner chercher mon sac à dos, et puis on oblique plus loin dans l'obscurité, pour mettre un peu de distance entre nous et le corps d'Aaron *(s'il vous plaît, faites qu'il reste juste un corps)*. On trébuche autour des arbres et par-dessus les racines, de plus en plus profond dans le marais. Puis on arrive à une petite clairière où il y a un bout de sol plat et une ouverture dans les arbres, et je nous arrête.

Je tiens toujours le couteau. Il reste là dans ma main, luisant comme un reproche, comme le mot *trouillard, trouillard, trouillard*. Il capte la lumière des deux lunes et, bon sang, quelle chose puissante. Une chose de *puissance*, tellement que je dois accepter d'en faire partie, plutôt qu'elle faire partie de moi.

Je replie le bras derrière mon dos et je glisse le couteau dans son étui, là où au moins j'aurai pas à le voir.

J'enlève le sac à dos et je fouille dedans pour sortir une lampe torche.

– Tu sais te servir de ce truc ? je demande, en l'allumant et en l'éteignant.

La fille me regarde, comme d'habitude.

– Bon, pas grave…

Ma gorge me fait encore mal, mon visage me fait encore mal, et ma poitrine, et puis mon Bruit continue à me marteler avec des visions de mauvaises nouvelles, Ben et Cillian, comment ils se sont bien battus à la ferme, combien de temps Mr. Prentiss Jr. mettra à découvrir par où je suis parti, combien de temps ça lui prendra pour se mettre à ma poursuite, à *notre* poursuite (très peu de temps, s'il est pas déjà en chemin), alors qui peut bien s'en feuttre de savoir si elle sait se servir d'une lampe torche ou pas. Évidemment qu'elle sait pas.

Je sors le livre du sac, la lampe pour m'éclairer. Je déplie la carte et je suis les flèches de Ben, qui descendent de notre ferme à la rivière et à travers le marais, puis hors du marais par la rivière.

C'est pas bien compliqué de trouver son chemin pour sortir du marais. À l'horizon là-bas, on distingue toujours trois montagnes, l'une proche et les deux autres plus éloignées, mais à côté l'une de l'autre. Sur la carte de Ben, la rivière passe entre la plus proche et les deux autres et donc, tout ce qu'on doit faire, c'est se diriger vers l'espace au milieu où on devrait retrouver la rivière et la suivre. La suivre jusqu'aux flèches.

Continuer jusqu'à l'autre colonie.

Là. Juste en bas de la page où finit la carte.

Un tout autre endroit.

Comme si j'avais pas assez de choses nouvelles à digérer.

Je lève les yeux vers la fille, elle me fixe toujours, peut-être même sans battre des cils. Je braque la lampe sur son visage. Elle grimace et se détourne.

– Tu viens d'où ? De là ?

J'éclaire la carte, pose le doigt sur l'autre ville. La fille bouge pas, alors je lui fais signe. Elle bouge toujours pas, alors je soupire, lui tends le livre, éclaire la page.

– Moi (je me pointe du doigt) je viens d'ici. (Je montre notre ferme, au nord de Prentissville.) Ça (j'ouvre les bras pour montrer le marais), c'est ici (je pointe le marais sur la carte). On doit aller là. (Je pointe l'autre ville. Ben a écrit le nom de l'autre ville en dessous mais – bon, peu importe.) C'est de là que tu viens ? (Je lui montre l'autre ville, lui montre encore.) T'es de là-bas ?

Elle regarde la carte. À part ça, rien.

Je pousse un soupir de frustement et m'écarte. Je me sens pas à l'aise, si près d'elle.

– Bon, eh ben espérons. (J'examine encore la carte.) À cause que c'est là qu'on va.

– Todd ! aboie Manchee.

Je lève les yeux. La fille s'est mise à faire le tour de la clairière, elle regarde des trucs comme s'ils avaient un sens pour elle.

– Qu'est-ce que tu fabriques ?

Elle me regarde, moi et la lampe, puis elle désigne quelque chose à travers des arbres.

– Quoi ? On a pas le temps…

Elle montre les arbres encore et marche vers eux.

– Hé ! Ho ! Faut qu'on s'en tienne à la carte !

Mais je suppose que je dois suivre, et je me courbe sous les branches où mon sac à dos s'accroche, à gauche puis à droite.

– Hé ! Attends un peu !

J'avance en trébuchant, Manchee juste derrière, la lampe torche pas très utile contre toutes ces purains de branches et de racines et de mares dans cet immense feuttu marais. Je dois tout le temps baisser la tête et arracher le sac des machins qui le retiennent, alors je peux à peine regarder assez devant pour la suivre, quand je la vois debout près d'un arbre abattu, comme carbonisé, elle m'attend, elle attend que je la rattrape.

– Tu fais quoi ? je souffle. Où…

Alors je vois ça.

L'arbre, il est vraiment brûlé. Tout juste brûlé et tout juste abattu, aussi, les échardes non brûlées propres et blanches comme du bois tout neuf.

Et il y a un paquet d'arbres pareils, deux rangées, en fait, de chaque côté d'un grand fossé creusé dans le marais, maintenant rempli d'eau, mais la terre et les plantes brûlées empilées tout autour elles prouvent que c'est forcément quelque chose de récent, comme si quelqu'un était venu ici et l'avait creusé d'une seule pelletée en feu.

Je le balaye de ma lampe.

– Qu'est-ce qui s'est passé ? Qu'est-ce qui a fait ça ?

Elle tourne simplement la tête à gauche, là où le fossé disparaît dans les ténèbres. Je projette le faisceau de la torche par là, mais ça suffit pas pour y voir quelque chose. Pourtant, on dirait bien qu'il y a quelque chose.

La fille, elle s'élance dans les ténèbres vers ce que ça pourrait être.

– Tu vas où ?

J'espère pas de réponse, et d'ailleurs j'en reçois aucune. Manchee s'interpose entre moi et la fille, comme si maintenant il la suivait elle, et non plus moi, et les voilà partis. Je reste à distance, mais je les suis. Le silence s'écoule toujours d'elle, il me gêne toujours, comme s'il allait avaler le monde entier et moi avec.

J'essaie d'éclairer le moindre centimètre carré d'eau. Les crocos vont généralement pas si loin, mais c'est juste généralement, en plus des serpents rouges qui sont venimeux et des fouines d'eau qui mordent méchamment, et comme j'ai pas l'impression que la chance s'intéresse franchement à nous aujourd'hui, alors si quelque chose peut tourner mal ça va forcément tourner mal.

On s'approche, et j'oriente la lampe et quelque chose se met à briller, quelque chose qu'est ni arbre, ni taillis, ni animal, ni eau.

Quelque chose de métal. Quelque chose de grand et de métal.

– C'est quoi, ça ?

On se rapproche encore. D'abord je crois voir juste un gros vélo à fission et je me demande quel crétin voudrait faire du vélo à fission en plein marécage quand on arrive tout juste à rouler sur une piste plate avec bien moins d'eau et de racines.

Mais c'est pas un vélo à fission.

– Attends…

La fille s'arrête.

Tiens, sans blague. La fille s'arrête.

– Hé, dis donc, tu me comprends, alors ?

Mais rien, pas plus que d'habitude.

Tant pis. Une idée m'est venue. Je balaye le métal avec ma lampe. Et la ligne dessinée par le fossé. Et le métal encore. Et tous les trucs brûlés de chaque côté du fossé. Et la même idée revient sans cesse.

La fille attend plus. Elle se dirige vers le métal et je la suis. Il faut contourner un tronc brûlé, qui fume encore doucement à un ou deux endroits, pour arriver à la chose et là, c'est bien plus que le plus gros vélo à fission, et on dirait même la partie de quelque chose d'encore plus gros. C'est tout plié et brûlé presque partout et même si je sais pas à quoi ça ressemblait avant que ça brûle et que ça se plie, c'est manifestement une sorte d'épave.

Et c'est manifestement une épave de navire.

Un navire aérien. Peut-être même un vaisseau, un *vaisseau spatial*.

– C'est à toi ? je demande, pointant la lampe sur la fille.

Elle dit rien, comme d'habitude, mais elle le dit d'une manière qui ressemble à un « oui ».

– Vous vous êtes écrasés ici ?

Avec ma torche je balaye son corps, ses vêtements, un peu différents de ceux que je connais, bien sûr, mais pas si différents de ceux que j'aurais pu porter autrefois, même si quand, ça je sais pas trop.

– Tu viens d'où ?

Elle dit rien, regarde juste vers un endroit plus loin dans les ténèbres, croise les bras comme si elle avait froid et se dirige vers là. Je la suis pas, cette fois. Je continue à observer le vaisseau. Enfin, ce que ça devait être. Je veux dire, regardez-moi ça. Presque tout a été pulvérisé, plus reconnaissable maintenant, quoiqu'on peut encore deviner quelque chose comme une coque, un moteur, et même un genre de hublot.

À cause que les premières maisons de Prentissville, vous savez, elles ont été fabriquées avec les vaisseaux qui avaient amené les premiers colons. Évidemment, des maisons en rondins et en bois sont venues plus tard, mais d'après Ben, la première chose que vous faites en arrivant c'est de vous conxtruire un abri de fortune, et un abri de fortune, ça utilise les premiers matériaux à portée de main. L'église et la stassion-service en ville sont encore faites de coques et de soutes et de caissons en métal. Et même si ce tas de ferraille est plutôt écrabouillonné, quand on l'examine attentivement, il ressemble assez à une maison de Prentissville comme tombée du ciel. D'un ciel en feu.

– Todd ! aboie Manchee invisible, de quelque part. Todd !

Je cours vers l'endroit où la fille a disparu, contourne l'épave jusqu'à un morceau un peu moins ratatiné. En courant, j'aperçois même une porte ouverte sur le côté d'un mur de métal plus haut, et il y a même de la lumière à l'intérieur.

– Todd ! aboie Manchee.

Je projette la lampe vers où il aboie, à côté de la fille. Elle se tient là, regarde par terre quelque chose, alors je pointe la lampe et je vois qu'elle se tient devant deux longues piles d'habits.

En fait, deux corps, je dirais.

Je m'avance, avec la lampe. Il y a un homme, ses vêtements et son corps plutôt complètement brûlés à partir du torse. Son visage brûlé aussi, mais pas assez pour empêcher de voir que c'était un homme. Une blessure à son front qui l'aurait pas tué sans les brûlures, mais peu importe évidemment, puisqu'il est mort de toute façon. Mort et couché là dans un marais.

Je bouge la lampe parce qu'il est couché auprès d'une femme, je crois.

Je retiens mon souffle.

C'est la première vraie femme que j'ai jamais vue en vrai. Et c'est pareil que la fille. J'ai jamais vu de femme dans la vraie vie avant mais s'il y avait une vraie femme en chair et en os, elle serait comme ça.

Et morte aussi, bien sûr, mais rien de très évident, seulement des brûlures et une plaie, pas même du sang sur ses habits, alors peut-être qu'elle s'est esplosée de l'intérieur.

Mais une femme. Une vraie femme.

Je pointe la torche sur la fille. Elle recule pas.

– C'est ta maman ? et ton papa, hein ? (J'ai baissé la voix.)

La fille dit rien, mais c'est forcément ça.

J'éclaire l'épave et je pense au fossé brûlé derrière, et ça veut forcément dire une chose. Qu'elle s'est écrasée ici avec sa maman et son papa. Qu'ils sont morts. Qu'elle a survécu. Et si elle vient de quelque part ailleurs sur Nouveau Monde ou si elle vient complètement d'ailleurs, peu importe. Ils sont morts, et elle vit, et elle était ici toute seule.

Et Aaron l'a trouvée.

Quand la chance est pas avec toi, elle est contre toi.

Sur le sol, je vois les traces où la fille a dû tirer les corps de l'épave pour les traîner jusqu'ici. Mais le marais il est fait pour rien enterrer sauf les Spackle du fait que, après dix centimètres de terre vous avez de l'eau et pas grand-chose d'autre, et voilà où ils sont maintenant. Je voudrais pas dire ça, mais ils sentent, ils puent, même si dans l'odeur générale du marais c'est pas si terrible que vous pourriez penser, alors qui sait depuis combien de temps sa maman est là.

La fille me regarde encore, sans pleurer, sans sourire, rien, comme d'habitude. Puis elle se met à marcher, retourne sur les traces, marche jusqu'à la porte que j'ai vue ouverte dans le côté de l'épave, se hisse jusqu'à la porte et disparaît.

10 *De la nourriture et du feu*

– Hé ! je crie en la suivant. On peut pas rester traîner…

J'arrive à la porte en même temps qu'elle ressort, et elle me fait sursauter. Elle attend que je m'écarte, puis descend et passe devant moi, un sac dans une main, deux petits paquets dans l'autre. Je regarde la porte, me dresse sur la pointe des pieds, essaie de voir quelque chose à l'intérieur. Rien qu'un grand feuttoir, évidemment, des choses renversées partout, des tas de choses esplosées. Je me retourne.

– Comment t'as pu survivre à ça ?

Mais elle est occupée, maintenant. Elle a posé le sac et les paquets pour y prendre une sorte de petite boîte plate, de couleur verte. Elle la pose sur un endroit un peu plus sec, empile quelques bâtons dessus.

Je la regarde, sans comprendre.

– C'est pas le moment de…

Elle presse un bouton, sur le côté de la boîte et *woutchhh* !!! Nous voilà devant un feu de camp instantané, grandeur nature.

Je reste là comme un débile, bouche grande ouverte.

Moi aussi, je veux une boîte à feu de camp.

Elle me regarde et se frotte un peu les bras et c'est maintenant que je réalise comment je suis trempé et glacé et endolori partout et qu'un feu maintenant c'est encore bien mille fois mieux qu'un sapin de Noël.

Je fouille l'obscurité du marais, comme si je pouvais voir quelqu'un arriver. Rien, évidemment, mais aucun Bruit non plus. Personne approche. Pour le moment.

Je regarde le feu.

– Juste une seconde, hein ?

J'avance mes mains pour les réchauffer, garde mon sac sur le dos. Elle déchire un paquet et me le jette, et je la fixe quand elle plonge les doigts dans son paquet à elle, retirant quelque chose comme un morceau de fruit sec, et elle le mange.

Elle me donne de la nourriture. Et du feu.

Son visage montre toujours aucune expression, reste vide comme une pierre pendant qu'elle se tient devant le feu et mange. Je me mets à manger aussi. Des fruits ou je sais pas quoi, ça ressemble à des boutons ridés mais sucrés, élastiques, et j'ai fini tout le paquet en trente secondes quand je remarque Manchee.

– Todd ? il fait, en se léchant les babines.

– Oh ! Désolé, vieux.

La fille me regarde, regarde Manchee, puis prend une petite poignée de son paquet et la tend à Manchee. Comme il approche, elle a un mouvement de recul, et fait tomber les fruits par terre. Manchee s'en moque bien. Il les engloutit aussitôt.

À mon signe de tête elle répond pas.

Il fait nuit complète maintenant, plus noir que tout en dehors de notre petit cercle de lumière. Même les étoiles, on les voit seulement dans le trou des arbres fait par le vaisseau écrasé. J'essaye de me rappeler la semaine dernière, au cas où j'aurais entendu un son de tonnerre venant du marais mais c'est trop loin, le Bruit de Prentissville aura tout noyé je suppose, personne aura entendu.

Et puis je pense à un certain prédicateur.

Personne, ou *presque*.

– On peut pas rester. Je suis désolé pour ta famille et tout ça, mais d'autres sont après nous. Même si Aaron est mort…

Au nom d'Aaron elle tressaille, un peu. Il a dû lui dire son nom. Ou quelque chose. Peut-être.

– Je suis désolé.

Je sais pas pourquoi je dis ça. Je déplace mon sac sur mon dos. Jamais je l'ai senti aussi lourd.

– Merci pour le casse-croûte, mais faut y aller. (Je la regarde.) Si tu viens.

La fille me dévisage une seconde, puis de la pointe du pied elle repousse les brindilles enflammées hors de la petite boîte verte. Elle se penche, presse le bouton et prend la boîte sans même se brûler.

Purain, j'en voudrais vraiment une comme ça.

Elle la met dans le sac qu'elle a pris dans l'épave, puis elle passe la bandoulière au-dessus de sa tête, comme un sac à dos. Comme si elle avait déjà prévu de venir avec moi.

Elle me regarde toujours.

– Bon, je fais. Je crois qu'on est prêts, alors ?

Mais on bouge pas, ni elle ni moi.

Je tourne les yeux, vers sa maman, et son papa. Elle aussi, mais seulement un instant. Je voudrais lui dire quelque chose, quelque chose d'autre, mais quoi ? J'ouvre la bouche quand même, puis elle se met à fouiller dans son sac. Je pense que ça doit être un truc, je sais pas, pour se rappeler sa famille ou faire un genre de geste ou quelque chose, mais elle trouve ce qu'elle cherchait et c'est juste une lampe de poche. Elle l'allume – donc elle *sait* comment ça marche – et avance, d'abord vers moi, puis me dépasse, comme si on était déjà en route.

Comme si sa maman et son papa ils étaient pas couchés là, morts.

Je la regarde un temps avant de réagir.

– Hé !

Elle se retourne.

– Pas par là… (Je pointe vers la gauche.) Par ici.

Manchee me suit et je tourne la tête et la fille nous suit. Je jette encore un coup d'œil derrière, je voudrais tellement rester et fouiller cette épave pour trouver d'autres trucs chouettes, mais faut y aller, même s'il fait nuit, même si personne a dormi, faut vraiment y aller.

Alors on y va, essayant de voir des bouts d'horizon à travers les arbres, pour garder la direxion du creux entre la montagne proche et les deux autres plus loin. Les deux lunes sont plus qu'à moitié pleines et le ciel est clair alors on a au moins un peu de lumière pour avancer, même sous les arbres du marais, même dans l'obscurité.

– Ouvre bien les oreilles, Manchee.

– Pour quoi ? il aboie.

– Pour les choses qui pourraient nous attaquer, crétin.

On peut pas vraiment courir dans un marais obscur la nuit, alors on marche aussi vite qu'on peut, moi éclairant devant, trébuchant sur les racines, essayant d'éviter la vase trop molle. Manchee va et revient, flairant et aboyant parfois, rien de grave. La fille continue, elle traîne jamais en arrière mais elle se rapproche pas trop non plus. Une bonne chose, du fait que, même si mon Bruit a jamais été aussi calme aujourd'hui, son silence à elle continue à me compresser chaque fois qu'elle vient trop près.

C'est bizarre vraiment qu'elle ait rien fait de plus pour sa maman et son papa quand on est partis. Pas pleuré ni dit un dernier au revoir ni rien. Non ? Moi, je donnerais n'importe quoi pour revoir Ben et même Cillian, même s'ils étaient… oui, même s'ils le sont.

– Ben, fait Manchee, au niveau de mes genoux.

– Je sais.

Je le gratte entre les oreilles.

On avance toujours.

Eux, j'aurais voulu les enterrer, si on en était arrivés là. J'aurais voulu faire quelque chose, je sais pas quoi. Je m'arrête pour regarder la fille, mais son visage est toujours pareil, exactement pareil que d'habitude, peut-être parce qu'elle s'est écrasée et que ses parents sont morts. Ou parce qu'Aaron l'a trouvée. Ou parce qu'elle vient d'ailleurs.

Elle sent donc rien ? Elle est donc rien du tout à l'intérieur ?

Elle me regarde, elle attend qu'on reparte.

Alors, au bout d'un instant, c'est ce que je fais.

Des heures. Il dure des heures ce temps de nuit et rampe vite et en silence. Des heures. Qui sait jusqu'où on va et si on prend la bonne direxion ou quoi, mais des heures. Parfois j'entends le Bruit d'un criailleur de temps de nuit, des hiboux du marais hululant sur le chemin du dîner, fondant probablement sur une souris à queue courte, leur Bruit si tranquille à peine un langage, mais surtout ce que j'entends par moments c'est le Bruit vite effacé d'un criailleur de nuit fuyant tout le ramdam qu'on doit faire en piétinant les fourrés du marais dans la nuit.

Mais le plus étrange c'est qu'il y a pas de Bruit de rien derrière nous, rien qui nous poursuit, pas de branches cassées, rien. Peut-être que Ben et Cillian les ont mis sur une mauvaise piste. Peut-être que je fuis pour une raison pas si importante, après tout. Peut-être...

La fille s'arrête pour décoller sa chaussure de la gadoue.

La fille.

Mais non. Ils arrivent. Le seul « peut-être », c'est que peut-être ils attendent le point du jour pour pouvoir nous tomber dessus plus vite.

Alors on continue et on continue, de plus en plus fatigués, en s'arrêtant qu'une fois pour que chacun puisse faire pipi tranquille dans les taillis. Je sors un peu de nourriture de Ben du sac à dos et j'en donne des petits bouts à tout le monde, puisque c'est mon tour.

Et on marche encore, et encore.

Et puis vient une heure juste avant l'aube où là, marcher encore c'est plus possible.

– Faut s'arrêter, je fais, laissant tomber le sac à dos au pied d'un arbre. Faut se reposer.

La fille pose son sac près d'un autre arbre sans discuter, et tous les deux on s'effondre, têtes posées sur nos sacs comme sur des oreillers.

– Cinq minutes… (Manchee se met en boule contre mes jambes et ferme presque aussitôt les yeux.) Cinq minutes, pas plus, je répète. (La fille a sorti une petite couverture de son sac.) T'endors pas.

Il faut continuer, bien sûr. Je vais seulement fermer les yeux une minute ou deux, juste prendre un peu de repos, et puis on continuera, encore plus vite qu'avant.

Juste un peu de repos, c'est tout.

J'ouvre les yeux, et le soleil est levé. Juste un peu mais rudement bien levé.

Purain. On a perdu au moins une heure, peut-être deux.

Et puis je réalise que c'est un son qui m'a réveillé.

Du Bruit.

Je panique, pensant que des hommes nous ont trouvés et je me redresse en titubant…

Juste pour découvrir que c'est pas un homme…

Mais un kassor, au-dessus de moi et de Manchee et de la fille.

Manger? dit son Bruit.

Je le savais bien, qu'ils avaient pas quitté le marais.

J'entends comme un soupir étranglé du côté où la fille dort – dort plus. Le kassor se tourne pour la regarder. Alors Manchee se dresse et aboie « Chope ! Chope ! Chope ! » et le cou du kassor revient vers nous.

Imaginez le plus grand oiseau que vous ayez jamais vu, imaginez qu'il soit devenu si gros qu'il pourrait même plus voler, je veux dire deux mètres et demi et même trois mètres de haut, cou super long et recourbé, tendu loin au-dessus de votre tête. Il a encore des plumes, mais c'est plutôt comme de la fourrure et ses ailes lui servent à plus rien sauf assommer les choses qu'il va manger. Mais c'est ses pieds que vous devez surveiller. De longues pattes, hautes jusqu'à ma poitrine, avec des griffes au bout qui peuvent vous tuer d'un coup si vous faites pas gaffe.

La fille, je lui crie :

– T'en fais pas. Ils sont gentils.

À cause que c'est vrai, enfin, on les *suppose* gentils. On suppose qu'ils mangent les rongeurs et donnent des coups de pied uniquement si on les attaque, mais si vous les attaquez pas, Ben dit qu'ils sont gentils et endormis et qu'ils vous laissent même les nourrir. Mais comme ils sont bons à manger, les premiers colons de Prentissville étaient si pressés de les chasser que quand je suis né il restait plus un kassor en vue à des kilomètres. Encore autre chose que j'avais jamais vue seulement en vidéo ou en Bruit.

Le monde cesse pas de grandir.

– Chope ! Chope ! aboie Manchee, et il court en rond autour du kassor.

– Le mords pas ! je crie.

Le cou du kassor se balance comme une liane, suivant Manchee comme un chat fasciné par un insecte. Manger? continue à demander son Bruit.

– Pas à manger, je fais, et le grand cou se balance vers moi.

Manger?

– Pas à manger, je répète. Chien, seulement.

Chien? il pense, et se met à suivre Manchee, essayant de le pincer avec son bec. Le bec a vraiment rien d'effrayant, pas plus que celui d'une oie, mais Manchee voit les choses d'un autre œil et il saute hors de portée en aboyant, aboyant comme un perdu.

Je ris, il me fait rire.

Et puis j'entends un petit rire, pas le mien.

Je tourne les yeux. La fille, debout, elle regarde l'oiseau géant poursuivre mon crétin de chien, et elle rit.

Elle *sourit*.

Puis elle s'aperçoit que je la regarde, alors elle s'arrête.

Manger? j'entends et me retournant je vois le kassor qui picore mon sac à dos avec son bec.

– Hé! je crie, essaye de l'écarter.

Manger?

– Tiens...

Je déballe un petit morceau de fromage que Ben avait enveloppé dans du tissu. Le kassor le renifle, il le mord puis le gobe, et son cou ondule comme un gros serpentin pendant qu'il le fait descendre. Il fait claquer son bec plusieurs fois comme un homme fait claquer ses lèvres après avoir mangé quelque chose. Puis son cou se met à onduler dans l'autre sens avec une grosse toux et voilà le morceau de fromage qui me revient direct, couvert de salive mais à peine écrasé, ricochant sur ma joue et laissant une traînée dégoûtante sur ma figure.

Manger? fait le kassor. Puis il s'éloigne lentement dans le marais, comme si on l'intéressait pas plus que des feuilles mortes.

– Chope! Chope! aboie Manchee, mais il se garde bien de le suivre.

J'essuie mon visage avec ma manche et je vois la fille qui sourit en même temps.

– Tu trouves ça drôle, hein?

Elle continue à faire comme si elle souriait pas, mais elle sourit. Elle se retourne pour ramasser son sac.

– Allez, je fais, histoire de reprendre le commandement. On a dormi bien trop longtemps.

On se remet en marche maintenant, sans plus de mots ni de sourires. Le sol devient moins plat, un peu plus sec. Les arbres commencent à s'espacer, laissent de temps en temps le soleil tomber sur nous. Au bout d'un moment, on arrive à une clairière, presque un pré qui escalade une petite colline, juste au-dessus des arbres. On grimpe et on s'arrête en haut. La fille me tend un autre paquet de son truc fruité. Petit déjeuner. On mange, toujours debout.

Par-dessus les arbres, notre itirénaire apparaît nettement. La plus grande montagne pointe à l'horizon et on aperçoit les deux plus petites plus loin, perdues dans la brume.

Je tends le doigt:

– C'est là que nous allons. En tout cas, là où je crois qu'on est supposés aller.

Elle pose son sac de fruits, et elle en tire la plus chouette paire de jumelles que j'aie jamais vue. Mes anciennes, à la maison, cassées depuis des années, c'étaient des boîtes de conserve en comparaison. Elle les colle à ses yeux et regarde un moment, puis elle me les tend.

Je les prends et je regarde où nous allons. Tout est si clair. Une forêt verte couvre bientôt les pentes de vraies vallées et de vallons pour redevenir de la vraie terre, pas seulement une cuvette poisseuse de marais, et vous voyez même où le marais redevient vraiment une vraie rivière qui taille des canyons de plus en plus profonds quand elle se rapproche des montagnes. Si vous écoutez, vous entendez même son chant. J'observe, j'observe encore et j'observe, et je vois aucune colonie, mais qui sait ce qui se cache au creux de ces courbes et de ces pentes ? Qui sait ce qu'il y a plus loin ?

Je regarde derrière nous, par où nous sommes venus, mais il est encore tôt et la brume recouvre presque tout le marais, cachant tout, révélant rien.

– Chouette... je fais en lui rendant les jumelles.

Elle les remet dans son sac et on reste un instant à manger, gardant distance d'un bras du fait que son silence me gêne encore. Je mâche et j'avale un fruit sec et je me demande : ça fait quoi de pas avoir de Bruit, de venir d'un endroit avec pas de Bruit ? Qu'est-ce que ça veut dire ? C'est quel genre d'endroit ? Merveilleux ? Ou effarrible ?

Imaginez, vous vous tenez sur une colline avec quelqu'un qu'a pas de Bruit. Vous vous imaginez, seul là-haut ? Comment, quoi partager ? Et d'ailleurs, est-ce qu'on en a envie ? Je veux dire, on est là, la fille et moi, prenant une direxion pour fuir le danger, mais dans l'inconnu, et il y a aucun Bruit, rien qui nous chevauche, rien pour nous dire ce que l'autre pense !

Je finis mes fruits, froisse le paquet. Elle tend la main et fourre le plastique dans son sac. Pas de mots, pas d'échange, juste mon Bruit et ce grand rien d'elle.

Alors, c'était pareil pour ma maman et mon papa quand ils ont atterri ? Nouveau Monde, était-ce un endroit partout silencieux avant –

Je regarde brusquement la fille.

Avant –

Quel crétin. Quel sacré feuttu débile je fais.

Elle a pas de Bruit. Et elle est venue d'un vaisseau. Traduxion : elle vient d'un endroit sans Bruit, évidemment, crétin.

Et donc, elle a atterri ici et elle a pas encore attrapé le virus du Bruit.

Et donc, quand elle l'attrapera, ça va lui faire la même chose qu'aux autres femmes.

La tuer.

Ça va la tuer.

Je la regarde et le soleil brille sur nous et ses yeux s'ouvrent plus grands et encore plus grands pendant que j'y pense et c'est maintenant que je réalise quelque chose d'autre de très stupide et de très évident.

Parce j'entends aucun Bruit d'elle, ça veut pas dire qu'elle entend pas mes mots à moi.

11 Le livre des non-réponses

– Non ! je fais, très vite. N'écoute pas ! Je me trompe ! Je me trompe ! C'est une erreur ! Je me suis trompé !

Mais elle recule, lâche son paquet de fruits vide, les yeux encore plus écarquillés.

– Non, ne…

Je fais un pas vers elle, mais elle fait un pas encore plus rapide en arrière, et son sac tombe par terre.

– C'est… (Quoi lui dire, maintenant ?) Je me trompe… Je me trompe. Je pensais… à quelqu'un d'autre…

J'aurais vraiment pas pu inventer plus débile, puisqu'elle entend mon Bruit. Elle me voit me débattre pour trouver quelque chose à dire, et même si ça sort tout sens dessus dessous, elle peut s'y voir elle-même partout dessus et, en plus, je sais bien maintenant qu'on peut pas rattraper quelque chose qu'a été envoyé dans le monde.

Bon D… Sacré bon D… de…

– Bon D… ! aboie Manchee.

– Pourquoi tu l'as pas DIT, que tu pouvais m'entendre ? je crie, oubliant qu'elle a pas dit un mot depuis que je l'ai rencontrée.

Elle recule un peu plus, lève une main à son visage pour couvrir sa bouche, et ses yeux m'envoient des points d'interrogassion.

J'essaye de penser à quelque chose, n'importe quoi pour rattraper, mais j'ai rien. Juste du Bruit avec de la mort et de la despérance partout dessus.

Elle pivote et elle court, elle dévale la colline à toute vitesse maintenant.

Bon sang.

– Attends ! je hurle, courant déjà après elle.

Elle reprend le chemin par où on est venus, à travers le pré, puis sous les arbres, mais je suis pas loin derrière elle, et Manchee derrière moi.

– Arrête-toi ! je crie. Attends !

Mais pourquoi m'obéirait-elle ? Pour quelle raison au juste devrait-elle s'arrêter ?

Vous savez, elle va vraiment très, très vite quand elle s'y met.

– Manchee !

Il comprend et part en flèche après elle. Pas que je pourrais complètement la perdre, pas plus qu'elle pourrait me perdre. Aussi fort que mon Bruit la poursuit, son silence est aussi fort là devant, même maintenant, sachant qu'elle va mourir, aussi silencieuse toujours qu'une tombe.

– Arrête ! je crie, trébuchant sur une racine et atterrissant sur le coude, et le choc réveille toutes les douleurs de mon corps et de ma figure, mais je dois me relever.

Je dois me relever et la suivre.

– Bon sang de… !

J'entends Manchee aboyer devant, invisible.

– Todd !…

Titubant, je trouve un passage autour d'un grand fouillis d'arbustes et la voilà, assise sur une pierre plate qui sort de terre, genoux relevés contre sa poitrine, elle se balance d'avant en arrière, les yeux écarquillés, plus vides que jamais.

– Todd ! aboie Manchee en me voyant, puis il saute à côté d'elle et se met à la flairer.

– Laisse-la tranquille, Manchee.

Mais il continue, flaire son visage, la lèche une ou deux fois, puis s'assied tout contre elle, l'accompagne en avant, en arrière.

– Écoute… je fais, prenant mon inspiration et sachant que je sais pas quoi dire après. Écoute… je répète, mais rien d'autre ne sort.

Je reste juste là essoufflé, à rien dire, elle assise là à se balancer alors j'ai bientôt plus rien d'autre à faire que m'asseoir moi aussi sur la pierre, gardant une distance par respect et sécurité, je suppose, et donc c'est ce que je fais. Elle se balance et je suis assis et je me demande quoi faire d'autre.

On passe plusieurs bonnes minutes comme ça, plusieurs bonnes minutes alors qu'on devrait bouger, alors que le jour agrandit peu à peu le marais autour de nous.

Puis me vient une autre pensée, et je la dis aussitôt que je la pense :

– J'ai peut-être tort. Je peux me tromper, tu sais ? (Je me tourne vers elle et parle plus vite.) Je me suis fait mentir sur à peu près tout et tu peux fouiller mon Bruit si tu veux savoir si *ça* c'est pas vrai.

Je me lève, parle encore plus vite.

– Il devait pas y avoir une autre ville… Prentissville était supposée être la seule de toute cette planète paumée… et puis maintenant il y a cet autre endroit sur la carte… Alors peut-être…

Et je réfléchis. Je réfléchis et je réfléchis.

– Peut-être que le virus, c'était que pour Prentissville… Et si t'as pas été en ville, alors peut-être que tu risques rien… Peut-être que tout va bien pour toi… Vu que je peux vraiment pas entendre rien de toi qui ressemble au Bruit et que t'as pas l'air malade… Alors peut-être que tu risques rien…

Elle me regarde et se balance toujours et je sais pas ce qu'elle pense. *Peut-être*, y a probablement plus réconfortant comme mot, quand c'est *peut-être que t'es pas en train de mourir*.

Je continue à réfléchir, la laisse voir mon Bruit aussi librement, aussi nettement que je peux :

– Peut-être qu'on a tous attrapé le virus et… et…

Une autre idée, une bonne :

– Peut-être qu'on s'est isolés pour que l'autre colonie l'attrape pas ! Ça doit être ça ! Et donc, si t'es restée dans le marais, tu risques rien !

Elle arrête de se balancer autant, me regarde toujours, peut-être qu'elle me croit ?

Et puis, comme un débile qui sait pas quand s'arrêter, je laisse filer cette pensée. Parce que, si c'est vrai que Prentissville s'est isolée, alors peut-être que cette autre colonie va pas être trop ravie de me voir débarquer, hein ? Peut-être que c'est l'autre colonie qui s'est isolée d'abord, peut-être que Prentissville était vraiment contagieuse.

Et si on peut transmettre le Bruit à d'autres gens, alors moi je peux le transmettre à la fille, non ?

– Bon D… je lâche en me penchant, mains sur mes genoux, tout mon corps comme s'il tombait, même si je reste debout. Oh, bon D…

La fille se recroqueville encore sur la pierre et nous voilà revenus à la case départ et même pire.

C'est pas juste. Vraiment pas juste. *Tu sauras quoi faire une fois dans le marais, Todd. Tu sauras quoi faire.* Ah, oui ? Alors merci, merci beaucoup, Ben, pour toute ton aide, à cause que me voilà, et j'ai pas la plus petite idée, rien, de ce que je dois faire. C'est pas juste. Je me suis fait virer de chez moi, je me fais massacrer, les gens qui disent qu'ils m'aiment m'ont menti pendant toutes ces années, je dois suivre une carte sans queue ni tête jusqu'à une colonie dont j'ai jamais entendu parler, je dois je sais pas comment lire un livre illisible…

Le livre.

Je fais glisser le sac à dos. Je sors le livre. Ben a dit que toutes les réponses sont dedans, alors peut-être qu'elles y sont. Sauf que…

Je soupire et l'ouvre. C'est tout écrit, tout en mots, tout dans

l'écriture de ma maman, des pages et des pages et…

Bon, peu importe. Je retourne à la carte, à l'écriture de Ben de l'autre côté, première chance que j'ai de regarder autrement qu'à la lampe torche, pas vraiment faite pour lire. Les mots de Ben sont alignés en haut. « *Va vers* » c'est les premiers, ça c'est vraiment les premiers, et puis il y a un ou deux mots plus longs que j'ai pas le temps de détorquiter, et puis deux gros paragraphes mais là j'ai *vraiment* pas le temps maintenant, et en bas de la page Ben a souligné tout un groupe de mots ensemble.

La fille, elle se balance toujours, et je lui tourne le dos. Je pose mon doigt sous le premier mot souligné.

Voyons ça. *Ta* ?... Non, *Tu,* c'est forcément *Tu. Tu.* D'accord, mais moi quoi ? *D... Deu* ? *Det e* ? *Tu dete. Tu deti* ? Et ça veut dire quoi bon sang ? *Ha. Haft. Hafteri.* Et avant ? *Iep... Ies* ? *Ieu.* Non, attendez. *Les.* C'est *les.* Bien sûr que c'est *les*, crétin.

Mais *Tu deti les hafteri* ?

Hein ?

Vous vous rappelez quand j'ai dit que Ben a essayé de m'apprendre à lire ? Vous vous rappelez quand j'ai dit que j'étais pas très fort là-dessus, non ?

Bon, peu importe.

Tu deti les hafter.

Crétin.

J'examine encore le livre, feuillette les pages. Des dizaines de pages, des dizaines et des dizaines, toutes avec plus de mots dans tous les coins, aucune me disant rien, aucune réponse d'aucune sorte.

Feuttu bouquin.

Je rentre la carte à l'intérieur, claque la couverture, jette le livre par terre.

Crétin.

– Feuttu bouquin ! je lâche à haute voix, maintenant, et d'un coup de pied le balance dans les fougères.

La fille se balance toujours, en avant, en arrière – en avant, en arrière et, je sais – oui, d'accord *je sais ça*, mais *ça* commence justement à me courir. Parce que, même si c'est une impasse, j'ai rien de plus à proposer et elle me propose rien non plus de toute façon.

Mon Bruit se met à grésiller.

– J'ai rien demandé, tu sais.

Elle me regarde même pas.

– Hé ! Je te cause !

Mais rien. Rien, rien, rien.

– JE SAIS PAS QUOI FAIRE ! je crie et commence à taper du pied, hurlant à me casser la voix. JE SAIS PAS QUOI FAIRE ! JE SAIS PAS QUOI FAIRE !!!

Je me tourne vers elle.

– Je suis DÉSOLÉ, désolé de ce qui t'est arrivé, mais je sais pas quoi faire, et, PURAIN, ARRÊTE DE TE BALANCER !!!

– Hurler, Todd, aboie Manchee.

– HAAA !!! je crie, écrasant mon visage entre mes mains.

Je les retire et rien n'a changé. C'est la première chose qu'on apprend quand on est livré à soi-même. Si vous pouvez rien y changer, alors rien ne change. Personne le fera à votre place.

Je ramasse mon sac à dos, très colère.

– Il faut y aller, maintenant. Tu l'as pas encore attrapé, alors reste juste à distance et il y a pas de risques. J'en sais trop rien au juste, mais c'est tout ce qu'on peut faire, alors c'est ce qu'on doit faire…

Elle se balance, en avant, en arrière.

– On peut pas rebrousser chemin, alors on doit continuer et c'est tout.

En avant, en arrière.

– Je SAIS que tu M'ENTENDS !!!

Son visage, rien ne bouge.

Je me sens soudain très fatigué. Je pousse un soupir.

– Parfait… Peu importe. Reste là, balance-toi… Tout le monde s'en fiche. Tout le monde s'en fiche de tout…

Je regarde le livre sur le sol. Feuttu bouquin. Mais j'ai rien d'autre. Alors je me penche, le ramasse, le range dans le sac plastique, dans mon sac à dos, et j'enfile mon sac à dos.

– Viens, Manchee.

– Todd ! il aboie, regarde entre moi et la fille. Pas partir, Todd !

– Elle a qu'à venir si elle veut, mais…

Je sais même pas au juste à quoi rime ce « mais ». « Mais » si elle veut rester ici et mourir toute seule ? « Mais » si elle veut retourner et se fait prendre par Mr. Prentiss Jr. ? « Mais » si elle veut risquer d'attraper mon Bruit et mourir de cette façon ?

– Hé, je fais, essayant de rendre ma voix un peu plus douce, mais mon Bruit fait une telle tempête que ça sert pas à grand-chose. Tu sais où on va, d'accord ? La rivière entre les montagnes. Suis-la jusqu'à ce que tu arrives à une colonie, d'accord ?

Peut-être qu'elle m'entend, peut-être pas.

– Je garderai un œil sur toi. Je comprends, tu veux pas t'approcher trop, mais je garderai un œil sur toi.

Je reste là une minute pour voir si elle enregistre. Puis je marmonne :

– Bon… Ravi de t'avoir rencontrée.

Je commence à m'éloigner. Quand j'arrive au grand massif d'arbustes, je me retourne, histoire de lui donner encore une chance. Mais non, y a rien de changé, elle se balance toujours.

Bon, eh bien parfait, moi j'y vais, Manchee hésitant derrière mes talons, regardant en arrière chaque fois qu'il peut, aboyant tout le temps mon nom.

– Todd ! Todd ! Tu pars, Todd ? Todd ! Pas partir, Todd ! (Et comme je lui file une claque sur le derrière :) Ouaïe ! Todd ?

– J'en sais rien, Manchee. Alors arrête de poser des questions.

On passe sous les arbres jusqu'à l'endroit où le sol s'assèche, jusqu'à la clairière qui remonte sur la petite colline où on a mangé notre petit déjeuner et regardé le beau jour se lever et où j'ai fait ma géniale déduxion sur sa mort.

La petite colline où son sac se trouve toujours par terre.

– Ah, bon sang de... !

Je le regarde un instant et alors, mais ça n'en finira donc jamais ? Je veux dire, est-ce que je le lui rapporte ? Ou bien est-ce que j'espère qu'elle va le retrouver ? Est-ce que je la mets en danger si je le lui rapporte ? Mais si je le fais pas ?

Le soleil est déjà haut, le ciel aussi bleu qu'une viande crue. Les mains sur les hanches, je promène un long regard autour de moi comme les hommes font quand ils réfléchissent. Je regarde vers l'horizon, regarde par où on est venus, la brume presque entièrement consumée maintenant et toute la forêt du marécage arrosée de soleil. Du sommet de la colline, je vois pardessus, par-dessus là où on a conduit nos pieds dans l'oubli en le traversant tout entier. Si c'était assez dégagé et si j'avais des jumelles assez puissantes, je verrais probablement même jusqu'à la ville.

Jumelles.

Le sac.

Je me penche, quand je crois entendre quelque chose. Comme un chuchotement. Mon Bruit fait un bond et je lève les yeux pour voir si la fille m'a suivi, finalement. Ce qui me soulagerait quand même plus que je veux le dire.

Mais non, c'est pas la fille. Je l'entends encore – un chuchotement – plus qu'un chuchotement. Comme un vent qui transporte un chuchotement.

– Todd ? fait Manchee, humant l'air.

Je plisse les yeux dans le soleil pour regarder vers le marais.

Est-ce qu'il y a quelque chose là-bas ?

J'attrape le sac de la fille et cherche les jumelles. Il y a des tas de trucs chouettes là-dedans mais je sors seulement les jumelles et je regarde.

Juste le marais, c'est tout ce que je vois, la cime des arbres du marais, des petites clairières de parties inondées, la rivière qui finalement se reforme. J'écarte les jumelles pour les examiner. Il y a des petits boutons partout, j'appuie sur quelques-uns et je réalise que je peux rendre tout plus proche. Je le fais deux fois et maintenant je suis sûr que j'entends un chuchotement. Ça, j'en suis sûr.

Je repère la saignée dans le marais, le fossé, repère l'épave de son vaisseau mais il y a rien là sauf ce qu'on a laissé. Je regarde par-dessus les jumelles, au cas où je verrais du mouvement. Je regarde à travers encore, un peu plus près, là où les arbres frissonnent.

Mais c'est seulement le vent, sûrement.

Je balaye tout d'avant en arrière, appuie sur les boutons pour me rapprocher puis m'éloigner, mais je reviens toujours à ces arbres frémissants. Je garde les jumelles fixées sur une sorte de couloir ouvert, entre eux et moi.

Je garde les jumelles fixées dessus.

Je garde les jumelles en observation, et mes tripes se tordent du fait que peut-être j'entends un chuchotement, et peut-être pas.

Je continue à observer.

Jusqu'à ce que le frémissement atteigne la clairière. Alors je vois le Maire lui-même sortir à cheval des arbres, menant d'autres hommes, aussi à cheval.

Ils se dirigent tout droit dans ma direxion.

12 Le pont

Le Maire. Pas seulement son fils, mais vraiment le vrai Maire. Avec son chapeau propre et son visage propre et ses habits propres et ses bottes brillantes et droit comme un I. On le voit pas vraiment souvent à Prentissville, plus maintenant, si vous êtes pas dans son petit cercle, mais quand vous le voyez, il a toujours cette allure-là, même à travers des jumelles. Comme si lui savait comment se tenir et pas vous.

J'appuie sur d'autres boutons pour me rapprocher au maximum. Il y en a cinq, non, six, de ces hommes dont on entend le Bruit pendant leurs exercices de dingos dans la maison de Maire. JE SUIS LE CERCLE ET LE CERCLE EST MOI, et d'autres trucs du même genre. Il y a Mr. Collins, Mr. MacInerny, Mr. O'Hare et Mr. Morgan, tous sur des chevaux, chose déjà rare en soi à cause que les chevaux sont difficiles à conserver en vie à Nouveau Monde, mais le Maire garde son troupeau personnel avec toute une tripotée d'hommes avec des fusils.

Et voilà ce purain de Mr. Prentiss Jr. à cheval à côté de son père, un œil au beurre noir là où Cillian l'a frappé. Bien fait.

Et soudain je comprends que ce qui a pu se passer là-bas, à la ferme, maintenant c'est fini, définitivement fini. Que ce qui a pu arriver à Ben et Cillian, c'est fait. J'abandonne les jumelles et j'encaisse le coup.

Je reprends les jumelles. Le groupe s'est arrêté une minute, ils se parlent, examinent un grand morceau de papier qui doit être une carte bien rudement meilleure que la mienne et…

Oh, bon sang.

Oh, bon sang, j'y crois pas.

Aaron.

Aaron sort des arbres derrière eux, à pied.

Cette feuttue puanteur, cette purain de pourriture d'Aaron.

Presque toute sa tête enveloppée de bandages, il arpente le terrain un peu en arrière de Maire, il lève et agite les bras au ciel, probablement qu'il prêche, même si personne a l'air de l'écouter.

MAIS COMMENT? Comment il a pu survivre? Cet enff… ne MEURT donc JAMAIS?

C'est ma faute. Feuttu crétin que je suis. À cause que je suis un trouillard. Un pauvre petit trouillard, et à cause de ça, voilà, Aaron est vivant, et à cause de ça, il guide le Maire à travers ce purain de marais sur nos traces. À cause que je l'ai pas tué, il arrive pour me tuer.

Je vais vomir. Je me plie en deux, cramponne mon estomac. Je pousse un gémissement et mon sang pulse si fort que j'entends Manchee s'écarter tout doucement de moi.

– C'est ma faute, Manchee. C'est à cause de moi.

– Ta faute!

Perturbé, il fait que répéter ce que je dis, mais frappe quand même en plein dans le mille.

Je me force à recoller les yeux aux jumelles et je vois le Maire appeler Aaron. Il doit s'y reprendre à plusieurs fois pour qu'Aaron se décide à s'approcher des chevaux en clopinant (depuis que les hommes entendent leurs pensées, Aaron juge les animaux souillés, et il les évite). Il écoute le Maire lui demander quelque chose, à propos de la carte, je crois.

Puis il lève les yeux.

Regarde à travers les arbres du marais et le ciel.

Regarde jusqu'à cette colline.

Me regarde.

Il peut pas me voir. Impossible. Pas sans des jumelles comme celles de la fille et j'en vois pas sur les hommes, j'ai jamais rien vu de pareil à Prentissville. Alors, il me voit pas.

Pourtant, comme une grande chose sans pitié il lève un bras et le pointe, le pointe tout droit vers moi, comme si j'étais assis juste en face de lui, à table.

Je cours avant même d'y avoir réfléchi, je descends la colline en courant et je retourne vers la fille aussi vite que je peux et j'ai sorti mon couteau, Manchee aboyant comme une tornade sur mes talons. J'entre, je m'enfonce sous les arbres, je contourne le grand fouillis d'arbustes et la voilà toujours assise sur sa pierre, mais au moins elle lève les yeux quand j'accours vers elle.

– Viens, je fais, lui attrapant le bras. Faut partir !

Elle veut se dégager mais je la lâche pas.

– Non ! je crie. Faut partir ! MAINTENANT !

Elle se débat avec les poings, m'atteint une fois, deux fois à la figure.

Mais je lâche pas.

– Écoute ! je fais, et je lui ouvre mon Bruit.

Elle me frappe encore une fois et puis elle regarde, regarde mon Bruit comme il vient, elle voit les images de ce qui nous attend dans le marais – non, ne nous attend pas, mais fait tout son possible pour venir nous prendre. Aaron, qui veut pas mourir, pliant toutes ses pensées pour nous trouver et cette fois avec des hommes à cheval. Qui vont bien plus vite que nous.

Le visage de la fille se crispe comme si elle souffrait la pire douleur supportable et elle ouvre la bouche et c'est comme si elle va hurler mais rien ne sort. Toujours rien. Toujours pas de Bruit, pas de son, rien de rien qui sorte d'elle.

– Je sais pas ce qui nous attend plus loin. Je sais rien sur rien, mais de toute façon, c'est forcément mieux que ce qui arrive derrière. *Forcément*.

Son visage change en m'écoutant. Il redevient lisse, presque entièrement vide maintenant, et elle pince les lèvres.

– Allez ! Allez ! Allez ! aboie Manchee.

Elle tend la main pour avoir son sac. Je le lui tends. Elle se met debout, fourre les jumelles dedans, le passe à son épaule et me fixe.

– Très bien, je fais.

Et voilà comment je me lance en pleine course vers une rivière pour la seconde fois en deux jours, Manchee avec moi encore et une fille maintenant sur mes talons.

Enfin, devant mes talons en général, parce qu'elle file rudement vite, ça je peux vous le dire.

On remonte en haut de la colline et on redescend de l'autre côté, la fin du marais commence vraiment à disparaître autour de nous pour se transformer en vrai bois. Le terrain devient plus ferme et plus facile pour courir et il y a plus de descentes que de montées, le premier coup de chance qu'on a eu, peut-être. On commence à apercevoir la vraie rivière, par instants à gauche. Mon sac me pilonne le dos et je cherche mon souffle.

Mais je tiens mon couteau.

Je le jure. Je le jure maintenant à la face de Dieu ou de Dieu sait qui. Si jamais Aaron revient encore à ma portée, je le tuerai. J'hésiterai plus. Ça, non. Je vous le jure.

Je le tuerai.

Et je le louperai pas.

Croyez-moi.

Le terrain où on court devient un peu plus abrupt de chaque côté, il nous conduit à travers des arbres plus feuillus, plus légers, d'abord plus près de la rivière et puis plus loin et plus loin encore dans notre course. Manchee halète, sa langue pend hors de sa gueule, rebondit au rythme de son galop. Mon cœur martèle un million de coups et mes jambes vont se détacher de mon corps mais on continue à courir.

On oblique de nouveau vers la berge et je crie: «Attends!» Assez loin devant, la fille s'arrête. Je cours jusqu'au bord de la rivière, vite vérifie s'il y aurait pas des crocos, puis je me penche, prends de l'eau dans ma main, me la verse dans la bouche et recommence. Plus sucré que ça devrait. Qui sait ce qu'il y a dedans, sortant du marécage, mais faut boire. Je sens le silence de la fille se pencher à côté de moi et elle boit aussi. Je m'écarte un peu. Manchee lape sa part et vous pouvez entendre nos longues inspirations rauques entre chaque gorgée.

J'essuie ma bouche, regarde où nous allons. À côté de la rivière, ça commence à devenir trop rocheux et abrupt pour courir et je vois un sentier qui part de la berge, se taille un passage et remonte pour longer le sommet du canyon.

Je cligne les paupières.

Un sentier. Quelqu'un a taillé un sentier.

La fille se tourne et regarde. Le sentier continue à monter pendant que la rivière chute en dessous, plongeant plus profond et plus vite, puis se transformant en rapides.

Quelqu'un a *fait* ce sentier.

– C'est sûrement le chemin vers l'autre colonie. Sûrement.

Alors, au loin, on entend des martèlements de sabots. Faibles, mais en marche.

Je dis rien d'autre à cause qu'on est déjà debout pour gravir le chemin en courant. La rivière chute de plus en plus bas en dessous de nous et la plus grande montagne se dresse de l'autre côté de la rivière. De notre côté, une forêt épaisse commence à descendre du haut des falaises. Le sentier a sûrement été taillé pour que les hommes aient un endroit par où descendre à la rivière.

C'est plus qu'assez large pour des chevaux. Plus qu'assez large pour cinq ou six.

C'est même pas un sentier. C'est une *route*.

Elle tourne et serpente et on court et on court, la fille devant, puis moi, puis Manchee.

Puis je lui rentre presque dedans et manque l'éjecter hors de la route.

– Qu'est-ce que tu fabriques ? je crie, agrippant son bras pour nous empêcher de tomber tous les deux de la falaise, écartant le couteau pour pas la tuer par accident.

Alors je vois ce qu'elle voit.

Un pont, plus loin, plus haut. Il va d'un bord de la falaise à l'autre, franchit la rivière à peut-être bien trente, quarante mètres au-dessus. La route ou la piste, peu importe, s'arrête de notre côté au pont. Après, c'est plus que du rocher et de la forêt épaisse. Plus nulle part où aller sauf le pont.

Nulle part.

Alors, les premiers contours d'une idée se dessinent.

Les sabots résonnent plus fort et des nuages de poussière montent de l'endroit où progressent le Maire et ses hommes.

– Allez !

Je la dépasse, courant aussi vite que je peux. Nos pieds martèlent la piste, soulèvent notre propre poussière, les oreilles de Manchee rabattues en arrière par la vitesse.

On y arrive, au pont, bien plus qu'une passerelle, au moins deux mètres de large. Des cordes attachées à des piquets en bois plantés dans la roche, de chaque côté, et des traverses en bois tout du long jusqu'à l'autre rive.

Je pose le pied dessus. C'est tellement costaud que ça fait même pas ressort. Plus qu'assez pour nous supporter, moi et la fille et un chien.

Plus qu'assez pour supporter des hommes à cheval qui voudraient s'y engager.

Ceux qui l'ont conxtruit voulaient qu'il tienne vraiment très longtemps.

Je me retourne. Encore plus de poussière, le piétinement des sabots, et les chuchotements du Bruit des hommes en marche. Je crois que j'entends jeune Todd, mais non, je me fais des idées parce qu'Aaron il est sûrement loin derrière, à pied.

Mais je vois ce que je veux voir : ce pont est le seul endroit où on peut traverser la rivière, entre ici où on a couru et jusqu'à des kilomètres et des kilomètres devant.

Peut-être qu'on va avoir encore un peu de chance, finalement.

– Allons-y.

On s'élance au pas de course et le pont est si bien fait qu'on distingue à peine les jours entre les planches. Presque une piste en dur. On arrive de l'autre côté, et la fille s'arrête et se tourne vers moi, sûrement qu'elle voit mon idée dans mon Bruit, attend déjà que j'agisse.

Le couteau est encore dans ma main. Puissance au bout de mon bras.

Peut-être qu'enfin je peux faire quelque chose d'intelligent avec.

Je regarde là où cette extrémité du pont est attachée aux piquets dans la roche. Le couteau a un bord effarriblement cranté sur une partie de sa lame. Je choisis le nœud qui me paraît le mieux placé et je commence à le scier.

Et je scie, et je scie.

Les sabots claquent plus sonores, leur écho tonne dans le canyon.

Mais si brusquement plus de pont...

Je scie encore.

Et encore un peu.
Et encore un peu.
Et rien…
Ça n'avance absolument pas.
– Alors quoi, bon D… ?
Je regarde ce que j'ai coupé. À peine une égratignure. Du doigt, je touche une dent du couteau. Elle le perce et ça saigne presque aussitôt. J'examine la corde de plus près. On la dirait enduite avec une sorte de résine.
Une résine rudement résistante, comme de l'acier, impossible à couper. Je lève les yeux vers la fille.
– J'y crois pas…
Elle a pris les jumelles, observe le chemin par où on est montés.
– Tu les vois ?
Moi j'ai pas besoin de jumelles. Deux yeux suffisent largement pour les voir. Petits mais ils grandissent et ralentissent pas, font tonner leurs sabots comme au jour du Jugement dernier.
On a trois minutes. Peut-être quatre.
Purain.
Je recommence à scier, aussi vite, aussi fort que je peux, avançant et reculant mon bras aussi loin que je peux, la sueur mouillant partout et de nouvelles douleurs démarrant pour tenir compagnie aux anciennes. Je scie et je scie, l'eau dégouline sur mon nez et le couteau.
– Allez ! allez ! je grince entre mes dents.
Je relève le couteau. J'ai réussi à traverser un minuscule petit bout de résine sur un minuscule petit nœud de corde d'un énorme feuttu pont.
– Bon sang de… !
Je scie encore, et encore et encore. Et encore

et encore plus que ça, avec la sueur qui me coule dans les yeux et commence à picoter.

– Todd ! aboie Manchee, déversant son inquiétude tout autour de lui.

Je scie encore et encore.

Mais le seul résultat c'est que le couteau se coince et que je m'écrase les phalanges contre le piquet, qui me les met en sang.

– BON D... DE... ! je hurle, jetant le couteau par terre. (Il rebondit, s'arrête juste aux pieds de la fille.) BON D... DE BON SANG DE...

À cause que franchement.

Là, c'est la fin des haricots.

Et de notre seule et unique feuttue chance qu'en était pas une, apparemment.

On peut pas courir plus vite que les chevaux et on peut pas couper un feuttu méga-pont et on va être pris et Ben et Cillian sont morts et on va être tués et le monde va finir et c'est comme ça.

Du rouge recouvre mon Bruit, quelque chose que j'ai jamais senti avant, tout brutal et tout cru, comme une marque au fer rouge appuyée sur moi-même, une brûlante, éclatante rougeur de tout ce qui m'a fait mal et continue à me faire du mal, rage rugissante contre l'injustice et l'injustice et les mensonges.

Ce tout revenant à une seule et même chose.

Je lève les yeux vers ceux de la fille qui recule devant leur éclat.

– *Toi* !!! je fais, et il y a rien qui peut m'arrêter. C'est tout... *toi* ! Si t'étais pas apparue dans ce purain de marais, rien de tout ça serait arrivé ! Jamais ! Je serais chez moi, MAINTENANT ! Je m'occuperais de mes feuttus moutons et je vivrais dans ma feuttue maison et je dormirais dans mon FEUTTU PLEUMARD !

Sauf que je dis pas « feuttu ».

– Mais non !!! je crie plus fort. Il a fallu que tu débarques ! TOI ! Toi et ton SILENCE ! Et alors le monde entier pouvait aller se faire voir !!!

Je me rends pas compte que je marche vers elle, sauf quand je la vois reculer. Mais elle se contente de me regarder.

Et j'entends toujours pas le moindre purain de Bruit, rien.

– T'es RIEN ! je hurle, faisant un pas de plus. RIEN ! T'es rien que du VIDE ! Y a rien en toi ! T'es VIDE et RIEN et on va mourir POUR… RIEN !

Je serre les poings si fort que mes ongles me rentrent dans les paumes. Je suis tellement colère, mon Bruit tempête si fort, si *rouge*, que je dois lever les poings sur elle, je dois la frapper, je dois lui cogner dessus, je dois faire que son purain de silence S'ARRÊTE avant qu'il M'AVALE ET TOUT LE FEUTTU MONDE AVEC !!!

Je prends mon poing et me cogne en pleine figure, à toute volée.

Et je recommence, frappant où Aaron a fait gonfler mon œil.

Et une troisième fois, ouvrant la coupure de ma lèvre, là où Aaron m'a frappé hier matin.

Crétin, pauvre feuttu crétin.

Et je recommence, assez fort pour me faire perdre l'équilibre.

Je tombe et je me rattrape sur les mains et je crache du sang sur la route.

Je regarde la fille, essoufflé.

Rien. Elle me regarde et rien.

Tous les deux on se tourne vers la rivière. Ils sont arrivés au passage d'où ils peuvent nettement apercevoir le pont. *Nous* apercevoir bien nettement de l'autre côté. On distingue le visage des hommes à cheval. On entend le bavardage de leur Bruit qui s'envole et remonte la rivière vers nous. Mr. MacInerny, le meilleur cavalier de Maire, est à leur tête, le Maire juste derrière, l'air aussi calme que si tout ça c'était rien de plus qu'une agréable promenade du dimanche.

On a encore une minute, peut-être moins.

Je me retourne vers la fille, essayant de me relever, mais je suis si fatigué. Fatigué, et fatigué.

– On ferait bien de courir, je marmonne, crachant encore un peu de sang. On ferait mieux d'essayer…

Alors son visage change.

Sa bouche s'ouvre toute grande, ses yeux aussi, puis brusquement elle balance son sac devant elle et plonge une main dedans.

– Qu'est-ce que tu fais ?

Elle sort la boîte à feu de camp, cherche autour d'elle, puis repère une pierre assez grosse. Elle pose la boîte et redresse la pierre.

– Non, attends… Ça pourrait servir…

Elle fait basculer la pierre sur la boîte, qui craque. Elle la ramasse et la tord, de toutes ses forces, pour la faire craquer plus. Maintenant il en coule une espèce de fluide. Elle la transporte jusqu'au pont et commence à balancer du fluide partout sur les nœuds du piquet le plus proche, secouant les dernières gouttes au pied pour faire une flaque.

Les cavaliers s'approchent du pont, s'approchent, s'approchent encore.

– Allons, dépêche-toi !

La fille se retourne, me fait signe avec ses mains de reculer. Je m'écarte un peu, attrapant Manchee par le col pour le prendre avec moi. Elle recule aussi, tenant les restes de la boîte à bout de bras, puis presse un bouton. J'entends un cliquetis. Elle balance la boîte très haut et saute en arrière vers moi.

Les chevaux atteignent le pont –

La fille atterrit presque sur moi et on regarde la boîte à feu de camp tomber –

Tomber –

Tomber –

Cliquetant vers la petite flaque de liquide –

Le cheval de Mr. MacInerny pose un sabot sur le pont pour le traverser –

La boîte à feu de camp atterrit dans la flaque –

Cliquette encore une fois…

Puis –

VVVWOUFFFF !!!!

L'air se retire de mes poumons et une boule de feu MILLE fois trop grosse pour cette petite quantité de fluide rend le monde silencieux pendant quelques secondes et puis…

BAOUUMMM !!!!!

Elle fait exploser les cordes et le piquet, projetant des échardes enflammées sur nous, effaçant toute pensée, Bruit ou son.

Quand on peut regarder à nouveau, le pont est déjà tellement en feu qu'il commence à pencher d'un côté et on voit le cheval de Mr. MacInerny se cabrer et trébucher en essayant de reculer dans les quatre ou cinq chevaux derrière lui.

Les flammes rugissent et vomissent un étrange vert fluo et la chaleur soudaine est incroyable, comme le pire coup de soleil imaginable et je crois qu'on va prendre feu nous aussi quand notre extrémité du pont se détache, emportant Mr. MacInerny et son cheval avec. On s'assied et on les regarde tomber et tomber et tomber dans la rivière en bas, beaucoup trop bas pour jamais pouvoir survivre. Le pont est encore attaché de leur côté et il claque la falaise mais brûle si fort qu'il faudra pas longtemps avant que tout tombe en cendres. Le Maire et Mr. Prentiss Jr. et les autres, tous sont obligés de faire reculer leurs chevaux.

La fille s'est écartée de moi en rampant. On reste là un instant, à chercher de l'air et à tousser, complètement sonnés.

Sacré bon D… de…

– Ça va, mon vieux? je demande à Manchee, que je tiens toujours.

– Feu, Todd! il aboie.

– Oui, je crache. Grand feu… Ça va? je fais à la fille, toujours accroupie, toujours toussant. Purain, y avait quoi dans ce machin?

Évidemment, elle dit rien.

– TODD HEWITT! j'entends de l'autre côté du canyon.

C'est le Maire, il me crie les premiers mots qu'il m'ait jamais dits à moi, à travers des nappes de fumée et de chaleur qui le rendent tout flou. Il crie par-dessus le crépitement du pont qui brûle et le rugissement de l'eau en bas.

– On n'en a pas fini avec toi, jeune Todd! Loin de là!

Et il reste calme et toujours rudement propre et comme si rien pourra jamais l'empêcher non jamais d'avoir ce qu'il veut.

Je me lève, tends mon bras et lui brandis deux doigts – mais il disparaît déjà derrière de gros nuages de fumée.

Je tousse et crache encore du sang.

– Va falloir y aller, je fais, toussant encore. Peut-être qu'ils vont abandonner, peut-être qu'il y a pas d'autre moyen pour traverser, mais on va pas attendre pour le savoir.

Je vois le couteau dans la poussière. La honte revient tout de suite comme une douleur nouvelle, différente. Les choses que j'ai dites. Je me penche, le ramasse et le remets dans son étui.

La fille tousse toujours, tête baissée. Je lui ramasse son sac et le lui tends.

– Viens. Au moins qu'on s'éloigne de la fumée…

Elle me regarde.

Je la regarde.

Mon visage brûle et pas seulement à cause de la chaleur.

– Je suis désolé…

Je me détourne, de ses yeux et de son visage, toujours aussi vide et silencieux.

Puis, comme je pivote pour remonter le chemin, j'entends :

– Viola.

Je me retourne.

– Quoi ?

Elle ouvre la bouche.

Elle parle.

– Mon nom. C'est Viola.

TROISIÈME PARTIE

13 *Viola*

Je dis rien pendant un instant. Elle non plus. Le feu brûle, la fumée monte. Haletant, Manchee laisse pendre une langue stufépaite. Finalement, je prononce :

– Viola ?

Elle hoche la tête.

– Viola, je répète.

Elle hoche plus la tête.

– Je m'appelle Todd.

– Je sais, dit-elle.

Elle croise pas tout à fait mon regard.

– Alors, tu peux parler ?

Mais elle détourne aussitôt les yeux. J'observe le pont qui brûle encore, la fumée qui forme un banc de brouillard entre nous et l'autre côté de la rivière, et je sais pas si ça me rassure ou non, si pas voir le Maire et ses hommes, c'est vraiment mieux que de les voir.

– C'était… je commence, mais elle se lève, tend la main pour avoir son sac.

Je me rends compte que je le tiens toujours, je le lui tends et elle le prend.

– On devrait continuer… s'éloigner d'ici, fait-elle.

Elle a un drôle d'accent, différent du mien, différent de tout le monde à Prentissville. Ses lèvres donnent des contours différents aux lettres, comme si elles atterrissaient dessus pour les modeler, leur dire quoi dire. À Prentissville, tout le monde parle comme en douce derrière les mots, pour les matraquer par surprise.

Manchee reste complètement médusé devant la fille.

– D'ici... il répète en écho, la fixant comme si elle était tout en sucre.

Alors vient ce moment où je pourrais commencer à lui demander des trucs, maintenant qu'elle parle, je pourrais la bombarder avec tous les questionnements possibles – qui elle est, d'où elle vient, ce qui s'est passé, et tous ces questionnements courent partout avec mon Bruit, ils volent vers elle comme de la mitraille mais tant de choses veulent sortir de ma bouche que rien n'en sort et donc mes lèvres bougent pas et elle jette son sac sur son épaule et regardant par terre elle passe devant moi, devant Manchee, et remonte la piste.

– Hé!

Elle se retourne.

– Attends-moi!

Je ramasse mon sac à dos, le rajuste derrière mes épaules. Je plaque la main sur le couteau dans son étui au bas de mon dos. D'un mouvement d'épaules, je rééquilibre mon sac, je dis « Viens, Manchee » et on part, suivant la fille.

De ce côté de la rivière, la piste s'écarte lentement de la falaise, se dirige vers un paysage de taillis, contournant et s'éloignant de la plus grande montagne qui nous surplombe sur la gauche.

Là où la piste tourne, on s'arrête tous les deux en même temps pour regarder en arrière. Le pont brûle encore, suspendu à la falaise en face comme une cascade de feu, les flammes ont grimpé sur toute sa longueur, jaune verdâtre et colère. La fumée tellement épaisse, on peut toujours pas savoir ce que le Maire et ses hommes font, ou ont fait, s'ils sont partis ou s'ils attendent ou quoi. Pourrait bien y avoir un chuchotement de Bruit qui traverse, mais pourrait aussi pas y avoir un chuchotement de Bruit, avec le ronflement du feu, les pétarades du bois et les rapides qui grondent en bas. On voit le feu finir son travail sur les piquets de l'autre côté de la rivière et avec un grand *craac!* le pont en feu tombe, il tombe, tombe, ricoche contre la falaise et, en touchant la rivière, il projette encore plus de fumée et de vapeur, noyant tout derrière un brouillard encore plus épais.

– Il y avait quoi, dans cette boîte? je demande.

Elle me regarde, ouvre la bouche, puis la referme et se détourne.

– Pas de problème. Je vais pas te faire de mal, tu sais.

Elle me regarde encore et mon Bruit est plein de quand y a quelques minutes, quand j'allais la frapper, quand j'étais prêt à…

Peu importe.

On dit plus rien. Elle reprend le sentier, et moi et Manchee on la suit dans les taillis.

Savoir qu'elle peut parler m'aide pas franchement plus à supporter le silence. Savoir qu'elle a des mots dans la tête veut rien dire si vous pouvez seulement les entendre quand elle parle.

En regardant l'arrière de sa tête pendant qu'elle marche, je sens encore mon cœur me tirer vers son silence, j'ai encore l'impression d'avoir perdu quelque chose de terrible, quelque chose de si triste que je voudrais pleurer.

– Pleurer, aboie Manchee.

L'arrière de sa tête – et elle continue à marcher.

La piste est encore assez large, assez large pour des chevaux, mais le terrain autour de nous devient plus rocheux, la piste plus tortueuse. On entend la rivière plus bas sur la droite maintenant, mais on dirait qu'on s'en écarte un peu, qu'on s'enfonce dans une zone qui semble presque murée, des falaises montant parfois des deux côtés, comme si on marchait au fond d'une boîte. Des petits sapins épineux poussent dans la moindre fissure et des lianes jaunes avec des épines s'enroulent autour des sapins et quand on passe on voit et on entend des lézards rasoirs jaunes qui nous sifflent Mords! pour faire peur – Mords! Mords!

Tout ce qu'on pourrait toucher ici nous couperait.

Au bout de vingt, trente minutes peut-être, autour de la piste ça s'élargit, quelques vrais arbres commencent à repousser, la forêt a l'air de vouloir redémarrer, il y a de l'herbe et des pierres assez basses pour s'asseoir. C'est ce qu'on fait. S'asseoir.

Je tire un peu de mouton séché de mon sac à dos et avec le couteau j'en coupe des tranches pour moi, pour Manchee et pour la fille. Elle les prend sans rien dire et on reste sans rien dire, assis chacun de son côté, et on mange.

Je suis Todd Hewitt, je pense, fermant les yeux et mâchant, embarrassé par mon Bruit maintenant, maintenant que je sais qu'elle l'entend, maintenant que je sais qu'elle peut y penser.

Y penser en secret.

Je suis Todd Hewitt.

Je serai un homme dans vingt-neuf jours.

Et c'est vrai, je réalise en ouvrant les yeux. Les jours passent, même quand on regarde pas.

Je prends un autre morceau.

– J'avais jamais entendu ce nom, Viola… je lâche au bout d'un moment, regardant vers le sol, fixant ma tranche de mouton.

Elle dit rien alors je relève les yeux malgré moi.

Et je la vois qui me regarde.

– Quoi ? je fais.

– Ta figure.

Je fronce les sourcils.

– Et alors, quoi, ma figure ?

Elle serre les deux poings et mime, comme si elle se frappait elle-même.

Je sens que je rougis.

– Ouais, bon.

– Et d'avant aussi… De…

Elle s'arrête.

– Aaron ? je dis.

– Aaron, aboie Manchee, et la fille tressaille.

– Alors, c'était bien son nom ?

Je hoche la tête en mâchant mon mouton.

– Mmouais. C'est son nom.

– Il ne l'a jamais dit tout haut. Mais je savais ce que c'était.

– Bienvenue à Nouveau Monde…

Je tire sur un morceau vraiment caoutchouteux avec mes dents, mordant du même coup une des nombreuses plaies qui m'entaillent la bouche.

– Aaaoufff !

Je recrache la viande et pas mal de sang avec.

La fille me regarde, puis pose sa nourriture. Elle prend son sac, l'ouvre et en tire une petite boîte bleue, juste un peu plus grande que la boîte à feu de camp. Elle appuie sur un bouton devant pour l'ouvrir et sort une espèce de tissu en plastique blanc et comme un petit rasoir. Elle se lève de sa pierre et s'approche.

Je reste assis, mais me penche en arrière quand elle avance les mains vers mon visage.

– Pansements… prévient-elle.

– J'ai les miens.

– Ceux-là sont mieux.

Je me penche encore plus en arrière.

– Ta… (Je respire fort, par le nez.) Ta paix me…

Je secoue un peu la tête.

– Te gêne ?

– Oui.

– Je sais. Ne bouge pas.

Elle examine la zone autour de mon œil gonflé puis coupe un morceau de pansement avec le petit rasoir. Elle va le placer sur mon œil mais je peux pas m'en empêcher, je m'écarte. Elle dit rien, garde juste les mains en l'air. Je respire un grand coup, ferme les yeux et lui tends mon visage.

Je sens le pansement toucher la zone gonflée. Tout de suite ça devient plus frais, tout de suite la douleur commence à reculer, comme toute balayée par des plumes. Elle en pose un autre sur une coupure à la racine de mes cheveux et ses doigts effleurent mon visage quand elle en pose un autre, juste sous ma lèvre inférieure. Ça me paraît trop si bon, je veux plus rouvrir les yeux.

– Je n'ai rien pour tes dents, dit-elle.

– Pas grave, je souffle dans un murmure, presque. Dis donc, ils sont rudement mieux que les miens.

– Du tissu synthétique humain. En partie vivant. Quand tu es guéri, il meurt.

– Hmm… j'acquiesce, comme si j'y comprenais quelque chose.

Il y a un silence plus long, assez long pour que je rouvre les yeux. Elle a reculé de quelques pas, jusqu'à une pierre où elle peut s'asseoir, me regarder, regarder mon visage.

On attend. Oui, on dirait qu'il faudrait ça, attendre.

Et il le fallait sûrement, à cause que, juste au bout d'un moment, elle se met à parler, tournant les yeux ailleurs :

– Nous nous sommes écrasés…

Puis elle s'éclaircit la gorge, et répète doucement :

– Nous nous sommes écrasés. Il y a eu un incendie et nous volions bas et nous pensions que tout irait bien mais il y a eu un problème avec les extincteurs automatiques et…

Elle ouvre les mains pour espliquer ce qui a suivi le *et*.

– … on s'est écrasés.

Elle s'arrête.

– C'était ta maman et ton papa ? je demande, au bout d'une ou deux secondes.

Mais elle fixe juste le ciel, bleu et maigre, avec ses nuages qui ressemblent à des os.

– Quand le soleil s'est levé, cet homme est arrivé.

– Aaron.

– Et c'était vraiment bizarre. Il criait, il hurlait et puis il s'en allait. Et j'essayais de m'enfuir. (Elle croise les bras.) J'essayais toujours, qu'il ne me retrouve pas, mais je tournais en rond et où que je me cache, il était là, je ne sais pas comment, jusqu'à ce que je découvre ces espèces de cabanes.

– Les bâtiments Spackle, je fais.

Mais elle m'écoute pas vraiment, elle me regarde.

– Et puis tu es venu. (Elle regarde Manchee.) Toi et ton chien qui parle.

– Manchee ! aboie Manchee.

Sa figure est pâle, et quand elle recroise mes yeux, ses yeux se sont mouillés.

– Quel est cet endroit ? demande-t-elle, d'une voix comme épaisse. Pourquoi est-ce que les animaux parlent ? Pourquoi est-ce que j'entends ta voix quand tes lèvres ne bougent pas ? Pourquoi ta voix fait-elle comme un énorme tas de fagots, empilés l'un sur l'autre, comme si vous étiez neuf millions à me parler en même temps ? Pourquoi est-ce que je vois des images d'autres choses quand je te regarde ? Pourquoi est-ce que je voyais ce que cet homme...

Là, sa voix s'éteint. Elle replie ses jambes contre sa poitrine et les serre. Je sens que je ferais mieux de parler très vite, sinon elle va recommencer à se balancer.

– On est des colons... je fais.

Elle lève les yeux, du coup, toujours serrant ses genoux, mais au moins se balance plus.

– Enfin, on *était* des colons. On a atterri et fondé Nouveau Monde il y a plus ou moins vingt ans. Mais, sur place, il y avait ces aliens. Les Spackle. Et ils... ils voulaient pas de nous.

Je lui raconte ce que tout garçon de Prentissville apprend, l'histoire que même le plus demeuré des garçons de ferme (*votre honoré serviteur, par exemple*) sait par cœur.

– Pendant des années les hommes ont essayé de faire la paix, mais les Spackle, ils en voulaient pas. Alors la guerre a éclaté...

Au mot *guerre*, elle a encore baissé la tête.

– ... et les Spackle, pour se battre, ils avaient leurs virus, leurs maladies. C'étaient leurs armes. Ils envoyaient des virus qui faisaient des choses. Il y en a eu un, on croyait qu'il tuerait toutes nos bêtes, mais, en fait, il les a fait parler. (Je montre Manchee.) Marrant à première vue, mais pas tant que ça, en fait... Et puis, il y en a eu un autre – le Bruit...

Je la regarde, j'attends. Elle dit rien. Mais on sait bien tous les deux ce qui va venir, évidemment.

Je reprends une bonne bouffée d'air.

– .. et celui-là, il a tué la moitié des hommes et toutes les femmes, y compris ma maman, et il a rendu les pensées des hommes transparentes pour le reste du monde.

Elle se cache le menton derrière les genoux.

– Quelquefois, je l'entends nettement, dit-elle. Quelquefois je pourrais dire exactement ce que tu penses. Mais seulement quelquefois. La plupart du temps c'est juste...

– Du Bruit.

Elle hoche la tête.

– Et les aliens ? demande-t-elle.

– Des aliens, y en a plus.

Elle acquiesce encore. On reste assis un instant, repoussant l'évidence jusqu'à plus pouvoir la repousser plus longtemps.

– Est-ce que je vais mourir ? demande-t-elle doucement. Est-ce que ça va me tuer ?

Les mots sonnent différents avec son accent mais ils veulent bien dire la même saloperie et mon Bruit peut seulement dire *probablement* mais il le fait pour que ma bouche dise « Je sais pas ».

Elle guette, elle en attend plus.

– À vrai dire, j'en sais strictement rien, j'insiste, comme pour la persuader. Si tu m'avais posé cette question la semaine dernière, j'aurais été sûr, mais aujourd'hui (je regarde mon sac à dos, le livre caché à l'intérieur), je sais pas. (Je la regarde.) J'espère pas.

Mais *probablement*, dit mon Bruit. *Probablement que tu vas mourir*, et même si j'essaye de le couvrir avec un Bruit différent, c'est tellement injuste que j'ai beaucoup de mal à pas le laisser en évidence.

– Je suis désolé.

Elle dit rien.

– Mais peut-être que si on arrive à l'autre colonie…

Et puis je finis pas, du fait que je sais pas la réponse.

– T'es pas encore malade. C'est déjà quelque chose.

– Tu dois les avertir, marmonne-t-elle dans ses genoux.

Je relève les yeux.

– Quoi ?

– Quand tu essayais de lire ce livre…

Ma voix monte d'un cran, je le fais pas exprès :

– *J'essayais* pas.

– En tout cas, j'ai vu les mots dans les tiens, et c'est : *Tu dois les avertir.*

– Je le sais bien ! Je sais bien ce que ça dit !

Évidemment que c'est « *Tu dois les avertir* ». Purain, évidemment. *Pauvre crétin.*

– T'avais l'air…

– Je *sais* lire.

Elle lève les mains :

– D'accord, pas de problème.

– Je sais lire !

– Je dis juste…

– Alors, arrête de dire…

Et mon Bruit brouillonne assez fort pour que Manchee se dresse sur ses pattes. Moi aussi je me relève. Je ramasse le sac à dos.

– Faut y aller.

– Avertir qui ? poursuit-elle, toujours assise. De quoi ?

La réponse, j'y arrive pas (même si je connais pas la réponse) parce qu'il y a un claquement au-dessus de nous, un grand CLANG qui à Prentissville signifie une seule chose.

Un fusil qu'on arme.

Et debout sur un rocher au-dessus de nous, il y a quelqu'un avec un fusil armé dans les deux mains, qui nous vise dans sa mire, pointé sur nous.

– Ce qui occupe d'abord et surtout ma pensée, en cette occasion particulière, fait une voix montant derrière le fusil, c'est à quoi deux jeunes marmots peuvent bien jouer quand ils font brûler *mon pont*.

14 Du mauvais côté d'un fusil

– Fusil ! Fusil ! Fusil ! aboie Manchee, et il avance, recule par bonds dans la poussière.

– Moi, je la ferais tenir bien tran-quille, votre bes-tiole, articule le fusil, son visage obscurci du fait qu'il nous couche dans sa mire. Vous voudriez pas qu'il lui arrive quelque chose, quand même ?

– Tranquille, Manchee ! je dis.

Manchee se tourne vers moi.

– Fusil, Todd ? *Bang ! Bang !*

– Je sais. Boucle-la.

Il arrête d'aboyer et c'est plus tranquille.

En dehors de mon Bruit, c'est même *très tranquille*.

– Il me semble que j'ai posé une certaine quesstion à une certaine paire de marmots, fait la voix. Et donc, 'est-ce pas, j'attends ma réponse.

La fille hausse les épaules, mais je remarque qu'on a tous les deux les mains en l'air.

– Quoi... ? je réplique au fusil.

Le fusil émet un grognement mécontent.

– Je demande ce qui pré-ci-sément vous a donné l'auto-risation expresse de mettre le feu aux ponts des gensses.

Je réponds rien. La fille non plus.

– Parce que vous croyez que c'est un bout de bois que je pointe sur vous ?

– On… On nous poursuivait, je finis par dire, faute de mieux.

– Poursuivait, hein, sans blague ? Et qui ça donc qui vous pour-suivait ? Si c'est pas trop de-mander, non ?

Là, je sais plus trop quoi répondre. Si la vérité serait plus risquée qu'un mensonge. Ce fusil, il est du côté de Maire ? Est-ce qu'on fait une bonne prise pour lui ? Ou bien a-t-il seulement jamais entendu parler de Prentissville ?

Le monde, c'est un endroit dangereux quand vous en savez pas suffisamment.

Par exemple, pourquoi, là, c'est si tranquille ?

– Oh, évidemment que j'ai entendu parler de Prentissville, fait le fusil, lisant mon Bruit avec une facilité perturbante et réarmant, prêt à tirer. Et si c'est de là que vous venez…

Alors la fille parle et dit cette chose qui me fait soudain penser à elle comme Viola et plus comme *la fille*.

– Il m'a sauvé la vie.

Je lui ai sauvé la vie.

Dit Viola.

Bizarre, comment ça fait.

– Ah, vraiment ? dit le fusil. Et comment sais-tu s'il ne cherche pas juste à sauver *sa peau* à lui ?

La fille, Viola, me regarde, plissant le front. À mon tour de hausser les épaules.

– Mais non, fait la voix du fusil, changée. Hmm, non, je ne vois rien de tout ça chez toi, hein, garçon ? Parce que t'es encore qu'un marmot, pas vrai ?

J'avale ma salive.

– Dans vingt-neuf jours, je serai un homme.

– Pas franchement de quoi être fier, marmot. Vu d'où tu viens.

Et le fusil s'abaisse, découvrant sa figure.

Et voilà pourquoi c'est si tranquille.

Il est une femme.

Il est une vraie femme.

Il est même une vieille femme.

– Je te saurais infiniment gré de m'appeler *elle*… dit la femme, pointant toujours le fusil vers nous, mais à hauteur de poitrine maintenant.

– Et pas si vieille que je ne te tirerais pas dessus.

Elle nous observe plus attentivement, me lit sans aucun problème, lisant dans mon Bruit avec une habileté que j'ai jamais connue à part chez Ben. Sa figure prend toutes sortes de formes, comme si elle me faisait passer un examen, comme la figure de Cillian quand il essaye de lire si je mens. Quoique, cette femme n'ayant pas de Bruit aucun, elle pourrait aussi bien chanter un petit air en son for intérieur que j'en saurais strictement rien.

Elle se tourne vers Viola et, là aussi, elle prend son temps. Puis revient vers moi.

– Dans le genre marmot, t'es pas plus compliqué à lire qu'un nouveau-né, mon garçon. (Elle tourne la tête vers Viola.) Mais toi, fifille, ton histoire n'est pas banale, on dirait. Je me trompe ?

– Je serais heureuse de tout vous raconter si seulement vous arrêtiez de pointer un fusil sur nous, répond Viola.

Même Manchee lève les yeux. Je la regarde, bouche grande ouverte.

On entend pouffer là-haut sur le rocher. La vieille femme, elle rit toute seule. Ses habits ressemblent à du cuir poussiéreux, usé et craquelé depuis des années et des années, avec un chapeau et des bottes pour la boue. Comme une fermière, ni plus ni moins.

Quand même, elle garde toujours le fusil pointé sur nous.

– Vous fuyez Prentissville, alors ? demande-t-elle, fouillant mon Bruit.

Ça sert à rien de le lui cacher alors j'y vais et je mets en avant ce que nous fuyons, ce qui s'est passé au pont, et qui nous poursuivait. Elle voit tout, je le sais, mais moi, je la vois juste pincer les lèvres et plisser un peu les yeux.

– Bon, d'accord, elle fait en logeant le fusil au creux de son bras et elle commence à descendre du rocher vers nous. Mais vous avez fait sauter mon pont, et ça, je peux pas vous dire que j'en suis ravie. Entendu le raffut jusqu'à la ferme…

Elle descend la dernière pierre et se tient pas loin de nous, la force de sa paix d'adulte une énormité qui me fait reculer sans même savoir que je l'ai décidé.

– Mais le seul endroit où ce pont conduisait ne mérite plus le voyage depuis une décennie, et plus encore. Seulement laissé là en espérant quoi, j'en sais rien… (Elle nous observe encore.) Mais qui peut dire maintenant si j'avais pas raison ?

On garde toujours les mains en l'air parce qu'on n'y comprend pas grand-chose, en fait.

La femme relève son fusil.

– Je vous le demanderai pas deux fois. Je vais en avoir besoin, ou pas ?

J'échange un coup d'œil avec Viola.

– Non, je fais.

– Non, m'dame, dit Viola.

M'dame ?

– C'est comme « monsieur », beau gosse. (Elle passe le fusil en bandoulière sur son épaule.) Parce que oui, tu parles à une dame.

Elle s'accroupit au niveau de Manchee.

– Et toi, t'es qui, chichiot ?

– Manchee ! il aboie.

– Ah, oui, t'es vraiment tout ça, hmm ? dit-elle en le frictionnant vigoureusement. Et vous, les deux marmots ? demande-t-elle sans lever la tête. Vos bonnes mères vous auraient-elles donné un nom, par le plus grand des hasards ?

Moi et Viola on échange un autre coup d'œil. Donner nos noms, c'est un peu comme faire un cadeau, mais peut-être que ça s'équilibre, puisqu'elle a baissé son fusil.

– Je m'appelle Todd. Et voici Viola.

– Aussi sûr que le soleil qui monte, hein ?

Elle a réussi à mettre Manchee sur le dos pour lui frotter le ventre.

– Est-ce qu'il y a un autre chemin pour passer la rivière ? je demande. Un autre pont ? À cause que ces hommes...

– Je m'appelle Mathilde, coupe la vieille femme. Mais les gens qui m'appellent ainsi ne me connaissent pas, alors vous pouvez m'appeler Hildy et un jour vous gagnerez peut-être même le privilège de me serrer la main.

Je regarde Viola. Comment savoir si quelqu'un est fou quand il a pas de Bruit ?

La vieille femme glousse.

– Toi, t'es un marrant, mon garçon.

Elle se relève et Manchee se roule à l'endroit pour la regarder avec les yeux d'un dévot miraculé.

– Et pour répondre à ta question, il y a des hauts-fonds à deux jours de marche en amont, mais pas de ponts sur une sacrée distance encore de chaque côté.

Elle tourne vers moi son regard clair et franc, avec un petit sourire sur les lèvres. Elle a dû encore lire mon Bruit, mais je me sens pas sondé comme quand les hommes essayent.

Et à sa manière de me fixer, je commence à comprendre plusieurs choses, à additionner plusieurs choses ensemble. Par exemple, que Prentissville a bien été mise en quarantaine à cause du virus du Bruit. Parce que voici une femme adulte pas morte de ça, qui me regarde gentiment mais garde ses distances, une femme prête à accueillir avec un fusil les étrangers venant de Prentissville, ma direxion.

Et si je suis contagieux, alors ça veut dire que Viola l'a forcément attrapé maintenant, qu'elle est peut-être même en train de mourir pendant qu'on parle, et que je vais sans doute pas, sûrement pas, même, être le bienvenu à la colonie, qu'on va sans doute sûrement me dire de rester très, très à l'écart et là, c'est probablement le mot de la fin, non ? Là que mon voyage va se terminer avant même que je trouve quelque part où aller.

– Oh, tu ne seras pas le bienvenu à la colonie, dit la femme. Tu peux oublier les « sans doute ». Mais… (elle me fait un clin d'œil, oui, un vrai clin d'œil)… ce que tu ne sais pas ne te tuera pas…

– Voulez parier ? je fais.

Mais déjà elle commence à grimper sur les rochers d'où elle est descendue. Arrivée en haut, elle se tourne vers nous.

– Vous venez, oui ou non ? dit-elle, comme si elle nous avait invités et qu'on la faisait attendre.

– On est supposés aller à la colonie, dit Viola, en me regardant. Bienvenus ou pas.

– Oh, vous y arriverez, marmots. Mais d'abord, vous avez surtout besoin d'un bon sommeil et d'un bon repas. Faut pas être voyante pour le deviner.

L'idée du sommeil et d'un repas chaud est tellement tentante, j'en oublie même qu'elle a pointé un fusil sur nous. Mais juste une seconde. Parce qu'il y a d'autres choses, aussi, à penser.

– On devrait continuer, je dis doucement à Viola.

– Mais je ne sais même pas où nous allons, répond-elle, aussi doucement. Et toi ? Avoue, franchement !

– Ben a dit…

– Hé ! les marmots, vous venez à ma ferme, vous faites le plein de bonne mangeaille, vous dormez dans un lit – peut-être pas douillet, bon, faudrait pas exagérer non plus – et demain matin, nous allons à votre *côlonie*.

Elle le prononce comme ça, les yeux écarquillés, comme pour se moquer du mot qu'on a employé pour désigner ça.

On bouge toujours pas.

– Alors considérez la chose autrement, fait la vieille femme. Moi j'ai un fusil. (Elle l'agite.) Et pourtant, je vous demande gentiment de me suivre.

– Pourquoi est-ce qu'on n'irait pas avec elle? chuchote Viola. Juste pour voir.

Mon Bruit monte un peu, surpris.

– Voir quoi?

– Je prendrais bien un bain. Et puis, je dormirais bien un peu.

– Moi aussi. Mais il y a des hommes après nous qui vont sûrement pas se laisser arrêter par un pont incendié. En plus, on sait rien sur elle… Ça pourrait être une tueuse, à la limite…

Viola jette un coup d'œil vers la femme.

– Elle a l'air bien. Un peu folle, mais pas folle dangereuse.

– Elle a l'air de rien du tout. (Je me vexe très vite, chaque fois.) Les gens sans Bruit, ils ont l'air de rien du tout…

Elle me fixe, sourcils froncés, d'un coup, mâchoires comme bloquées.

– Bon, je parle pas de toi, évidemment.

– Chaque fois que… elle commence, puis secoue la tête.

– Chaque fois que quoi? je chuchote.

Elle plisse les paupières, et d'une voix brusquement tendue, articule:

– D'accord… Laisse-moi juste prendre mes affaires.

– Hé!…

Il est devenu quoi, son souvenir de moi lui sauvant la vie?

– Attends une minute. Il faut suivre la piste. Il faut aller à la colonie…

– Les pistes, marmot, c'est jamais le plus court chemin pour aller nulle part, dit la femme. Tu n'as donc pas appris ça?

Viola elle dit rien, elle ramasse juste son sac, toute renfrognée du visage. Et la voilà prête à partir, à se mettre en route avec la première personne silencieuse qu'elle rencontre, prête à me laisser tomber pour la première sucrerie venue.

Et elle va manquer la chose que je veux pas dire, que j'essaye de lâcher entre mes dents serrées, me haïssant un peu en le disant, ma figure en feu, ce qui, bizarrement, fait tomber un pansement.

– Je peux pas y aller, Viola. Je porte le virus. Je suis dangereux.

Elle se tourne vers moi, et il y a comme un poison dans sa voix.

– C'est vrai, peut-être que tu ne devrais pas venir.

Mes mâchoires s'ouvrent toutes seules.

– Tu ferais ça ? Tu partirais, comme ça ?

Viola détourne ses yeux des miens, mais avant qu'elle puisse répondre, la vieille femme parle :

– Marmot, si c'est d'être contagieux que tu t'inquiètes, alors ta copine peut venir en marchant devant avec la vieille Hildy, pendant que tu restes un peu derrière avec le chichiot pour te protéger.

– Manchee ! aboie Manchee.

– Peu importe, fait Viola, escaladant les rochers.

– Et puis combien de fois va falloir que je te le répète, dit la femme, je m'appelle Hildy, pas *vieille femme*.

Viola la rejoint et elles s'éloignent, oui, elles disparaissent sans un mot. Comme ça.

– Hildy, fait Manchee.

– Ferme-la.

Mais quoi faire d'autre maintenant, à part grimper sur ces rochers et les suivre ?

Alors voilà, on continue comme ça, par un chemin beaucoup plus étroit, à travers les rochers, les broussailles, Viola et la vieille Hildy aussi près l'une de l'autre qu'elles peuvent, moi et Manchee des kilomètres derrière, trébuchant vers qui sait quel nouveau danger et tout le temps je regarde par-dessus mon épaule, guettant le Maire et Mr. Prentiss Jr. et Aaron et les autres quand ils vont surgir.

Ben et Cillian, comment ils ont pu imaginer un instant que je serais préparé à tout ça ? Évidemment que l'idée d'un lit et d'un repas chaud ça vaut largement le risque de se faire tirer dessus, mais peut-être que c'est un piège, et on est tellement stupides, au fond, si on se fait prendre, on l'aura bien cherché.

Parce qu'il y a des gens après nous et qu'on devrait courir, courir et pas marcher.

Mais peut-être que cette rivière, il y a vraiment pas d'autre passage pour la traverser.

Et Hildy aurait pu nous obliger et elle l'a pas fait. Et Viola dit qu'elle a l'air bien et peut-être qu'une personne sans Bruit peut en lire une autre.

Mais comment savoir ?

Et puis, quelle importance, ce que dit Viola ?

– Regarde-les, là-haut, je fais à Manchee. Pas mis longtemps à devenir copines. Comme des parents perdus de vue, pour ainsi dire ou presque.

– Hildy, répète Manchee.

Je me penche pour lui flanquer une claque sur les fesses, mais il accélère.

Viola et Hildy bavardent, j'entends seulement le murmure de mots ici et là. Je comprends rien à ce qu'elles disent. Si c'étaient des gens Bruyants normaux, ça compterait pas à quelle distance je me trouve sur la piste, on pourrait tous parler ensemble et personne aurait aucun secret automatique. Tout le monde papoterait pour tout le monde, qu'on le veuille ou non.

Et personne serait laissé en plan. Personne serait laissé tout seul à la première occasion.

On continue tous à marcher.

Et je me remets à réfléchir.

Je commence à les laisser prendre encore de l'avance, aussi.

Et je réfléchis encore.

Parce que, avec le temps, tout ça commence à s'éclaircir.

Vu que maintenant qu'on a trouvé Hildy, peut-être qu'elle peut s'occuper de Viola. Vu que, manifestement, elles s'entendent comme larrons en foire, on dirait, non? Elles sont différentes de moi, en tout cas. Alors, peut-être que Hildy pourrait l'aider à revenir d'où elle vient, parce que bien sûr moi non. Bien sûr, moi j'ai nulle part où pouvoir être sauf Prentissville. À cause que je porte un virus qui la tuera, peut la tuer encore, peut tuer n'importe qui sur mon chemin, un virus qui pour toujours m'éloignera de cette colonie, qui me laissera même sûrement dormir dans la grange de Hildy avec les moutons et les reinettes.

– C'est bien ça, hein Manchee?

Je m'arrête, ma poitrine d'un coup très lourde.

– Il y a pas de Bruit là-bas, à part celui que j'apporte. (J'essuie un peu de sueur sur mon front.) On a nulle part où aller. On peut pas continuer. On peut pas revenir.

Je m'assieds sur une pierre.
– On a nulle part. On a rien.
– N'a Todd, fait Manchee, remuant la queue.
C'est pas juste.
Vraiment pas juste.
Le seul endroit où vous êtes chez vous, vous pourrez jamais y retourner.
Alors vous allez rester seul toujours, à tout jamais.
Pourquoi tu m'as fait ça, Ben ? Qu'est-ce que j'ai fait de si mal ?
Je m'essuie les yeux avec ma manche.
Aaron et le Maire, ils peuvent bien venir me prendre, maintenant.
Qu'on en finisse une bonne fois pour toutes.
– Todd ? aboie Manchee, s'approchant de ma figure pour essayer de la flairer.
Je le repousse.
– Laisse-moi tranquille.
Hildy et Viola s'éloignent encore et, si je me lève pas, je vais perdre leur trace.
Je me lève pas.
Je les entends encore parler, et puis ça devient de plus en plus tranquille, personne regarde derrière si je suis.
Hildy, j'entends maintenant, et fille marmote, purée de pipe et Hildy encore et pont en feu.
Et je lève la tête.
Parce que ça, c'est une nouvelle voix.
Et je *l'entends* pas. Pas avec mes oreilles.
Hildy et Viola s'éloignent, mais il y a quelqu'un qui vient vers elles, quelqu'un qui lève la main pour les saluer.
Quelqu'un dont le Bruit dit Salut.

15 *Frères de souffrance*

C'est un vieil homme, il porte aussi un fusil, contre sa hanche, pointé vers le sol. Son Bruit monte quand il s'approche de Hildy, le Bruit reste fort pendant qu'il passe un bras autour d'elle et l'embrasse, le Bruit bourdonne quand il se tourne et qu'elle lui présente Viola un peu en retrait, surprise d'être accueillie si amicalement.

Hildy est mariée à un homme avec du Bruit.

Un homme tout ce qu'il y a de plus adulte, qui se promène on ne peut plus Bruyant.

– Hé, marmot ! me lance Hildy. Tu vas rester assis là toute la journée à te curer le nez, ou tu viens partager notre soupe ?

– Soupe, Todd ! aboie Manchee et il s'élance vers eux.

Je pense rien. Je sais plus *quoi* penser.

– Un autre gars Bruyant ! s'écrie le vieil homme, laissant Viola et Hildy pour venir vers moi.

Son Bruit lui sort du corps comme une belle fanfare, toute pleine de bienvenue pas bienvenue et de bons sentiments encombrants. Marmot et ponts qui tombent et pipe qui fuit et frère de souffrance et Hildy, ma Hildy. Il porte toujours son fusil et quand il me rejoint, il brandit sa main pour que je la serre.

Je suis tellement étourdi que je la serre vraiment.

– M'appelle Tam ! il crie, plus ou moins. Et toi, jeune marmot ?

– Todd.

– 'Chanté deut'connaître, Todd !

Il me passe un bras autour des épaules et me tire pratiquement le long du chemin. J'ai du mal à garder mon équilibre, trébuchant pendant qu'il me traîne jusqu'à Hildy et Viola, et bavarde en même temps.

– 'Vons pas eu d'invités à dîner depuis une sacrée flopée de lunes, alors tu d'vras èsscuser notre humble ca-banon. Fait bien dix ans, ou plus, qu'on a pas eu d'yageurs venus si loin qu'ici, mais t'es le bienvenu ! Oh, ça, z'êtes tous les bienvenus !

On rattrape les autres et je sais toujours pas quoi dire et je regarde Hildy, puis Viola, puis Tam, et ainsi de suite.

J'aimerais juste que ce monde ait un sens, de temps en temps, si ce serait pas trop demander...

– Mais non, tu as raison de demander, coupe doucement Hildy.

Les mots finissent par trouver un chemin, de ma tête à ma bouche :

– Le Bruit, mais comment vous avez fait pour pas l'attraper ?

Puis mon cœur brusquement bondit, bondit si haut que je sens mes yeux gonfler comme des billes et ma gorge se serrer en étau, mon Bruit jaillissant très haut et blanc comme un espoir brûlant.

– Vous avez un remède ? j'articule péniblement, la voix presque cassée. Il y a donc un remède ?

– Alors ça, si y avait un remède, crie plus ou moins Tam, crois-tu hon-nêtement que je te les ba-lancerais, tous ces détritus qui papillonnent hors de ma cervelle ?

– Le ciel te vienne en aide si tu l'as fait, ironise Hildy, avec un sourire.

– Le ciel te vienne en aide si tu ne peux pas me dire ce que je suis supposé penser, fait Tam, souriant en retour, son Bruit tout pétillant d'amour. Nan, nan, marmot, aucun remède miracle, que je sache.

– Enfin... corrige Hildy. Haven est supposé en faire. À ce qu'on dit.

– Et qui dit ça ? demande Tam, sceptique.

– Talia. Susan F. Ma sœur...

Tam siffle un pffttt... désabusé entre ses lèvres.

– De l'eau pour mon moulin. Des rumeurs de rumeurs de rumeurs. Ta sœur, on peut même pas lui faire épeler cor-rectement son propre nom, alors, pour ce qui est des infos utiles...

– Mais... mais comment pouvez-vous être vivante, alors ? je demande à Hildy. Le Bruit tue les femmes. *Toutes* les femmes.

Hildy et Tam échangent un coup d'œil et j'entends, ou plutôt, je *sens* Tam écraser quelque chose dans son Bruit.

– Non, t'inquiète, marmot, répond Hildy, un peu trop doucement. Comme je l'ai dit à ta copine Viola, elle ne risque rien.

– Rien ? Comment ça, rien ?

– Les femmes sont immunisées, dit Tam. Les bougresses.

– Mais non ! (Je hausse involontairement la voix.) Toutes les femmes de Prentissville ont attrapé le Bruit, et toutes en sont mortes, sans esseption ! Ma maman en est morte ! Peut-être que la version que les Spackle ont déversée sur nous était plus forte que la vôtre mais…

– Todd, marmot…

Tam pose une main sur mon épaule pour m'arrêter.

Je me dégage, mais je sais plus quoi dire maintenant. Viola, elle a pas dit un mot dans tout ça, alors je me tourne vers elle. Elle me regarde pas.

– Je sais ce que je sais, je murmure.

Même si tout le problème est là, en fin de compte, quand même.

Tam et Hildy échangent un nouveau coup d'œil. Je regarde le Bruit de Tam, mais il y a pas plus expert dans l'art de cacher des trucs quand quelqu'un commence à le sonder. Dans ce que je vois, pourtant, y a que du gentil.

– Prentissville, c'est une sale histoire, marmot. Tout un tas de choses ont tourné au vinaigre, là-bas.

– Vous vous trompez, je fais.

Mais même ma voix dit que je sais pas trop, ni de quoi je parle, ni s'il a tort.

– C'est pas l'endroit pour ça, Todd, coupe Hildy, frictionnant l'épaule de Viola, et Viola résiste pas. Vous avez besoin de prendre de la nourriture, de prendre du repos. Vi dit que vous n'avez pratiquement pas dormi depuis tous ces kilomètres que vous êtes en route. Tout aura bien meilleure mine quand vous serez rassasiés et reposés.

– Mais elle risque rien de moi, alors ? je demande, évitant soigneusement de regarder « Vi ».

– En tout cas, elle ne risque absolument pas d'attraper ton Bruit, fait Hildy, qui laisse éclater un grand sourire hilare. Pour les autres risques éventuels, alors là, j'attendrai avant de me prononcer.

Je voudrais qu'elle ait raison mais je voudrais aussi dire qu'elle a tort et donc je dis rien du tout.

– Bon, lance Tam, rompant la pause. Venez, on va se taper la cloche.

– Non ! (Je sursaute. Et regardant Viola, et tout me revenant maintenant.) On a pas le temps. Il y a des hommes après nous, au cas où tu l'aurais oublié. Des hommes qui se fichent de notre bien-être. (Et me tournant vers Hildy :) Je suis sûr que votre repas serait génial et tout et tout...

– Todd marmot...

– Je suis pas un marmot !

Hildy se pince les lèvres, un sourire dans les yeux.

– Todd marmot, reprend-elle, un peu plus bas. Aucun homme de n'importe quel point d'au-delà de cette rivière ne la traverserait jamais. Tu me comprends ?

– Ouais, approuve Tam. Ça, c'est bien vrai.

Je regarde l'un, puis l'autre.

– Mais...

– Je garde ce pont-là depuis dix ans et plus, marmot, poursuit Hildy. Et j'étais sa gardienne depuis des années encore avant. Guetter ce qui arrive, ça fait partie de qui je suis. (Elle tourne la tête vers Viola.) Personne ne viendra. Nous sommes tous en sécurité.

– Ça, c'est sûr... approuve vigoureusement Tam en se balançant d'avant en arrière sur ses talons.

– Mais...

– Temps de se taper la cloche, coupe Hildy.

Viola me regarde toujours pas, les bras toujours croisés, et puis maintenant bras dessus, bras dessous avec Hildy quand elles se remettent en chemin. Je me retrouve avec Tam qui m'attend pour démarrer. À vrai dire, j'ai plus trop envie de marcher, mais tout le monde y va, alors j'y vais aussi. On continue sur le petit sentier privé de Tam et de Hildy, Tam bavard et Bruyant comme une vraie ville à lui tout seul.

– Hildy, elle raconte que vous avez fait sauter notre pont.

– Mon pont, corrige Hildy, devant.

– Ouais, elle l'a vraiment construit. Enfin, pas que quelqu'un l'ait jamais un jour utilisé.

– Personne ?

Je pense un instant à tous ces hommes qui ont disparu de Prentissville, à tous ceux qui se sont évanouis pendant que je grandissais. Alors, pas un seul est donc allé aussi loin.

– Un bel exploit technique, ce pont, poursuit Tam, comme s'il m'avait pas entendu, et d'ailleurs peut-être que non, avec le raffut qu'elle fait, sa voix. Bien triste d'apprendre qu'il existe plus.

– On avait pas le choix.

– Oh, il y a toujours des choix, marmot... Mais d'après ce que je sais, vous avez fait le bon.

On continue tranquilles un moment.

– Vous êtes sûr qu'on risque rien ? je demande finalement.

– On ne peut jamais être sûr, évidemment. Mais Hildy a raison. (Il sourit, un sourire un peu triste, j'ai l'impression.) On a un peu plus que des ponts brûlés, pour convaincre des hommes de pas traverser la rivière.

J'essaye de lire son bruit pour voir s'il dit la vérité, mais c'est presque tout propre, et lumineux – un endroit chaud et lumineux, où tout ce qu'on veut peut être vrai.

Rien à voir avec un homme de Prentissville. Mais je lâche pas le morceau.

– Quelque chose m'échappe, quand même. Votre virus, ça doit être une espèce différente.

– Mon Bruit sonne différent du tien ? demande-t-il, l'air sincèrement intrigué.

Je le regarde et tends l'oreille, une seconde. Hildy et Prentissville et reinettes et moutons et colons et pipe qui fuit et Hildy.

– Vous pensez vraiment beaucoup à votre femme, hein ?

– Elle est la perle de mes yeux, marmot. Me serais perdu dans le Bruit si cet ange n'avait pas tendu la main pour me secourir.

– Comment ça ? Vous avez combattu, pendant la guerre ?

Temps d'arrêt. Son nez devient aussi gris et sans relief qu'un ciel nuageux. Je peux absolument plus rien lire de lui.

– Oui, j'ai combattu, jeune marmot. Mais la guerre, c'est pas quelque chose dont tu parles en plein air, quand le soleil brille.

– Pourquoi pas ?

Il pose sa main sur mon épaule. Cette fois je me dégage pas.

– Je prie tous les dieux du ciel que tu ne connaisses jamais la réponse.

– Comment vous faites ?

– Quoi donc ?

– Pour rendre votre Bruit si plat que je peux pas le lire.

Il sourit.

– Des années de pratique à cachotter des choses à la vieille.

– C'est pour ça que je lis si bien ! fait Hilda se tournant vers nous. Il cachotte de mieux en mieux, et je trouve de mieux en mieux !

Ils éclatent de rire tous les deux en même temps. Du regard, j'essaye d'envoyer un signe à Viola, mais elle se tourne pas de mon côté, alors j'abandonne.

On sort de la partie rocheuse du chemin, on contourne une butte et soudain voilà une ferme, là-devant, des petites collines qui ondulent, avec des champs de blé, des champs de choux, un pré et quelques moutons.

– Salut, moutons ! crie Tam.

– Moutons ! répondent les moutons.

En premier sur le chemin, il y a une grande grange en bois, conxtruite aussi étanche et solide que le pont, comme capable de durer éternellement si on le voulait.

– Sauf si tu la fais sauter, remarque Hildy, et elle rit encore.

– Aimerais bien voir ça, répond Tam, qui rit lui aussi.

Je commence à fatiguer de les entendre rire tous les deux sous les prétextes les plus débiles.

On contourne le corps de ferme, un truc vraiment très différent. Du métal, apparemment, comme la stassion-service et l'église de chez nous, mais en beaucoup moins ravagé. Une moitié brille et se déroule vers le ciel comme une voile, et il y a une cheminée qui s'incurve vers le haut, puis se replie, toussant la fumée par son extrémité. L'autre moitié de la maison est en bois sur métal, solide comme la grange mais découpée et pliée comme…

– Des ailes, je murmure.

– Des ailes, ouais, fait Tam. Et quel genre d'ailes, d'après toi ?

Je les observe encore. Toute la maison ressemble à une sorte d'oiseau avec la cheminée pour la tête et le cou, avec un front brillant et des ailes en bois étendues en arrière, comme un oiseau posé sur l'eau ou quelque chose.

– C'est un cygne, Todd marmot, esplique Tam.

– Un quoi ?

– Un cygne.

– Et c'est quoi, un cygne ?

Son Bruit reste surpris un instant, et puis je capte une petite pulsion de tristesse, alors je le regarde.

– Quoi ?

– Rien, marmot. Vieux souvenirs. D'y a longtemps.

Viola et Hildy ont pris de l'avance encore. Viola écarquille les yeux, bouche bée comme un poisson.

– Qu'est-ce que je t'avais dit ? fait Hildy.

Viola se précipite à la barrière, devant. Elle fixe la maison, examine toute la partie métal, en haut, en bas, des deux côtés. Je la rejoins et je regarde moi aussi. J'ai du mal d'abord à trouver quoi dire (*bon, ça va, hein*).

– Un cygne, je grogne. Un genre d'oiseau, quoi.

Elle fait pas attention et se tourne vers Hildy.

– C'est un Expansion Trois 500 ?

– Plus vieux que ça, marmote. Un X Trois 200.

– On en est aux X Sept, fait Viola.

– Pas étonnant, répond Hildy.

– Bon sang, mais de quoi vous parlez ? je demande. Espanssion de quoi donc ?

– Moutons ! aboie Manchee au loin.

– Notre vaisseau colon, esplique Hildy, surprise que je comprenne pas. Un Espanssion Classe Trois, Série 200.

Je les dévisage. Un vaisseau spatial flotte dans le Bruit de Tam, et sa coque avant correspond à la ferme retournée.

– Ah oui, je fais, comme si j'avais pigé tout de suite. Vous avez conxtruit vos maisons avec les premiers outils qui vous tombaient sous la main.

– Précisément, marmot, fait Tam. Mais tu peux aussi en faire des œuvres d'art, si t'as le penchant pour.

– Et si ta femme est un ingénieur qui peut faire tenir debout ses sculptures à la noix, ajoute Hildy.

– Mais comment tu sais tout ça ? je demande à Viola.

Elle baisse les yeux.

– Tu veux pas dire que…

Je m'arrête en chemin. Je commence à comprendre.

Pour de vrai.

Beaucoup trop tard, comme tout le reste, mais maintenant ça y est.

– T'es un colon. Un nouveau colon…

Elle évite mon regard, comme gênée.

– … mais ce vaisseau qui s'est écrasé, il était bien trop petit pour un vaisseau de colons…

– C'était juste un éclaireur. Mon vaisseau-mère est un Expanssion Classe Sept.

Elle regarde Hildy et Tam. Eux disent rien. Le bruit de Tam, il est tout lumière et curiosité. Je peux rien lire sur Hildy. J'ai dans l'idée pourtant qu'elle savait et que je savais pas, que Viola lui a dit et pas à moi, et même si c'est que j'ai rien demandé, cette idée-là, elle a un goût drôlement amer.

Je lève les yeux vers le ciel.

– Alors, c'est là-haut? Ton Expanssion Classe Sept?

Viola hoche la tête.

– T'amènes d'autres colons? D'autres colons vont débarquer à Nouveau Monde?

– Tout s'est anéanti dans le crash. Je n'ai aucun moyen de les contacter. Aucun moyen de leur dire de ne pas venir. (Elle ravale sa salive.) Vous devez les prévenir.

Presque aussitôt, je réplique:

– Il a pas pu vouloir dire ça. Non, impossible.

Elle fronce les sourcils.

– Et pourquoi pas?

– Qu'est-ce que tu veux dire? demande Tam.

Je regarde toujours Viola, je sens le monde qui continue à bouger, toujours bouger.

– Combien ? Combien de colons vont débarquer ?

Elle respire un grand coup avant de répondre, et je parie que ça, elle l'a même pas dit à Hildy.

– Des milliers. Ils sont des milliers.

16 *La nuit de pas d'excuses*

– Ils n'arriveront pas ici avant des mois, remarque Hildy, en me passant une autre louchée de compote de reinettes.

Viola et moi on se remplit tellement la panse que Hildy et Tam font toute la conservassion.

Oui, bon, toute la *conversassion*.

– Les voyages dans l'espace, c'est pas comme ce que tu vois en vidéo, dit Tam, un filet de sauce de gigot coulant dans sa barbe. Faut des années et des années et des années pour arriver où que ce soit. Soixante-quatre, rien que pour aller d'Ancien Monde à Nouveau Monde.

– *Soixante-quatre ans ?* je fais, crachoustillonnant un peu de compote.

Tam hoche la tête.

– T'es congelé presque tout du long, et le temps passe sans te toucher. Enfin, si tu meurs pas en route.

Je me tourne vers Viola.

– Alors, t'as soixante-quatre ans ?

– Soixante-quatre ans de Vieux Monde, corrige Tam en tapotant sur ses doigts comme s'il faisait le compte. Ce qui ferait, quoi ? Peu près cinquante-huit, cinquante-neuf ans de Nouveau...

Viola le coupe :

– Je suis née à bord. Jamais été endormie.

– Donc, soit ta maman, soit ton papa a dû être gardien, remarque Hildy, croquant un morceau de topinambour, ou un truc du genre, avant de m'espliquer : Les gardiens restent en éveil pour garantir la bonne route du vaisseau.

– Ils l'étaient tous les deux, dit Viola. Et la mère de mon papa avant lui, et son grand-père avant.

– Attends un peu, je fais, avec deux longueurs de retard comme d'habitude. Donc, si on est sur Nouveau Monde depuis quoi, vingt ans…

– Vingt-trois ans, corrige Tam. Mmouais… ça paraît sacrément plus long.

– Mais alors, t'es partie avant même qu'on arrive ici ? Ou ton papa, ou ton papi, ou je sais pas qui ?

Je les regarde tous, pour savoir s'ils se posent les mêmes questions que moi.

– Mais pourquoi ? Pourquoi vous seriez venus, sans même savoir ce qu'il y avait ici ?

– Et pourquoi les premiers colons sont-ils venus ? me demande Hildy. Hein ? Quand quelqu'un cherche-t-il un nouvel endroit où vivre ?

– Quand l'endroit où tu vis, c'est plus la peine d'y rester, enchaîne Tam. Quand l'endroit que tu quittes, il est si mauvais que tu dois le quitter coûte que coûte.

– Vieux Monde, c'est dégoûtant, violent et surpeuplé, ajoute Hildy, essuyant son visage avec une serviette. Ça se déchiraille en plein de morceaux avec des gens qui se détestent et s'entretripent, et personne n'est heureux tant que tout le monde n'est pas malheureux à mourir. En tout cas, c'était comme ça, avant.

– Je ne peux rien dire, fait Viola. Je n'ai pas connu. Ma mère et mon père…

Sa voix s'éteint doucement.

Mais je pense toujours à ça, naître à bord d'un vaisseau spatial, un vaisseau spatial pur et dur. Grandir en volant à travers les étoiles, pouvoir aller où on veut, pas scotché sur une effarrible planète qu'a manifestement rien à faire de vous. Oui, vous allez où vous voulez. Si tel endroit colle pas, vous en trouvez un autre. Liberté totale, tous azimuts. Vous imaginez quelque chose de plus cool ? Moi, non.

J'ai pas remarqué le silence brusque, à table. Hildy frotte Viola dans le dos, et les yeux de Viola sont mouillés, et ils fuient et elle a recommencé à se balancer.

– Quoi ? Qu'est-ce qui va pas ? je questionne.

– Je pense que peut-être on a assez parlé de la maman et du papa de Viola, pour l'instant, fait doucement Hildy. Je pense que peut-être il serait temps pour marmot et marmote d'aller fermer un peu les paupières.

Je regarde par une fenêtre. Le soleil est même pas couché.

– Mais il est pas tard du tout. Et on doit aller à la colonie…

– La colonie s'appelle Farbranch, précise Hildy. Et on vous y emmènera demain matin, à la première heure.

– Mais ces hommes…

– Je maintiens la paix ici depuis bien avant que tu sois né, marmot, coupe Hildy, gentiment mais fermement. Je peux m'occuper de qui viendra ou viendra pas.

Je réponds rien, et Hildy fait comme si elle entendait pas mon Bruit.

– Puis-je demander en quoi vos affaires vous appellent à Farbranch ? marmonne Tam, en picorant son épi de maïs, d'un ton à peine curieux mais son Bruit dit bien autre chose.

– On doit juste y aller, je fais.

– Tous les deux ?

Je regarde Viola. Elle a arrêté de pleurer, mais sa figure est encore gonflée. Je réponds pas au questionnement.

– En tout cas, il y a plein de travail en ce moment, si c'est ce que vous cherchez, fait Hildy, debout pour prendre son assiette. Ils ont toujours besoin de main-d'œuvre, dans les vergers.

Tam se lève et ils débarrassent la table, emportant les plats à la cuisine et nous laissant assis, moi et Viola. On les entend bavarder doucement, le Bruit assez bloqué pour qu'on puisse rien deviner.

– Tu penses vraiment qu'on devrait rester toute la nuit ? je demande à voix basse.

Mais elle répond dans un chuchotement violent, comme si j'avais rien posé comme question :

– Chaque fois que tu penses *Oh, elle, c'est vraiment rien que du vide*, ou *Il se passe rien à l'intérieur d'elle*, ou *Peut-être que je peux la larguer avec ces deux-là* – je l'entends, d'accord ? J'entends la moindre de tes pensées débiles, d'accord ? Et je comprends bien plus de choses, mille fois plus de choses que je ne voudrais.

– Ah oui ? je chuchote moi aussi, mais mon Bruit c'est pas un chuchotement du tout. Chaque fois que tu penses quelque chose ou que tu sens quelque chose ou que tu penses à quelque chose de débile, moi *je l'entends pas*. Alors, comment je serais supposé savoir la moindre feuttue chose sur toi, hein ? Comment je serais supposé savoir ce qui se passe, si tu gardes toujours tout secret ?

– Je ne garde rien secret, elle siffle entre ses dents serrées. Je suis juste *normale*.

– Pas *normale* pour ici, *Vi*.

– Et t'en sais quoi, toi ? Je t'entends être surpris par presque tout ce qu'ils disent. Ils n'avaient pas d'école, là d'où tu viens ? Tu n'as donc rien appris ?

– L'histoire, elle a pas tant d'importance quand t'essayes juste de survivre, je crache.

– Et pourtant, c'est justement là qu'elle compte le plus, intervient Hildy, debout à l'extrémité de la table. Et si cette ridicule petite chamaillerie ne suffit pas à prouver que vous êtes fatigués, alors vous êtes vraiment fatigués à en mourir. Allez !

Viola et moi on se jette un regard noir. Mais on se lève pour suivre Hildy dans une grande pièce commune.

– Todd ! aboie Manchee, dans un coin, sans quitter l'os de mouton que Tam lui a donné plus tôt.

– Nos chambres d'amis, elles ont depuis longtemps des fonctions plus utiles, annonce Hildy. Faudra vous contenter des canapés.

On l'aide à faire les lits, Viola toujours mauvaise, mon Bruit bourdonnant dans le rouge.

– Et maintenant, déclare Hildy quand on a terminé, faites-vous des excuses.

– Des excuses? demande Viola. Et pourquoi ça?

– Je vois pas en quoi ça vous regarde, j'ajoute.

– Jamais se coucher sur une dispute, poursuit Hildy, les mains sur les hanches, comme si elle bougerait pas de là, et que quelqu'un essaye un peu, pour voir. Pas si vous voulez rester amis.

Viola et moi on dit rien.

– Il t'a sauvé la vie?

Viola regarde par terre puis finit par lâcher:

– Hmm.

– Ça, c'est vrai, j'approuve.

– Et elle a sauvé la tienne, au pont, non?

– Euh.

– Oui, «Euh». Et vous ne croyez pas, tous les deux, que ça compte pour quelque chose?

On dit toujours rien.

Hildy pousse un soupir.

– Très bien. Peut-être qu'il faudrait laisser la liberté de leurs excuses à deux marmots si près de l'âge adulte, je suppose.

Et la voilà sortie sans même nous dire bonne nuit.

Je tourne le dos à Viola et elle me tourne le dos. J'enlève mes chaussures et je me glisse sous le drap du «canapé», en fait, pas vraiment plus qu'une banquette. Viola fait pareil. Manchee saute et se pelotonne à mes pieds.

J'entends aucun son, sauf mon Bruit et le feu qui crépite, pourtant il fait rudement bien assez chaud comme ça. Il doit pas être beaucoup plus tard que le crépuscule, mais avec le moelleux des coussins et la douceur des draps et le trop chaud du feu, j'aurai bientôt déjà fermé les yeux.

– Todd ? fait Viola de son canapé, de l'autre côté de la pièce.

Je remonte d'un coup de ma plongée dans le sommeil.

– Quoi ?

Elle dit rien pendant un instant. J'imagine qu'elle pense à son excuse.

Mais non.

– Ton livre, qu'est-ce qu'il dit que tu dois faire, quand tu arriveras à Farbranch ?

Mon Bruit revire au rouge.

– T'inquiète donc pas de ce que mon livre raconte. Ce livre est ma propriété, il m'est destiné.

– Tu sais, quand tu m'as montré la carte, dans les bois ? Tu as dit qu'on devait rejoindre cette colonie. Tu te rappelles ce qu'il y avait d'écrit, en dessous ?

– Évidemment.

– C'était quoi ?

Sa voix me sonde pas, je sens rien, mais elle va pas se gêner, évidemment.

– Laisse-moi dormir.

– Il y avait marqué : Farbranch. Le nom de l'endroit où nous sommes supposés aller.

Mon Bruit recommence à bourdonner.

– Ferme-la.

– Il n'y a pas de honte à ne pas savoir…

– J'ai dit, ferme-la !

– Je pourrais t'aider…

Je me lève d'un coup, envoyant Manchee bouler au pied du canapé. Je fourre mes draps et ma couverture sous mon bras, et j'entre à grands pas dans la pièce où on a dîné. Je jette tout sur le sol et je m'allonge, loin de Viola et de son silence mauvais, vide de sens et mauvais.

Manchee est resté avec elle. Typique de Manchee.

Je ferme les yeux. Mais les heures passent et passent toujours et je dors pas.

Et puis finalement si, je suppose.

Du fait que je suis sur un chemin et c'est le marais, mais c'est aussi la ville et c'est aussi la ferme, et Ben est là et Cillian est là et Viola est là, et tous disent « Qu'est-ce que tu fais là, Todd ? » et Manchee aboie « Todd ! Todd ! », et Ben me tire vers la porte et Cillian m'a pris par les épaules pour me pousser sur le chemin et Viola installe la boîte à feu de camp devant la porte de notre maison et le cheval de Maire passe tout droit par la porte et il la piétine et un croco avec le visage d'Aaron se dresse derrière les épaules de Ben et je hurle « Non ! » et…

Et je suis assis et je transpire partout et mon cœur galope affolé et je m'attends à voir le Maire et Aaron debout au-dessus de moi.

En fait, c'est seulement Hildy.

– Qu'est-ce que tu fabriques là ?

Elle se tient sur le seuil, et le soleil du matin ruisselle dans son dos, tellement éblouissant, je dois lever la main pour le masquer.

– Plus confortable, je marmonne, mais ma poitrine bat le tambour.

– Sans blague, fait-elle, lisant mon Bruit à peine réveillé. En tout cas, le petit déjeuner est servi.

Le parfum des tranches de bacon en train de frire réveille Viola et Manchee. Je laisse Manchee sortir faire son popo du matin. Viola et moi on se dit rien. Tam entre pendant qu'on mange, je suppose qu'il a été nourrir les moutons. C'est ce que je ferais, si j'étais chez moi.

Chez moi.

Bon, peu importe.

– Avale-moi ça, marmot, fait Tam en plantant une tasse de café devant moi.

Je garde la tête baissée en buvant, puis demande, le nez dans ma tasse:

– Quelqu'un, dehors?

– Pas un murmure, répond Tam. Et une bien belle journée.

Je jette un coup d'œil vers Viola, mais elle regarde pas de mon côté. En fait, on arrive à finir de manger, à se laver la figure, à changer de vêtements et à refaire nos sacs, tout ça sans rien se dire, rien du tout.

Nous voilà prêts à partir pour Farbranch avec Hildy.

– Bonne chance à vous deux, lance Tam. C'est toujours bien de voir deux personnes qu'ont personne d'autre se rencontrer et devenir amis.

Là, on sait vraiment pas quoi répondre.

– Allez, marmots, assez perdu de temps, fait Hildy.

On retourne sur le sentier, et très bientôt on rejoint la même route qui doit passer par le pont.

– C'était la grand-route Farbranch-Prentissville, esplique Hildy, épaulant son propre petit sac. Ou New Elizabeth, comme on l'appelait autrefois.

– Quoi qu'on appelait comment?

– Prentissville. S'appelait New Elizabeth.

– Impossible, je fais, levant les sourcils.

Hildy me dévisage, imite mon haussement de sourcils pour se moquer.

– Ah bon ? Je dois me tromper, alors.

– Sûrement, je fais, en l'observant.

Viola fait un son méprisant avec ses lèvres. Je lui envoie un regard de mort.

– Y aura-t-il quelque part où nous pouvons loger ? demande-t-elle en m'ignorant.

– Je vais vous conduire chez ma sœur. Adjointe au Maire depuis cette année.

En marchant, je fais voler une motte de terre.

– Qu'est-ce qu'on va faire, là-bas ?

– Ça, c'est votre problème. Vous êtes quand même bien responsables de vos propres destinées, non ?

– Pas pour l'instant, j'entends Viola murmurer.

J'ai tellement les mêmes mots dans mon Bruit que nos regards se croisent.

On a failli sourire. Enfin, juste failli.

Et c'est maintenant qu'on commence à entendre le Bruit.

– Ah ! annonce Hildy, qui l'entend aussi. Farbranch.

La route débouche au sommet d'une petite vallée.

Et c'est là.

L'autre colonie. L'autre colonie qu'était pas supposée exister.

Où Ben voulait que j'aille.

Où je serais en sécurité.

La première chose que je vois, c'est par où la route de la vallée descend à travers les vergers, des rangées d'arbres bien ordonnées, avec des chemins et des systèmes d'irrigassion, tous descendant les pentes vers des bâtiments et un ruisseau en bas, tout plat et paisible et serpentant doucement pour aller rejoindre la grande rivière, sans doute. Et partout, partout des hommes et des femmes.

La plupart sont éparpillés à travailler dans les vergers, ils ont des gros tabliers, les hommes en manches longues, les femmes en jupes longues, avec des machettes coupent des fruits qui ressemblent à des pommes de pin ou emportent des paniers ou travaillent sur les canaux d'irrigassion et ainsi de suite.

Des hommes et des femmes, des femmes et des hommes.

Deux douzaines d'hommes, peut-être, c'est mon impression générale, et en tout cas moins qu'à Prentissville.

Qui sait combien de femmes.

Vivant dans un endroit complètement différent.

Leur Bruit (et leur silence) flotte tout entier comme une grande et fine nappe de brouillard.

Deux, s'il te plaît et Personnellement je vois les choses comme et Mauvaises herbes et Elle pourrait dire oui, ou dire non et Si le service se termine à une heure, alors je peux encore et ainsi de suite, et ainsi de suite, indéfiniment, amen.

Je m'arrête sur la route et je reste un instant bouche bée, pas encore prêt à descendre là-dedans.

Parce que c'est bizarre.

C'est même plus que bizarre, à dire vrai.

Tout est tellement, je sais pas – *calme*. Comme un bavardage normal avec des copains. Rien qui heurte, rien qui injurie.

Et personne a l'air privé de rien, on dirait presque.

Nulle part j'entends ni sens aucune privation effarrible, ni despérance.

– Alors là, dis donc, Manchee, je lâche à voix basse, on est rudement loin de Prentissville, je crois bien.

Moins d'une seconde après j'entends « Prentissville ?... » flotter sur un champ juste à côté.

Puis je l'entends dans deux autres endroits différents. « Prentissville ? » et « Prentissville ? » et alors je remarque que les hommes dans les vergers les plus proches ne ramassent plus de fruits ni rien. Debout, ils nous regardent.

– Venez, fait Hildy. Continuez à marcher. C'est seulement de la curiosité.

Le mot « Prentissville » gagne à travers les prés comme un feu de brousse. Manchee se colle à ma jambe. On nous regarde de tous les côtés. Même Viola se rapproche un peu, pour resserrer notre groupe.

– Ne vous inquiétez pas, fait Hildy. Il va juste y avoir des tas de gens qui voudront faire connaissance...

Elle s'arrête au milieu de sa phrase.

Un homme s'est avancé sur le sentier, devant nous.

Et j'ai pas l'impression qu'il veuille vraiment faire connaissance.

– Prentissville ? il interroge. Bruit péniblement rouge, péniblement rapide.

– Bonjour, Matthew, salue Hildy. J'amène juste...

– Prentissville, hein, répète l'homme, et c'est plus une question. Et il regarde pas Hildy.

Il me regarde.
– T'es pas le bienvenu, ici. Pas le bienvenu du tout.
Et il tient dans sa main la plus grosse machette qu'on puisse imaginer.

17 *Rencontre dans un verger*

Ma main file direct derrière mon sac à dos, vers mon couteau.

– Laisse, Todd marmot, fait Hildy, gardant un œil sur l'homme. Ce n'est pas comme ça que les choses doivent se passer.

– Hé, tu penses ramener là quoi, dans notre village, hein, Hildy ?

L'homme soupèse sa machette, me fixant toujours et il y a une vraie surprise dans sa question et…

Comme une blessure ?

– J'amène un marmot et une marmote qu'ont pour ainsi dire perdu leur chemin. Écarte-toi, Matthew.

– Je vois pas de marmot nulle part…

Ses yeux commencent à brûler. Il est énormément grand, avec des épaules comme un bœuf et un front épaissi par des tas d'integorrations mais pas beaucoup de tendresse. On dirait un orage sur pattes.

– Je vois rien qu'un homme de Prentissville. Je vois qu'un homme de Prentissville avec de l'ordure de Prentissville partout sur son Bruit de Prentissville.

– C'est ce que tu crois voir, Matthew… Regarde mieux.

Le Bruit de Matthew se jette sur moi comme des mains de lutteur, il se force un passage dans ma pensée, essaye de piller ma chambre secrète, en colère et questionneur et Bruyant comme du feu, tellement fouillis que ça pourrait être du lard ou du cochon, ma foi, j'en sais rien.

– Tu connais la loi, Hildy.

La loi ?

Elle reste calme, comme si on parlait de la pluie et du beau temps. Mais elle voit pas comme il devient rouge, le Bruit de cet homme ? Et rouge, croyez-moi, c'est pas une couleur si vous voulez juste causer.

– La loi, c'est pour les hommes. Ce marmot n'est pas encore un homme.

– J'ai encore vingt-huit jours, je lâche comme ça, sans réfléchir.

– Tes chiffres veulent rien dire ici, garçon, crache Matthew. Je me fiche complètement de savoir à combien de jours tu en es.

– Calme-toi, Matthew… fait Hildy, d'un ton que j'aurais préféré moins sévère.

Pourtant, Matthew la regarde d'un air tout déconfit et recule d'un pas.

– Il fuit Prentissville, ce marmot, ajoute-t-elle un peu plus doucement. Il est en fuite.

Matthew l'observe soupçonneux, puis m'examine à nouveau, abaissant la machette. Un peu.

– Exactement comme toi, autrefois, ajoute Hildy.

Quoi ?

– Vous… Vous êtes de Prentissville ? je bafouille.

La machette se relève et Matthew avance d'un pas, assez menaçant pour que Manchee se mette à aboyer : « Arrière ! Arrière ! Arrière ! »

– J'étais de New Elizabeth, gronde Matthew entre ses dents. Je ne suis jamais de Prentissville, garçon, ça, jamais, et t'avise pas de l'oublier jamais non plus.

Je distingue des éclairs plus nets dans son Bruit, maintenant. Des éclairs de choses impossibles, de choses folles, qui déboulent en avalanche, comme s'il pouvait pas s'en empêcher, de choses pires que les pires vidéos interdites que Mr. Mortard passait en douce aux plus âgés et aux plus dégourdis des garçons de la ville, du style où les gens avaient l'air de mourir pour de vrai, mais on avait aucun moyen d'en être jamais sûr. Des images de mots et de sang et de cris et...

– Arrête-moi ça tout de suite ! crie Hildy. Contrôle-toi, Matthew Lyle. Contrôle-toi, et maintenant.

Le Bruit de Matthew s'apaise, presque d'un coup mais encore brouillonnant, avec moins de contrôle que Tam, mais quand même plus que n'importe quel homme de Prentissville.

Je l'ai à peine pensé que sa machette se relève.

– Tu prononces plus ce nom dans notre ville, garçon. Pas si tu tiens à tes os.

– Je ne tolérerai aucune menace contre mes invités tant que je serai vivante, fait Hildy d'une voix forte et claire. C'est bien compris ?

Matthew la regarde, il hoche pas la tête, il dit pas oui, mais on comprend qu'il a compris. Et que ça lui fait pas franchement plaisir non plus. Son Bruit continue à me sonder et à me bousculer, il me giflerait presque. Finalement, il pointe sa machette vers Viola.

– Et ça, ça ce serait qui, au juste ?

Et ça, eh bien ça arrive avant même que je sache que je le fais, je le jure.

La seconde d'avant, je me tenais là derrière tout le monde, et puis maintenant me voici entre Matthew et Viola, mon couteau pointé vers lui, mon propre Bruit chutant comme une cascade et ma voix qui dit :

– Tu recules de deux pas et vite et ça ira beaucoup mieux pour toi.

– Todd ! crie Hildy.

– Todd ! aboie Manchee.

Trop tard, mon couteau est sorti et mon cœur bat fort et rapide comme s'il comprenait enfin ce que je fais.

Mais je peux plus revenir en arrière.

Qu'est-ce qui m'arrive ?

Matthew brandit sa machette.

– Donne-moi une raison. Juste une bonne, garçon de Prentissville.

– Assez ! tonne Hildy.

Dans sa voix il y a quelque chose, cette fois, comme une ordonnance de tribunal, et Matthew a bien l'air de flancher. Il brandit toujours sa machette, me daivore toujours d'un œil noir, et Hildy avec, son Bruit pulsant comme une blessure.

Et puis son visage se crispe.

Et il se met, oui, il se met à pleurer.

Colère, furieux, il essaye de s'en empêcher, mais là debout, grand comme un taureau, machette à la main, il pleure.

Ça, je m'y attendais pas.

La voix de Hildy baisse d'un ton.

– Range ce couteau, Todd marmot.

Matthew a laissé tomber sa machette par terre. Il se cache les yeux avec le bras, renifle, hulule et gémit. Je regarde Viola. Elle contemple Matthew, probablement aussi stupéfaite que moi.

J'abaisse mon bras mais je lâche pas le couteau. Pas encore.

Matthew prend de grandes inspirations, le Bruit douleur et le Bruit chagrin ruisselant partout et la furie, aussi, de perdre le contrôle devant tout le monde.

– Ça devait être fini, il tousse. Fini depuis longtemps.

– Je sais, murmure Hildy en avançant, et elle pose une main sur son bras.

– Qu'est-ce qui se passe ? je demande.

– T'inquiète donc pas, fait Hildy. Prentissville, c'est une triste histoire.

– Tam le disait aussi. Comme si je le savais pas.

Matthew lâche entre ses dents :

– T'en sais pas le plus petit début, mon gars.

– Ça suffit, maintenant, coupe Hildy. Ce garçon n'est pas ton ennemi…

Puis elle me fixe, sévère :

– … et il va ranger son couteau, pour cette même raison.

Je tournicote le couteau dans ma main une ou deux fois, et je le replace dans son étui, derrière mon sac à dos. Matthew me jette encore un regard fairosse, mais il recule pour de bon maintenant. Et je me demande qui est Hildy pour qu'il lui obéisse ainsi.

– Ils sont tous les deux innocents comme des agneaux, Matthew marmot.

– Les innocents, ça n'existe pas, lâche Matthew d'un ton amer, reniflant ses derniers filets de morve et relevant sa machette. Personne.

Il pivote, puis repart vers le verger, sans se retourner.

Tous les gens nous regardent.

– Seul le jour vieillit, déclare Hildy, balayant leur cercle en tournant la tête. On aura bien le temps de faire connaissance et de se souhaiter la bienvenue plus tard.

Les ouvriers retournent lentement à leurs arbres, à leurs paniers et ainsi de suite, certains yeux encore posés sur nous, mais la plupart se remettent au travail.

– Vous êtes chef ou responsable de quelque chose ? je demande.

– De quelque chose, oui, Todd marmot. Allez viens, vous n'avez pas encore vu la ville.

– Mais de quelle loi est-ce qu'il parlait ?

– Ça, c'est une longue histoire. Je te raconterai plus tard.

La piste, toujours assez large pour des hommes et des véhicules et des chevaux, même si je vois que des hommes, oblique à travers d'autres vergers, sur les pentes de la vallée.

– Qu'est-ce que c'est, comme fruit ? demande Viola quand deux femmes traversent la route devant nous avec des paniers remplis, les femmes nous regardant au passage.

– Pomme crénelée, répond Hildy. Très sucrée, bourrée de vitamines.

– Jamais entendu parler, je fais.

– Non, mais c'est normal.

J'observe bien trop d'arbres pour une colonie où il peut pas y avoir plus de cinquante personnes.

– Et c'est tout ce que vous mangez ?

– Bien sûr que non. Nous commerçons avec les autres colonies, plus loin sur la route.

La surprise éclate de manière si évidente dans mon Bruit que même Viola rit un peu.

– Tu ne pensais tout de même pas qu'il n'y avait que deux colonies dans tout Nouveau Monde ?

– Non... (Ma figure vire au rouge.) Mais toutes ces autres colonies ont été balayées pendant la guerre...

– Hmm... (Hildy se mord la lèvre inférieure, hochant la tête sans rien ajouter.)

– Vous voulez dire Haven ? demande doucement Viola.

– Comment ça, Haven ? je dis.

– L'autre colonie, elle ajoute, sans trop me regarder. Vous avez dit qu'il existait un remède contre le Bruit, à Haven.

– Chut... coupe Hildy. Ça, c'est rien que des rumeurs et des spéculations.

– Haven, c'est un endroit pour de vrai ? je demande.

– La plus grande et la première des colonies, esplique Hildy. Presque une grande ville, pour Nouveau Monde. À des kilomètres. Pas pour des paysans comme nous.

– Jamais entendu parler, je répète.

Personne ajoute rien, plutôt par politesse, j'ai l'impression. Viola m'a pas vraiment regardé depuis la bizarrerie de tout à l'heure, avec moi et

Matthew et le couteau. Et pour être franc, je sais pas quoi en penser moi-même.

Alors on continue à marcher. Il y a peut-être sept bâtiments au total à Farbranch, c'est plus petit que Prentissville et juste des bâtiments après tout, mais en même temps vraiment très différents, comme si je m'étais égaré très, très loin de Nouveau Monde, pour entrer dans un endroit complètement autre.

Le premier bâtiment qu'on passe, c'est une toute petite église en pierre, fraîche et claire et grande ouverte, pas du tout comme l'obscurité où prêche Aaron. Plus loin, c'est un magasin avec un garage de mécanique à côté, quoique j'aie pas vu grand-chose dans le genre grosses machines par ici. Même pas un vélo à fission, même mort. Il y a un bâtiment qui ressemble à une salle de réunion, un autre avec des serpents de docteur sculptés devant, et deux sortes de granges qui font peut-être entrepôts.

– Pas grand-chose, remarque Hildy, mais c'est chez nous.

– Pas chez vous vraiment. Vous habitez à l'écart.

– Comme presque tout le monde ici. Même quand on a l'habitude, c'est agréable d'avoir seulement le Bruit de vos très proches, autour de votre maison. La ville, c'est un peu casse-tête.

Je tends l'oreille, mais en fait de casse-tête, ça n'a rien à voir avec Prentissville. Bien sûr, il y a du Bruit à Farbranch, des hommes avec leurs ennuyeuses occupations habituelles, qui déblatèrent leurs pensées vides de sens Coupe, coupe, coupe et J'en donne seulement sept pour la douzaine et Écoute-la chanter, écoute un peu et Faudra réparer ça ce soir et Il va tomber de là-haut et ainsi de suite et ainsi de suite, mais tellement insouciant et sans menace pour moi, j'ai l'impression, oui, c'est comme prendre un bain par rapport au Bruit noir que je connais.

– Oh, ça peut noircir, Todd marmot. Les hommes ont toujours leurs humeurs. Et les femmes aussi.

– Certaines gens trouveraient ça impoli d'écouter toujours le Bruit des autres, je remarque.

– Bien vrai, marmot. Mais toi, tu n'es pas un homme, encore. Tu l'as dit toi-même.

On traverse le ruban au centre de la ville. Quelques hommes et femmes marchent, nous croisent, certains touchent leur chapeau pour saluer Hildy, la plupart nous dévisagent, c'est tout.

Je les dévisage.

Si vous écoutez attentivement, vous entendez où sont les femmes dans la ville presque aussi clairement que les hommes. Elles sont comme des rochers que le Bruit submerge, et une fois habitué, vous pouvez sentir où se trouve leur silence, un peu partout, des dizaines de Viola et de Hildy, et je parie que si je m'arrêtais ici, je pourrais dire exactement combien il y a de femmes dans chaque bâtiment.

Et mélangé avec le son de tant d'hommes, vous savez quoi ?

Le silence ne paraît pas si solitaire.

Et puis j'aperçois des gens tout jeunes, tout petits, qui nous observent de derrière un buisson.

Des gamins.

Des gamins plus petits que moi, *plus jeunes* que moi.

Les premiers que j'ai jamais vus.

Une femme portant un panier les remarque, et elle fait un geste de la main, pour les chasser. Elle roule de gros yeux, et elle sourit en même temps, et les gamins filent tous avec des éclats de rire derrière l'église.

Je les regarde courir, et je sens ma poitrine tirer un peu.

– Tu viens ? appelle Hildy.

– Oui, je murmure, suivant toujours les gosses du regard, ma tête tournée en arrière.

Des gamins. Des vrais gamins. Pas de danger pour des gamins, alors je me demande si Viola pourrait se sentir chez elle ici, avec tous ces hommes à l'air gentil, et ces femmes et ces enfants. Je commence à me demander si elle y serait en sécurité, même si moi, non, je le serais évidemment pas.

Elle, je parie qu'elle le serait.

Je regarde Viola et je la surprends qui détourne les yeux.

Hildy nous a conduits jusqu'à la maison la plus éloignée des bâtiments de Farbranch. Des marches montent jusqu'à la porte d'entrée et un petit drapeau flotte au bout d'une perche, en façade.

Je m'arrête.

– C'est une maison de maire, ça, non ?

– Adjointe au maire, corrige Hildy, qui fait sonner le bois des marches avec ses bottes. Ma sœur.

– Et ma sœur, dit une femme en ouvrant la porte, version plus rondouillette, plus jeune et plus renfrognée de Hildy.

– Francia, fait Hildy.

– Hildy, fait Francia.

Elles se saluent de la tête, mais elles s'embrassent pas, se serrent pas la main. Juste un salut.

– Alors, quel genre d'ennuis tu me ramènes dans ma ville, maintenant, hein ? dit Francia en nous observant.

– Parce que c'est ta ville, maintenant ? observe Hildy souriante, les sourcils relevés. (Elle nous désigne.) Comme j'ai dit à Matthew Lyle, ce sont juste deux marmots en fuite, qui cherchent un refuge. Et si Farbranch n'est pas un refuge, ma sœur, alors, qu'est-ce que ça peut bien être ?

– Je ne parlais pas d'eux, dit Francia en nous regardant les bras croisés. Mais de *l'armée* qui les suit.

18 Farbranch

– Armée ? je répète, mon estomac noué d'un coup.

Viola répète exactement la même chose au même moment, mais il n'y a rien de drôle, cette fois.

Hildy fronce les sourcils.

– De quelle armée tu parles ?

– Des rumeurs, elles flottent là-bas dans les champs, à propos d'une armée qui se rassemble de l'autre côté de la rivière. Des hommes à cheval. Des hommes de Prentissville.

Hildy pince les lèvres.

– Cinq hommes à cheval. Pas une armée. Juste la troupe envoyée après nos jeunes marmots...

Francia n'a pas l'air bien convaincue. J'ai jamais vu des bras aussi croisés.

– ... et puis le pont de la gorge est tombé, de toute façon. Alors, personne ne devrait venir à Farbranch avant un bon bout de temps. (Elle nous regarde en secouant la tête.) Une *armée*... Non mais, franchement...

– S'il y a une menace, ma sœur, dit Francia, il est de mon devoir...

– Ton *de-voir*, comme tu dis, c'est moi qui l'ai inventé, chère sœur, coupe Hildy en passant devant elle pour ouvrir la porte. Allez, marmots, entrez là-dedans.

Viola et moi, on bouge pas. Francia nous y a pas invités, d'ailleurs.

– Todd? aboie Manchee à mes pieds.

Je prends mon inspiration, et montant l'escalier, je marmonne:

– M'tallez-vous, b'dam.

– Madame, chuchote Viola derrière moi.

– M'tallez-vous, m'dame, je corrige de mon mieux. Je m'appelle Todd. Et voici Viola. (Les bras de Francia restent croisés, comme pour protéger une sorte de trésor.) Ils étaient vraiment rien que cinq hommes. (Même si le mot « armée » flotte en écho autour de mon Bruit.)

– Et je devrais te croire? Un garçon en fuite? (Elle regarde Viola, toujours plantée sur la dernière marche.) Pas difficile d'imaginer pourquoi vous l'étiez, en fuite.

– Oh, arrête un peu, Francia, soupire Hildy, tenant toujours la porte ouverte pour nous.

Francia l'écarte brusquement.

– En ce qui me concerne, je préférerais rester responsable de qui entre dans ma propre maison, merci bien. (Puis, se tournant vers nous:) Alors, si vous voulez entrer, c'est le moment.

Ils ont un sens de l'hospitalité un peu particulier, à Farbranch. Enfin, on entre. Francia et Hildy se chamaillent dans leur coin pour savoir si Francia a un endroit où nous mettre, le temps qu'on voudra rester. Apparemment, Hildy finit par avoir le dernier mot, puisque Francia nous montre à moi et à Viola deux petites chambres séparées à l'étage, l'une à côté de l'autre.

– Ton chien devra dormir dehors, précise-t-elle.

– Mais il…

– Ce n'était pas une question, coupe-t-elle, quittant aussitôt la pièce.

Je la suis sur le palier. Elle descend l'escalier sans se retourner. Et je les entends bientôt elle et Hildy qui se disputent encore, essayant de pas hausser la voix. Viola sort de sa chambre pour écouter. On reste là un instant.

– T'en penses quoi ? je fais.

Elle me regarde pas. Puis c'est comme si elle avait décidé de me regarder, et elle le fait.

– Je ne sais pas. Et toi, qu'est-ce que tu en penses ?

Je hausse les épaules.

– Elle a pas l'air trop ravie de nous voir. Mais ça fait bien longtemps que je me suis pas senti aussi en sécurité. Derrière des murs, et tout ça. Et puis (je hausse les épaules encore), Ben voulait qu'on vienne ici, quand même.

C'est la vérité, quoique, je suis quand même plus très sûr de rien.

Viola croise les bras comme Francia, mais pas du tout comme Francia.

– Oui, je sais ce que tu veux dire.

– Alors, je suppose que ça devrait coller pour l'instant.

– Oui, pour l'instant.

On les écoute encore se disputer.

– Ce que tu as fait tout à l'heure… dit Viola.

Je la coupe aussitôt.

– J'ai été stupide. Je veux pas en parler

Ma figure, elle commence à brûler, alors je me retire dans ma petite chambre. Je reste là, debout, en me mordillant la lèvre. Cette chambre a l'air d'avoir appartenu à une vieille personne. Elle sent ça, ce genre-là, mais au moins il y a un vrai lit. J'ouvre mon sac à dos.

Je regarde si personne m'a suivi. Et je sors le livre. Je l'ouvre et je déplie la carte, je suis les flèches qui pointent à travers le marais, jusqu'à la rivière de l'autre côté. Pas de pont sur la carte, mais la colonie est là. Avec un mot dessous :

Fay, j'épelle. *Fay brank*.

Bon, Farbranch, je suppose.

Je respire plus fort en examinant la page d'écriture au dos de la carte. « *Tu dois les avertir* » (*oh, ça va, hein*), toujours souligné en bas. Mais comme disait Viola, avertir qui ? Avertir Farbranch ? Avertir Hildy ?

Et de quoi ? Je feuillette le livre et il y a des pages de trucs, des pages et des pages, des mots sur des mots, par-dessus des mots et encore des mots, comme du Bruit amoncelé sur le papier jusqu'à plus rien y comprendre. Alors, comment avertir quelqu'un de tout *ça* ?

– Oh, Ben, je murmure. Qu'est-ce que tu voulais me dire ?

– Todd ? Vi ?

C'est Hildy qui appelle d'en bas. Je ferme le livre et contemple sa couverture.

Plus tard. Je poserai le questionnement plus tard.

Oui, je le ferai. Mais plus tard.

Je le range et je descends. Viola est déjà là, et Hildy et Francia, les bras croisés.

– Je dois rentrer à ma ferme, marmots. Du travail à faire pour que tout aille bien, mais Francia est d'accord pour vous garder aujourd'hui, alors je reviendrai ce soir pour voir comment ça va.

– Grand merci, grogne Francia en fronçant les sourcils. Malgré ce que ma sœur vous a dit sur moi, je ne suis quand même pas un ogre.

– Elle ne nous a… (je m'arrête à mi-chemin, mais mon Bruit termine pour moi) … rien dit sur vous.

Francia jette un coup d'œil noir à sa sœur, quoique pas si vexée apparemment.

– Oui, c'est bien elle. Enfin, vous pouvez rester là pour l'instant. Papa et tantine sont morts depuis longtemps, et il n'y a pas grande demande pour ces chambres, de nos jours…

J'avais raison. Une chambre de vieux.

– … mais nous sommes une ville laborieuse, ici à Farbranch. Et vous serez supposés gagner votre logis, même si c'est juste un jour ou deux pendant que vous préparez je ne sais quels plans vous avez en tête.

– Nous ne sommes pas encore sûrs, dit Viola.

– Hmm… grommelle Francia. Et si vous restez après le premier écrêtage des vergers, il y aura de l'école pour vous deux.

– École ? je répète, interloqué.

– École et église, ajoute Hildy. Enfin, si vous restez assez longtemps. (Elle a lu dans mon Bruit, bien sûr.) Hein, vous allez rester assez longtemps ?

Je réponds rien et Viola répond rien, et Francia grommelle encore puis se tourne pour dire quelque chose à Hildy, quand Viola demande :

– S'il vous plaît, Mrs. Francia ?

– Francia suffira, mon enfant, fait Francia, l'air surpris. Qu'y a-t-il ?

– Est-ce qu'il y a un endroit d'où je peux envoyer un message à mon vaisseau ?

– Ton vaisseau ? Tu veux dire ce vaisseau colon loin dans l'au-delà noir et sombre ? (Ses lèvres se pincent lentement.) Avec tous ces gens dessus ?

Viola hoche la tête.

– Nous devions donner des nouvelles. Leur dire ce que nous avions découvert.

La voix de Viola est si paisible et son visage si plein d'appel et d'espoir, si ouvert et large et prêt à la déception que je sens revenir ce tiraillement familier de tristesse qui me tord tout mon Bruit intérieur comme un chagrin, comme d'être perdu. Je pose une main sur le dos du canapé pour garder mon équilibre.

– Ah, fifille, fait Hildy d'une voix un peu trop douce. Je devine que vous avez essayé de nous contacter ici à Nouveau Monde quand vous voliez en éclaireur au-dessus de la planète ?

– Oui, et personne n'a répondu.

Hildy et Francia échangent un signe de tête.

– Tu oublies que nous étions des colons d'église, intervient Francia, fuyant les choses du monde pour fonder notre petite Utopie. Alors nous avons laissé ce genre de machinerie partir en morceaux pour simplement nous occuper de notre propre survie.

Viola écarquille les yeux.

– Vous n'avez donc aucun moyen de communiquer avec personne ?

– Nous n'avons aucun communicateur avec les autres colonies, alors encore bien moins pour l'au-delà.

– Nous sommes des fermiers, marmote, reprend Hildy. De simples fermiers à la recherche d'un mode de vie plus simple. C'était le but que nous cherchions quand nous avons fait tout ce chemin ridiculement long pour arriver jusqu'ici. Et abandonner tout ce qui avait causé tant de tracas par le passé. (Elle tambourine sur la table avec ses doigts.) Bon, tout n'a pas marché exactement comme prévu.

– On n'attendait pas d'autres gens, vraiment, précise Francia. Et surtout pas du genre de Vieux Monde quand on l'a quitté.

– Alors je ne peux pas bouger d'ici ? demande Viola, et sa voix tremble un peu.

– Jusqu'à ce que ton vaisseau arrive, fait Hildy. Oui, j'en ai bien peur.

– Ils sont loin ? demande Francia.

– Système d'entrée dans vingt-quatre semaines, répond doucement Viola. Perihélion quatre semaines plus tard. Transfert orbital deux semaines après.

– Désolée, mon enfant, dit Francia. Je crois que tu vas rester des nôtres pendant sept mois.

Viola se détourne, elle a du mal à encaisser le coup, visiblement.

Des tas de choses peuvent arriver en sept mois.

– Eh bien, maintenant, annonce Hildy d'un ton encourageant, j'ai entendu dire qu'ils avaient toutes sortes de machins à Haven. Des voitures à fission, et des vraies rues de ville, et plus de magasins que tu peux en montrer du bâton. On pourrait déjà essayer là, avant que tu commences vraiment à te faire de la bile, hein ?

Elle lance un clin d'œil à Francia, qui ajoute :

– Todd marmot ? Pourquoi tu ne travaillerais pas à la grange ? Tu es bien fermier, n'est-ce pas ?

– Mais...

– Toutes sortes de choses à faire dans une grange, comme tu le sais parfaitement, j'en suis sûre...

Et bavardant toujours, elle me pousse par la porte de derrière. Regardant par-dessus mon épaule, je vois Hildy qui réconforte Viola avec des mots gentils, des mots inaudibles, des mots qui se disent mais que je connais pas encore.

Francia ferme la porte derrière nous et elle me conduit avec Manchee de l'autre côté de la grand-route, vers un des grands entrepôts que j'avais aperçus quand on est arrivés. Des hommes tirent des charrettes à bras jusqu'à la porte principale et un autre homme décharge les paniers de fruits du verger.

– Dans cette grange, nous stockons les marchandises prêtes à être échangées. Attends ici.

Elle s'avance vers l'homme qui décharge les paniers de la charrette. Ils se parlent un instant et j'entends « Prentissville » clair comme le jour dans son Bruit et la brusque marée de sentiment derrière. Un sentiment légèrement différent mais qui s'affaiblit et j'ai pas pu le lire que Francia revient déjà.

– Ivan dit que tu peux travailler là-bas derrière à balayer.

– Balayer ? je répète horrifié. Mais je sais comment marche une ferme, m'dam, et je...

– J'en suis sûre. Mais tu auras peut-être remarqué que Prentissville n'est pas notre voisin le plus apprécié. Mieux vaut te garder à l'écart des autres, juste le temps qu'ils aient tous pu s'habituer à toi. Ça te va ?

Elle reste toujours aussi froide, les bras croisés, mais en fait, oui, ça me paraît raisonnable et même si son visage est pas exactement gentil, bon, en fait peut-être qu'il l'est quand même, dans son genre.

– Entendu, ça me va.

Francia hoche la tête et me conduit vers Ivan, qui a l'air du même âge que Ben, mais en petit avec des cheveux noirs et des bras comme des feuttus troncs d'arbres.

– Ivan, je te présente Todd.

Je tends la main, mais il ne la prend pas. Il me daivore juste des yeux, avec quelque chose de violent.

– Tu travailleras à l'arrière. Et toi et ton chien, vous feriez mieux de pas traîner dans mes jambes.

Francia nous laisse et Ivan m'emmène à l'intérieur, il désigne un balai, et je me mets au travail. Et c'est comme ça qu'elle commence, ma première journée de travail à Farbranch : dans une grange obscure, à balayer la poussière d'un coin à un autre, avec une toute petite frange de ciel bleu encadrée par une porte à l'autre extrémité.

Que du bonheur.

– Todd ? aboie Manchee.

– Pas ici, Manchee. T'as pas le droit.

La grange, elle mesure bien entre soixante-quinze et quatre-vingts mètres de bout en bout, peut-être, et à moitié remplie de paniers de pommes crénelées. Il y a aussi une partie avec des grands ballots de fourrage, empaquetés jusqu'au plafond, et une autre avec d'immenses gerbes de blé.

– Vous échangez ces trucs avec d'autres colonies ? je demande à Ivan.

– Plus tard, les bavardages, il me répond de loin.

Je dis rien mais quelque chose de grossier surgit dans mon Bruit avant que je puisse l'arrêter. Je retourne à mon balai en vitesse.

La matinée traîne en longueur. Je pense à Ben et à Cillian. Je pense à Viola. Je pense à Aaron et au Maire. Je pense au mot « armée » et comment il me tord l'estomac.

J'en sais rien.

Je trouve pas ça juste d'être arrêté en chemin. Pas après avoir tant couru.

Tout le monde fait comme s'il n'y avait aucun danger ici mais moi j'en sais rien.

Manchee passe et repasse par les portes avant et arrière pendant que je balaye, pourchassant les mites roses que je déplace dans les recoins sombres. Ivan se tient à distance. Moi aussi, mais je vois tous les gens qui viennent à la porte déposer les marchandises et ils jettent un long regard appuyé vers le fond de la grange, plissent les yeux dans l'obscurité pour essayer de mieux me voir, moi le garçon de Prentissville.

D'accord, ils détestent Prentissville, ça j'ai bien compris. Mais moi aussi, je déteste Prentissville, et j'ai sûrement plus de raisons qu'eux tous réunis.

Je commence à remarquer des choses, aussi, pendant que la matinée s'avance. Par exemple, si les hommes et les femmes font les mêmes gros travaux, les femmes donnent plus d'ordres que plus d'hommes suivent. Et avec Francia maire adjoint et Hildy je sais pas qui elle est à Farbranch, je me demande si cette ville serait pas dirigée par les femmes. J'entends souvent leurs silences quand elles passent dehors et j'entends aussi le Bruit des hommes leur répondre, un Bruit quelquefois irrité, mais qui généralement suit le cours des choses.

Ici, le Bruit des hommes reste bien mieux contrôlé que celui que je connais. Avec autant de femmes et pour ce que je connais du Bruit de Prentissville, j'aurais cru que l'air serait rempli de femmes Bruyantes et sans vêtements faisant les choses les plus étonnantes qu'on puisse imaginer. Et bien sûr on entend ça parfois, les hommes restent des hommes après tout, mais le plus souvent j'entends des chants ou des prières ou des choses qui concernent le travail en cours.

Ils sont calmes, ici à Farbranch, mais ils sont un peu étranges, quand même.

De temps en temps, je cherche si je pourrais pas entendre Viola – enfin, la deviner, quelque part.

Mais non.

À l'heure du déjeuner, Francia se montre à l'arrière de la grange avec un sandwich et une cruche d'eau.

– Où est Viola ? je demande.

– De rien…

– De quoi ?

Elle pousse un soupir.

– Viola est dans les vergers, elle ramasse les fruits tombés.

Je voudrais demander comment elle va, et puis non, et Francia refuse de le lire dans mon Bruit.

– Alors, ça se passe comment ?

– Je sais quand même faire autre chose que passer un rutain de balai.

– Surveille ton langage, marmot. Tu auras bien le temps de te mettre au travail, et pour de bon.

Elle reste pas, retourne devant, échange quelques mots avec Ivan, puis s'en va faire ce qui peut bien remplir les journées d'une maire adjointe.

Bon, je vais le dire quand même. Ça peut paraître idiot, mais je l'aime bien, d'une certaine façon. Peut-être parce qu'elle me rappelle Cillian et toutes ces choses chez lui qui me rendaient dingo. La mémoire, c'est toujours un peu débile, non ?

Je mords dans mon sandwich et je mâche mon premier morceau quand j'entends le Bruit d'Ivan qui approche.

– Je balayerai mes miettes, je fais.

À ma grande surprise, il rit, d'une façon un peu brusque.

– Ça, j'en doute pas...

Il croque dans son propre sandwich, mâche un instant, puis :

– Francia dit qu'il y aura une réunion de village, ce soir.

– À propos de moi ?

– De vous deux. Toi et la fille. Toi et la fille qui vous êtes enfuis de Prentissville.

Son Bruit est étrange. Il est prudent mais fort, comme s'il m'observait. Je lis pas d'hostilité, pas envers moi, en tout cas, mais il y a quelque chose qui filtre à travers, goutte à goutte.

– On va faire connaissance avec tout le monde ?

– Peut-être bien. On va tous parler de toi en premier.

– Hmm... En cas de vote, je fais en mâchant énergiquement, je crois pas que j'aie la plus petite chance.

– T'as Hildy de ton côté. Et à Farbranch, c'est pas rien. (Il avale son morceau.) Les gens ici sont des gens bien, et gentils. On en a déjà adopté, des gens de Prentissville. Pas depuis un bon moment, mais il y a longtemps, à la mauvaise époque.

– La guerre ?

Il me dévisage, son Bruit me jaugeant, moi et ce que je sais.

– Mouais, la guerre…

Il jette un regard circulaire dans la grange, l'air de rien, mais j'ai l'impression qu'il vérifie si on est bien seuls. Et maintenant il me fixe. D'un œil qui cherche vraiment quelque chose.

– Et puis, tu sais, on ne pense pas tous pareil, ici.

– Sur quoi ? je demande.

J'aime pas son regard, son chuchotis.

– Sur l'histoire…

Il parle tout bas, se penche plus près, ses yeux déversés dans les miens. Je me penche en arrière, un peu.

– Je comprends pas, vous voulez dire quoi, par là ?

– Prentissville a encore des alliés. Cachés dans des endroits surprenants.

Son Bruit transporte des images, minuscules, comme un Bruit me parlant à moi seul et je commence à les voir plus nettes et plus claires, lumineuses, humides, rapides, le soleil brillant sur du rouge…

– Mioches ! Mioches ! aboie Manchee dans un coin.

Je bondis, et même Ivan sursaute et les images de son Bruit presque aussitôt s'évanouissent.

Manchee aboie toujours et j'entends toute une brochette de gloussements.

Un groupe de gamins accroupis nous regarde entre deux planches. Ils sourient, rient même sans se gêner, se bousculent pour se rapprocher de la fente.

Me désignent du doigt.

Et tous si petits.

Tout petits.

Je veux dire, regardez-moi ça.

– Sortez de là, bande de rats ! crie Ivan.

Mais il y a de la malice dans sa voix et son Bruit, masquant toute trace de ce qu'il a montré avant. J'entends des éclats de rire derrière le mur et les gamins décampent.

Les voilà disparus, maintenant.

Comme si je les avais fabriqués moi-même.

– Mioches, Todd ! aboie Manchee. Mioches !

Il revient vers moi et je lui gratte la tête.

– Je sais, je sais…

Ivan frappe dans ses mains. Ce sera tout pour le déjeuner. Retour au boulot. Il me jette un nouveau regard grave et regagne le devant de la grange.

– C'était quoi, tout ça, hein ? je demande à Manchee.

– Mioches, il murmure, fourrant son museau dans ma main.

L'après-midi commence, à peu près pareil que la matinée. Balayer, les gens qui s'arrêtent en passant, une pause pour boire un coup, Ivan qui dit rien, et balayer encore.

J'essaye de réfléchir à ce qu'on pourrait faire maintenant. Enfin, si c'est encore « on ». Il va y avoir cette réunion et ils vont évidemment garder Viola jusqu'à ce que son vaisseau arrive, ça crève les yeux, mais est-ce qu'ils voudront de moi ?

Et si oui, est-ce que je vais rester ?

Et est-ce que je vais les avertir ?

Quelque chose me brûle l'estomac chaque fois que je pense au livre, alors chaque fois je change de sujet.

Après un temps qui me paraît toute une vie, le soleil va bientôt se coucher. Et je vois pas la plus petite feuttue poussière que je puisse encore balayer. J'ai déjà fait toute la grange plus d'une fois, compté les paniers, recompté, essayé de réparer cette planche du mur même si personne me l'a demandé. Vous pouvez pas faire grand-chose de plus, enfermé dans une purain de grange.

– Ça, c'est bien vrai, fait Hildy, qui a surgi d'un coup.

– Hé… vous devriez pas vous glisser derrière les gens comme ça, vous autres silencieuses.

– Il y a de quoi manger chez Francia pour toi et Viola. Pourquoi tu n'y vas pas ?

– Pendant que vous allez tous à votre réunion ?

– Pendant qu'on sera tous en réunion, oui, marmot. Viola est déjà à la maison, et je suis sûre qu'elle avale tout ton dîner.

– Faim, Todd ! aboie Manchee.

– Mais oui, y aura quelque chose pour toi aussi, chichiot.

Elle se baisse pour le caresser, et il se roule aussitôt sur le dos, sans la moindre dignité.

– Mais c'est quoi le but de cette réunion, en fait ?

– Oh, les nouveaux colons qui arrivent. C'est la grande nouvelle. Et vous présenter, bien sûr. Habituer la ville à l'idée, vous accueillir.

– Et ils vont vraiment le faire, nous accueillir ?
– Les gens ont peur de ce qu'ils ne connaissent pas, Todd marmot. Une fois qu'ils te connaîtront mieux, le problème disparaîtra de lui-même.
– Est-ce qu'on pourra rester, alors ?
– Je suppose que oui. Si vous le voulez.
Je réponds rien à ça.
– Rentre à la maison. Je viendrai vous prendre tous les deux au moment voulu.
Je hoche la tête et avec un petit au revoir de la main elle s'en va, retraversant la grange encore plus sombre. Je ramène le balai là où il était accroché, mes pas font de l'écho. J'entends le Bruit des hommes et le silence des femmes qui rejoignent la salle de réunion. C'est le mot Prentissville qui filtre et pèse le plus lourd, et mon nom, et le nom de Viola et le nom de Hildy.
Et je dois dire, même s'il y a de la peur et de la supsixion dedans, j'ai pas un sentiment écrasant de non-bienvenue. Il y a plus de questionnements que de colère, rien à voir avec Matthew Lyle.
Une bonne chose, peut-être. Une sorte de bon signe, après tout.
– Allons-y, Manchee. Allons manger un morceau.
– Todd, Todd ! il aboie sur mes talons.
Je me demande comment la journée s'est passée pour Viola.
J'avance vers l'entrée de la grange quand je distingue un morceau de Bruit qui se sépare du murmure général, à l'extérieur.
Un morceau de Bruit qui se sépare du courant.
Et se dirige vers la grange.

Arrive juste devant.
Je m'arrête, dans la partie la plus obscure.
Une ombre se découpe sur le seuil.
Matthew Lyle.
Et son Bruit dit Tu vas nulle part, mon gars.

19 Le couteau choisit encore

– Arrière ! Arrière ! Arrière ! aboie aussitôt Manchee.

Les lunes jettent leur reflet sur la machette de Matthew Lyle.

Je passe la main derrière mon dos. J'avais caché l'étui derrière ma chemise pour travailler. Le couteau est encore là, et bien là. Je le prends, le tiens contre ma jambe.

– Pas de vieille maman pour te protéger, cette fois…

Il balance sa machette d'avant en arrière, comme s'il voulait découper le vide en lamelles.

– Pas de jupons pour te cacher de ce que t'as fait.

Je recule d'un pas, essaye d'empêcher la porte arrière d'entrer dans mon Bruit.

– J'ai rien fait.

Il avance d'un pas.

– Peu importe. On a une loi, ici dans cette ville.

– J'ai rien contre vous.

– Mais moi si, j'ai quelque chose contre toi, mon gars.

Son Bruit se dresse, débordant de colère, bien sûr, mais aussi de cet étrange chagrin, de cette blessure enragée que je peux presque goûter du bout de la langue. Et il y a cette nervosité, en plus, qui tourbillonne hors de lui, et une sorte de panique, même s'il fait tout pour la couvrir.

Je recule encore plus profondément dans le noir.

– Je suis pas un mauvais bougre, tu sais, il ajoute soudain, comme confus, mais agitant sa machette. J'ai une femme. J'ai une fille.

– Elles seraient pas d'accord pour que vous fassiez du mal à un garçon innocent. Je suis sûr…

– Silence ! il crie et je l'entends ravaler sa salive.

Il est pas sûr de lui. Il est pas sûr de ce qu'il va faire.

– Je comprends pas pourquoi vous êtes tellement en colère… mais je suis désolé. Je sais pas ce que c'est, mais…

Il recouvre ma voix, comme s'il se forçait à pas m'écouter.

– Ce que je veux que tu saches, avant de payer… Ce que tu *dois* savoir, mon gars, c'est que le nom de ma mère était Jessica.

Me voilà bien avancé.

– Ah… mais je vois vraiment pas ce que…

– Écoute, garçon ! il glapit. Écoute, un peu !

Et alors son Bruit s'ouvre en grand.

Et je vois –

Je vois –

Ce qu'il me montre.

– C'est un mensonge, je chuchote. Un purain de mensonge…

Pas la chose à dire à ce moment-là. Vraiment pas.

Avec un hurlement sauvage, il se rue en avant, se lance à travers la grange vers moi.

– Cours ! je crie à Manchee en me retournant pour me précipiter vers la porte de derrière. (*Ça va, hein... Vous imaginez, un peu, un couteau contre une machette ?*)

J'entends Matthew hurler son bruit qui explose après moi, et j'atteins la porte et je la pousse d'un coup quand je réalise.

Manchee, il est pas avec moi.

Je tourne la tête. Quand j'ai dit « Cours ! », Manchee a couru, mais dans l'autre sens, se jetant de toutes ses ridicules petites forces vers Matthew lancé au galop.

– Manchee ! je hurle.

Il fait rudement noir dans la grange maintenant et j'entends

des grognements et des aboiements et des coups de pied. Et puis j'entends Matthew crier de douleur, sûrement une morsure.

Bon chien, je pense. *Oh, le feuttu bon chien.*

Alors, je vais quand même pas l'abandonner comme ça, non ?

Je cours dans l'obscurité, vers là où je vois Matthew qui clopine en cercle et vers la forme de Manchee qui danse entre ses jambes et les coups de machette, aboyant à s'en arracher sa petite tête.

– Todd ! Todd ! Todd ! il aboie.

Me voilà à cinq pas et je cours toujours quand Matthew frappe à deux mains vers le sol, plantant la pointe de sa machette dans le plancher.

J'entends Manchee japper mais sans mots, juste de la douleur, et Manchee vole invisible vers un coin très sombre.

Avec un grand cri je percute Matthew. Tous les deux on bascule lentement vers le sol, coudes et genoux emmêlés. Ça fait mal, mais comme j'ai atterri sur Matthew, c'est pas si grave.

On se sépare en roulant et je l'entends crier de douleur. Je me remets aussitôt sur pied, mon couteau à la main, à quelques mètres de lui, loin de la porte arrière maintenant, et lui me bloque la porte avant. J'entends Manchee qui chouigne dans l'obscurité.

J'entends aussi un peu de Bruit monter de l'autre côté de la route, vers la salle de réunion, mais c'est pas le moment d'y penser maintenant.

– J'ai pas peur de te tuer… je marmonne, même si mon Bruit dit exactement le contraire, espérant seulement qu'avec mon Bruit et son Bruit tellement secoués et au maximum, il pourra rien y comprendre.

– Alors, on est deux, il souffle, et se précipite pour arracher sa machette du plancher.

Mais il a beau s'y reprendre à deux fois, comme elle cède toujours pas, j'en profite pour replonger dans le noir.

– Manchee? j'appelle, cherchant affolé au milieu des gerbes de blé et des piles de paniers.

Matthew grogne et souffle en essayant de retirer sa machette pendant que le ramdam monte, du côté de la ville.

– Todd, j'entends tout au fond de l'obscurité.

Ça vient de derrière les rouleaux de fourrage, d'un interstice contre le mur. J'y glisse la tête.

– Manchee ?

Puis je me retourne, très vite.

Avec un grand han ! Matthew a dégagé sa machette du plancher.

– Todd ? fait Manchee, affolé, effrayé. Todd ?

Mais voilà Matthew qui arrive à pas lents, comme s'il avait plus à se presser, et son Bruit avance avec lui, dans une vague qui permet plus aucune discutassion.

Plus le choix. Je m'adosse dans le recoin et brandis mon couteau. J'élève la voix :

– Je vais partir. Laisse-moi juste prendre mon chien et on s'en va.

– Trop tard… réplique Matthew, et il se rapproche.

– Tu veux pas vraiment faire ça, j'en suis sûr.

– Ferme-la, ta petite gueule.

– S'il te plaît, je fais, agitant le couteau. Je veux pas te faire du mal.

– Parce que j'ai l'air inquiet, garçon ?

Plus près, plus près, un pas, encore un pas.

On entend un bang ! dehors quelque part, au loin. Des gens se sont mis à courir et à crier. On tourne même pas la tête, ni lui ni moi.

Je voudrais reculer encore dans la niche, mais impossible, il y a vraiment pas assez d'espace. Je cherche par où je pourrais m'échapper.

Nulle part.

Mon couteau va devoir le faire. Il va devoir agir, même contre une machette.

– Todd ? j'entends derrière moi.

– T'inquiète pas, Manchee. Ça va aller.

Et après tout, qui sait jusqu'à quel point un chien peut vous croire ?

Matthew, il est presque là.

Je serre mon couteau.

Il s'arrête, à un mètre de moi. Je vois ses yeux luire dans les ténèbres.

– Jessica, dit-il.

Il lève la machette au-dessus de sa tête.

Je me recroqueville en arrière, couteau dressé, tout mon corps tendu comme un câble…

Mais il s'arrête…

Il s'arrête…

D'une façon que je reconnais…

Et c'est suffisant pour moi…

Avec une rapide prière qu'est pas du même genre qu'au pont, je balance mon couteau en arc de cercle sur le côté, tranchant net (*merci, merci*) les cordes qui lient les rouleaux de fourrage, détachant d'un seul coup le premier lot. Les autres cordes claquent très vite, avec le brusque transfert de charge, et je me protège la tête, et je m'écarte pendant que les rouleaux commencent à dégringoler.

J'entends des vouum!!! étouffés et un ouuf!!! de Matthew, et je lève les yeux et le voilà enseveli sous les rouleaux, son bras sorti d'un côté, la machette tombée par terre. Je me précipite et, d'un coup de pied, l'envoie très loin. Puis je me retourne, cherchant Manchee.

Il est là dans un coin, derrière les rouleaux écroulés.

– Todd? Queue, Todd?

– Manchee?

Il fait trop sombre, je dois m'agenouiller pour mieux voir. Sa queue est plus courte qu'avant, des deux tiers. Avec du sang partout, mais, sacré bon D… de chien, il essaye toujours de l'agiter.

– Ouaïe, Todd ?

– Ça va, Manchee, j'articule, ma voix rauque et mon Bruit pleurant presque de soulagement que ce soit juste la queue. T'en fais pas, on va s'occuper de toi.

– Vas bien, Todd ?

– Ça va, oui…

Je lui frotte le crâne. Il me pince la main mais je sais qu'il peut pas s'en empêcher parce qu'il a mal. Il me lèche pour s'excuser, puis me pince encore.

– Ouaïe, Todd !

– Todd Hewitt ! j'entends crier à l'entrée de la grange.

Francia.

Je me redresse.

– Je suis là ! Tout va bien ! Matthew est devenu dingue…

Puis je m'arrête parce qu'elle m'écoute pas.

– Va falloir que tu rentres à l'abri, Todd marmot, elle débite à toute vitesse. Va falloir…

Puis elle aperçoit Matthew sous le fourrage et elle s'arrête.

– Qu'est-ce qui s'est passé ?… (Et déjà elle commence à tirer les rouleaux, dégageant son visage, se penchant pour voir s'il respire encore.)

Je montre la machette.

– Ça.

Francia la regarde puis moi, son visage disant quelque chose que je peux pas lire ni même commencer à imaginer. Je sais pas si Matthew est vivant ou mort et j'irai pas vérifier maintenant.

– Nous sommes attaqués, marmot, fait-elle en se redressant.

– Vous êtes… quoi ?

– Des hommes. Des hommes de Prentissville. Cette troupe qui est après toi. Ils attaquent toute la ville.

Mon estomac se répand jusque dans mes talons.

– Oh, non… (Puis je répète :) Oh, non !

Francia me regarde toujours, son cerveau à penser qui sait quoi.

– Ne nous livrez pas, je fais, reculant. Ils nous tueront.

Francia fronce les sourcils.

– Pour quel genre de femme me prends-tu donc ?

– Je sais pas… C'est justement le problème.

– Je ne vais pas te livrer. Crois-moi. Et Viola non plus. En fait, le sentiment de la ville à la réunion, pendant le temps qu'elle a duré, c'était comment nous allions vous protéger tous les deux de ce qui arrivait presque obligatoirement. Quoique… (Elle regarde Matthew.) Peut-être que nous n'aurions pas pu vraiment tenir notre promesse.

– Où est Viola ?

– À la maison. Vite, il faut aller t'abriter à l'intérieur.

– Attendez.

Je me glisse derrière les rouleaux de fourrage. Toujours dans son coin, Manchee se lèche la queue. Il me regarde et aboie, juste un petit aboiement, pas même un mot.

– Je vais te prendre dans mes bras, maintenant. Essaye de pas me mordre trop fort, hein ?

– D'accord, Todd, il gémit, jappant chaque fois qu'il agite son bout de queue.

Je me penche, place mes bras sous son ventre et le soulève contre ma poitrine. Il jappe puis me mord le poignet bien fort, puis le lèche.

– Tout va bien, mon vieux, je le rassure en le tenant du mieux que je peux.

Francia m'attend à la porte et je la suis sur la grand-rue.

Les gens courent partout. Des hommes et des femmes avec des fusils courent en direxion des vergers et d'autres hommes et des femmes ramènent les gamins chez eux et ainsi de suite. Au loin, j'entends des bangs, des appels et des hurlements.

– Où est Hildy ? je crie.

Francia répond pas. On arrive aux marches de la maison.

– Et Hildy ? je répète en montant.

Francia ouvre la porte sans me regarder.

– Elle est partie combattre. Ils ont sans doute atteint sa ferme en premier. Tam était encore là-bas.

– Oh, non… je répète bêtement, comme si ça pouvait y changer quelque chose.

On entre, et Viola descend comme une tornade du premier étage.

– Vous en avez mis du temps ! elle s'exclame, un peu fort, et je sais pas de qui elle parle.

Puis elle reste bouche bée en voyant Manchee.

– Pansements, dépêche-toi. Tes drôles de trucs, tu sais.

Elle hoche la tête et remonte l'escalier à toute vitesse.

– Vous deux, vous restez là, dit Francia. Vous ne sortez sous aucun prétexte.

J'y comprends rien.

– Mais on doit fuir ! On doit partir d'ici !

– Non, Todd marmot. Si Prentissville vous veut, alors c'est une bonne, une bien assez bonne raison pour qu'on vous protège.

– Mais ils ont des fusils…

– Et nous aussi. Aucune troupe de Prentissville ne prendra cette ville.

Viola est redescendue, elle fouille dans son sac à la recherche des pansements.

– Francia…

– Pas d'histoires, vous restez ici. Nous vous protégerons. Tous les deux.

Elle nous regarde d'un œil sévère, comme pour vérifier qu'on est bien d'accord, puis elle se retourne, passe la porte et part défendre sa ville, je suppose.

On reste là devant la porte fermée, puis Manchee recommence à gémir et je dois le poser par terre. Viola prend un pansement carré et son petit rasoir.

– Je ne sais pas si ça marche pour les chiens, dit-elle.

– Mieux que rien, de toute façon.

Elle coupe une bande et je dois tenir la tête de Manchee bien baissée pendant qu'elle l'enroule autour de sa pauvre queue. Il grogne et s'excuse et grogne et s'excuse jusqu'à ce que Viola ait recouvert toute la blessure bien serrée. Dès que je le relâche, il se met à la lécher.

– Arrête, je dis.

– Démange, Todd.

– Crétin de chien, je fais, en lui grattant les oreilles. Bon crétin de chien.

Viola le caresse aussi, essaye de l'empêcher d'arracher le pansement.

– Tu crois qu'on est en sécurité ? demande-t-elle au bout d'un moment.

– J'en sais rien.

Au loin, les bangs éclatent plus nombreux. On sursaute à chaque fois. Les gens aussi, crient plus nombreux. Le bruit augmente.

– Aucun signe de Hildy depuis le début, dit Viola.

– Je sais.

Une pause, silence encore, on caresse encore Manchee, quoi faire d'autre. Le ramdam augmente dans les vergers, au-dessus de la ville.

Ça paraît très, très loin, comme s'il se passait rien vraiment.

– Francia m'a dit qu'on pouvait arriver à Haven en suivant la grande rivière, reprend Viola.

Je la regarde. J'ai bien compris ce qu'elle veut dire ?

Je crois que oui.

– Tu veux partir ?

– Ils n'abandonneront jamais. Nous mettons en danger la vie des gens autour de nous. Ils n'abandonneront jamais, s'ils sont déjà venus jusqu'ici.

Elle a raison. Je le dis pas mais je le pense. Pour le principe, je discute :

– Mais ici, ils ont dit qu'ils nous protégeraient.

– Tu y crois vraiment ?

Je peux rien répondre à ça. Je pense à Matthew Lyle.

– Non, nous ne sommes plus en sécurité ici, dit-elle.

– Je crois pas qu'on soit en sécurité nulle part.

Nulle part sur cette planète.

– Il faut que je contacte mon vaisseau, Todd, tu sais. Ils attendent de mes nouvelles.

– Et tu veux foncer dans l'inconnu, juste pour ça ?

Elle détourne les yeux.

– Et toi ? Non ? Si on y allait ensemble…

Je la regarde, du coup, j'essaye de voir, de savoir, le vrai et le faux.

Puis, simplement, elle croise mon regard.

C'est suffisant.

– D'accord, on y va.

On regroupe nos affaires sans un mot, et vite. J'enfile mon sac à dos, elle jette le sien en bandoulière. Manchee s'est redressé, il trottine de son mieux, et nous sortons par la porte arrière. Aussi simple que ça. On s'en va. Mieux pour Farbranch, cent fois mieux, et mieux pour nous, qui sait ? Mais après ce que Hildy et Francia ont promis, c'est dur de partir.

Pourtant, on s'en va. On s'en va, on est partis.

Parce qu'au moins, la décision, c'est *nous* qui la prenons. Je préfère que personne d'autre me dise ce qui est bien pour moi, même s'il me veut du bien.

Maintenant il fait nuit noire dehors, les deux lunes étincellent. Tous les gens de la ville ont leur attention derrière nous, alors personne va nous empêcher de fuir. Un petit pont enjambe le ruisseau qui traverse la ville.

– C'est loin, ce Haven ? je chuchote sur le pont.

– Plutôt, chuchote Viola.

– Et c'est loin, plutôt loin ?

Elle dit rien, d'abord.

– Hein, c'est loin ? je répète.

– Deux semaines, peut-être, elle répond sans me regarder.

– Deux *semaines* ?

– Et alors, tu veux aller où, sinon ?

Pas la peine de chercher une réponse, on continue à marcher.

De l'autre côté du ruisseau, la piste remonte le versant le plus éloigné de la vallée. On décide de la prendre, pour quitter la ville le plus vite possible. Après, on reviendra vers la rivière et on la suivra. La carte de Ben s'arrête à Farbranch, alors, la rivière, on a rien d'autre pour s'orienter, à partir de maintenant.

Il y a tellement de questionnements qui nous accompagnent pendant qu'on fuit Farbranch, des questionnements qu'auront jamais de réponses. Pourquoi le Maire et quelques hommes ont fait tant de kilomètres pour attaquer toute une ville ? Pourquoi est-ce qu'ils continuent à nous poursuivre ? En quoi sommes-nous si importants ? Et Hildy, il lui est arrivé quoi ?

Et – est-ce que j'ai tué Matthew Lyle ?

Et – qu'est-ce que c'était qu'il m'a montré dans son Bruit, là, au bout d'une chose vraie ?

L'histoire vraie de Prentissville ?

– Quoi, l'histoire vraie ? questionne Viola pendant qu'on grimpe au pas de course.

– Rien. Et arrête de me lire.

On arrive au sommet de la colline quand un crépitement de coups de feu monte en écho. On s'arrête, et on regarde.

– Oh, mon Dieu ! lâche Viola.

Sous la lumière des deux lunes, toute la vallée paraît scintiller, des bâtiments de Farbranch jusqu'à la colline des vergers.

On voit les hommes et les femmes de Farbranch descendre la colline en courant.

Ils battent en retraite.

Et au sommet, cinq, dix, quinze hommes à cheval, ils avancent.

Suivis par des rangées de cinq hommes, avec des fusils, ils marchent en ligne derrière ce qui doit être les cavaliers de Maire, devant.

Pas une bande. Pas du tout une bande.

Prentissville. Comme si le monde s'effondrait sous mes pieds. Jusqu'au dernier homme de cette purain de Prentissville.

Ils sont trois fois plus nombreux que tous les habitants de Farbranch.

Ils ont trois fois autant de fusils.

On entend des coups de feu et on voit les hommes et les femmes de Farbranch tomber en courant vers leurs maisons.

Ils auront aucun mal à prendre la ville. En une heure de temps ils l'auront prise.

Alors la rumeur était vraie. La rumeur que Francia a entendue.

Le mot était vrai.

C'est une armée.

Toute une armée.

Toute une armée lancée à notre poursuite.

QUATRIÈME PARTIE

20 *Armée d'hommes*

On a plongé derrière des broussailles, même s'il fait sombre, même si l'armée est de l'autre côté de la vallée, même s'ils savent pas qu'on est là-haut et qu'ils ont aucun moyen d'entendre mon Bruit avec tout leur ramdam, on se jette à plat ventre quand même.

– Tu peux voir la nuit, avec tes jumelles ? je chuchote.

Viola les sort de son sac et les colle à ses yeux.

– Qu'est-ce qui se passe ? demande-t-elle, pressant les boutons. Qui sont tous ces hommes ?

– C'est Prentissville. On dirait qu'ils ont pas laissé un seul homme dans cette feuttue ville.

– Comment ça, Prentissville ? (Elle regarde encore un peu, puis me tend les jumelles.) Ça n'a aucun sens.

– Tu l'as dit.

Le réglage nocturne des jumelles plonge la vallée et tout ce qu'il y a dedans dans un vert fluorescent. Je vois des cavaliers dévaler la colline au galop, entrer dans la ville, tirer des coups de feu au passage, je vois les gens de Farbranch répondre mais surtout courir, surtout tomber, surtout mourir. L'armée de Prentissville a pas l'air décidée à faire de prisonniers.

– Il faut partir d'ici, Todd…

Je regarde toujours à travers les jumelles.

Dans tout ce vert, c'est difficile de bien voir les visages. J'appuie sur d'autres boutons et je me rapproche encore.

La première personne que je reconnais à coup sûr, c'est Mr. Prentiss Jr. en tête, il tire des coups de feu en l'air quand il a personne sur qui tirer. Puis il y a Mr. Morgan et Mr. Collins qui poursuivent des hommes de Farbranch vers les entrepôts, et ils leur tirent dessus. Mr. O'Hare est là aussi, et les autres cavaliers habituels de Maire, Mr. Edwin, Mr. Henratty, Mr. Sullivan. Et voilà Mr. Mortard, le sourire de son visage vert et diabolique, même à cette distance, quand il décharge son fusil dans le dos des femmes qui s'enfuient avec leurs enfants et je détourne les yeux pour pas vomir le rien que j'ai eu à dîner.

Les hommes à pied progressent vers la ville. Le premier que je reconnais, c'est Mr. Phelps, le commerçant. Et c'est vraiment bizarre à cause qu'il a jamais eu le genre militaire. Et puis il y a Mr. Baldwin. Et Mr. Fox. Et Mr. Cardiff, qu'était notre meilleur laitier. Et Mr. Tate, qu'avait le plus de livres à brûler quand le Maire les a interdits. Et Mr. Kearney qui meulait la farine de la ville et qui parlait toujours doucement et qui fabriquait des jouets en bois à chaque anniversaire d'un garçon de Prentissville.

Ce qu'ils font, ces hommes-là, dans une armée, ça me dépasse.

Viola me tire par le bras.

– Todd…

Ces hommes en marche m'ont pas l'air trop heureux, quand même. Mornes, et froids, et effrayants, mais pas comme Mr. Mortard, plutôt comme s'ils avaient perdu tout sentiment.

Et ils marchent toujours. Ils tirent toujours. Ils enfoncent toujours des portes.

– Ça, c'est Mr. Gillooly, je fais. Normalement, même pas capable de tuer sa propre viande.

– Todd… répète Viola, et je l'entends reculer dans les broussailles. Allons-nous-en.

Qu'est-ce qui se passe ? D'accord, Prentissville était l'endroit le plus effarrible qu'on puisse imaginer, à même pas pouvoir ni vouloir le décrire, mais de là à se transformer en armée, d'un seul coup d'un seul ? Il y a plein d'hommes à Prentissville qui sont mauvais de bout en bout, mais pas tous, quand même. Pas tous. Et Mr. Gillooly avec un fusil, le spectacle est tellement absurde que ça me fait presque mal aux yeux, juste à le regarder.

Et puis je vois la réponse.

Maire Prentiss sans même un fusil, juste une main sur les rênes de son cheval, l'autre pendant sur le côté, qui chevauche en ville, l'air d'être sorti faire une petite balade nocturne. Il regarde la déroute de Farbranch un peu comme une vidéo et encore, pas très intéressante, il laisse les autres faire le boulot, mais évidemment tellement maître de tout que personne oserait même lui demander de bouger le petit doigt.

Comment fait-il pour obtenir *ça* de tant d'hommes ?

Il est blindé ou quoi, pour chevaucher aussi tranquille au milieu des balles ?

– Todd ! Je te jure, je vais partir sans toi.

– Non. Juste une seconde encore.

Je passe d'un visage à l'autre, maintenant. Je passe d'un homme de Prentissville à un autre homme de Prentissville, à cause que même s'ils vont découvrir très vite que ni moi ni Viola on est plus en ville et qu'alors vont prendre notre direxion, je dois savoir.

Je veux savoir.

Visage après visage après visage, ils marchent et tirent et brûlent. Mr. Wallace, Mr. Asbjornsen, Mr. St James, Mr. Belgraves, Mr. Smith Sr., Mr. Smith Jr., Mr. Smith aux Neuf Doigts, même Mr. Marjoribanks, titubant et vacillant mais marchant, marchant, marchant. Chaque homme de Prentissville, l'un après l'autre, et mon cœur se serre et il brûle chaque fois que j'en identifie un.

– Ils sont pas là, je fais, pour moi-même ou presque.

– Qui ?

– Pas là, fait Manchee en léchant sa queue.

Ils sont pas là.

Ben et Cillian sont pas là.

Bien sûr, c'est super. Bien sûr qu'ils font pas partie d'une armée de tueurs. Bien sûr que non, même si tous les autres hommes de Prentissville y sont. Ils pourraient pas y être. Jamais, la question se pose même pas.

Des hommes bien, des hommes super, tous les deux, même Cillian.

Mais alors, si ça c'est vrai, une autre chose aussi est vraie, forcément.

S'ils sont pas là, ils sont pas ailleurs non plus.

Voilà, ça m'apprendra.

Il y a rien de bien qu'amène pas quelque chose de vraiment mauvais, tout de suite après.

J'espère qu'ils ont vendu chèrement leur peau.

Je baisse les jumelles et je m'essuie les yeux avec ma manche et je rends les jumelles à Viola et je dis :

– Allons-y.

Elle les prend d'un geste brusque, tellement ça la démange de partir, et puis elle dit « Je suis désolée », alors elle a dû le voir dans mon Bruit.

– Rien de nouveau, rien qui soit pas déjà arrivé, je fais, parlant au sol et rajustant mon sac à dos. Allons-y, avant que je nous mette encore plus en danger.

Je reprends la piste, vers le sommet de la colline. On file tête baissée, Viola derrière, Manchee essayant de pas se mordre la queue pendant notre course.

Puis Viola me rattrape.

– Est-ce que… tu l'as vu ? elle demande entre deux inspirations.

– Aaron ? (Elle hoche la tête.) Non. Tiens, c'est vrai, je l'ai pas vu. Et il aurait dû être devant.

On reste silencieux tout en courant, mais on se demande ce que ça peut vouloir dire.

De ce côté de la vallée, la route est plus large et on essaye de rester du côté le plus sombre, profitant des virages de la pente. Notre seule lumière vient des lunes, mais elles brillent assez pour projeter l'ombre de nos silhouettes le long de cette route bien trop éclairée pour des fugitifs. J'ai jamais vu rien comme des jumelles de vision nocturne à Prentissville, mais j'ai jamais vu d'armée non plus, alors on court pliés en deux sans demander à l'autre de le faire. Manchee galope devant, nez au sol, aboyant « Par ici ! Par ici ! » comme s'il savait mieux que nous où aller.

Puis, en haut de la colline, la route se divise.

Nous voilà bien.

– C'est une blague, ou quoi ? je fais.

Une partie part à droite, l'autre à gauche. (*Ben oui, elle se divise, quoi.*)

– À Farbranch, le ruisseau coulait vers la droite, remarque Viola. Et la grande rivière était toujours sur notre droite après le pont. Alors ce doit être la route de droite si nous voulons la rejoindre.

– Mais la gauche a l'air plus fréquentée…

C'est vrai. Cette route de gauche a l'air plus plane, le genre de piste où des charrettes peuvent rouler. Celle de droite est plus étroite avec des taillis plus hauts de chaque côté et même s'il fait nuit on voit la terre et la poussière. Je jette un regard par-dessus mon épaule, vers la vallée toujours en éruption derrière nous.

– Est-ce que Francia t'a parlé d'un embranchement ?

– Non, répond Viola qui regarde, elle aussi. Elle a juste dit que Haven était la première colonie et les nouvelles colonies sont nées le long de la rivière, sur la route des gens qui se déplaçaient vers l'ouest. Farbranch a été la seconde.

– Celle-ci mène probablement à la rivière (je pointe à droite, puis à gauche), et celle-ci est probablement la plus directe pour aller à Haven.

– Laquelle croiront-ils qu'on a prise ?

– Faut se décider, de toute façon. Et vite.

– Droite, dit-elle. (Puis, plus vraiment comme une question :) Droite ?

Un BOUUM! nous fait sursauter. Un champignon de fumée monte au-dessus de Farbranch. La grange où j'ai travaillé toute la journée est en feu.

Peut-être que notre histoire sera complètement différente si on prend la route de gauche, peut-être que les mauvaises choses qui attendent de nous arriver n'arriveront pas, peut-être qu'il y a du bonheur au bout de la route de gauche et des endroits chauds avec des gens qui nous aiment et pas de Bruit mais pas de silence non plus et avec plein de nourriture et où personne ne meurt et personne ne meurt et personne non jamais personne ne meurt jamais.

Peut-être.

Mais j'en doute.

Je suis pas ce qu'on pourrait appeler quelqu'un de verni.

– Droite, je décide. Pourquoi pas celle de droite, après tout.

Alors on dévale la route de droite, Manchee sur nos talons, la nuit et ce ruban poussiéreux étiré devant nous, une armée et un désastre derrière nous, moi et Viola courant côte à côte.

On court jusqu'à plus pouvoir courir et puis on marche mais vite, jusqu'à pouvoir courir de nouveau. Derrière nous, les sons de Farbranch disparaissent très rapidement et on entend plus que nos pas qui battent la piste et mon Bruit et Manchee qui aboie. S'il y a des criatures de nuit par ici, on doit les effrayer.

C'est probablement pas plus mal.

– S'appelle comment… prochaine colonie? je souffle, au bout d'une bonne demi-heure de course-et-marche. Francia t'a dit?

– Fanal Brillant… crache Viola, cherchant aussi son souffle. Ou Phare Brillant… Non, Phare Brûlant… Ou Fanal Brûlant ?

– Eh ben avec ça…

– Attends… (Elle s'arrête, cassée en deux pour respirer.) Faut que je boive.

– Moi aussi. Et… t'en as ?

Elle me fixe avec une grimace.

– Zut.

– Y a toujours la rivière.

– On ferait bien de la trouver, alors.

– Je suppose.

J'aspire une grande bouffée d'air avant de m'élancer, quand elle m'arrête.

– Todd ? Je pense à quelque chose.

– Ah oui ?

– Phare Brûlant ou je ne sais quoi.

– Et alors ?

– D'une certaine façon… (Elle baisse la voix, produisant un son triste, pénible, puis reprend :) D'une certaine façon, nous avons conduit nous-mêmes cette armée jusqu'à Farbranch, non ?

Je passe la langue sur mes lèvres sèches. Elles ont goût de poussière. J'ai parfaitement compris.

– « *Tu dois les avertir* », prononce-t-elle doucement dans le noir. Je suis désolée, mais…

– On peut pas entrer dans les autres colonies…

– Je crois que non.

– Pas avant Haven.

– Pas avant Haven, et là, reste à espérer que ce soit assez grand pour repousser une armée.

Bon, eh bien voilà. Au cas où on l'aurait oublié, on est vraiment seuls. Vraiment, véritablement seuls. Moi et Viola et Manchee et l'obscurité pour nous tenir compagnie. Personne sur la route pour nous aider, jusqu'au bout, et encore, même là, avec la chance qu'on a eue jusqu'ici…

Je ferme les yeux.

Je m'appelle Todd Hewitt. Quand il sera minuit, je serai un homme dans vingt-sept jours. Je suis le fils de ma maman et de mon papa, qu'ils reposent en paix. Je suis le fils de Ben et de Cillian, qu'ils…

Je m'appelle Todd Hewitt.

– Je m'appelle Viola Eade… dit Viola.

Je rouvre les yeux. Elle tend la main.

Elle me tend la main.

– Mon nom de famille. Eade. E-A-D-E.

Je la regarde une seconde, regarde sa main tendue. Puis je tends la mienne et je la prends et je la presse dans la mienne et je la relâche.

Je secoue les épaules pour équilibrer mon sac. Je glisse une main dans mon dos pour sentir le couteau, vérifier qu'il est bien là. Je jette un coup d'œil sur ce pauvre Manchee, haletant et mi-queue, puis je croise le regard de Viola.

– Viola Eade, je prononce, et elle hoche la tête.

Et nous voilà repartis vers le fond de la nuit.

21 Le monde plus vaste

– Elle ne peut pas être aussi loin, lance Viola. Ça n'a vraiment aucun sens logique.

– À cause que tu connais un autre genre de sens, toi ?

Elle se renfrogne. Moi aussi. On est fatigués, de plus en plus fatigués, on essaye de pas penser à ce qu'on a vu à Farbranch, et on a marché et on a couru ce qui nous paraît une bonne moitié de nuit – et toujours pas de rivière. Je commence à avoir peur, on a peut-être pris la mauvaise route, mais retourner en arrière maintenant c'est plus possible.

– Ce *n'est* plus possible, corrige Viola derrière moi, essoufflée.

Je me retourne brusquement.

– Erreur, et ça, pour deux raisons. Premièrement, lire tout le temps le Bruit des gens va pas t'attirer beaucoup de sympathie par ici.

Elle croise les bras, comme pour me défier.

– Et la deuxième ?

– La deuxième, c'est que je parle comme ça me chante.

– Oui, *ça*, je l'ai remarqué.

Mon Bruit commence à monter et j'inspire très fort, quand elle fait « Chut… » et ses yeux luisent au clair des lunes en regardant plus loin derrière moi.

Le son de l'eau.

– Rivière ! aboie Manchee.

On s'est mis à courir. Un tournant, une pente, un autre tournant et voilà la rivière, plus large, plus plate et plus lente que quand on l'a vue la dernière fois mais bien aussi mouillée. On dit rien, on se laisse juste tomber sur les rochers au bord de l'eau, et on boit, Manchee plongé dans l'eau jusqu'au ventre pour laper.

Viola, à côté de moi pendant que j'avale par petites gorgées, son silence de nouveau. Il marche dans les deux sens, ce truc. Même si elle entend très bien mon Bruit, eh bien, ici tout seuls, loin du bavardage des autres ou du Bruit d'une colonie, il y a son silence, fort comme un rugissement, qui me tire comme la plus grande tristesse imaginable, comme si je voulais le prendre et me presser dedans et juste disparaître pour toujours dans son rien.

Quel soulagement ce serait, maintenant. Quel miraculeux soulagement.

– Je ne peux pas m'empêcher de t'entendre, tu sais… dit-elle debout, en ouvrant son sac. Quand c'est tranquille autour et que nous sommes seuls.

– Et je peux pas m'empêcher de pas l'entendre. Et peu m'importe ce que c'est… (Je siffle Manchee :) Sors de là ! Pourrait y avoir des serpents !

Il s'est plongé le derrière dans l'eau, se tortille jusqu'à ce que le pansement se détache et parte avec le courant. Puis il saute sur les rochers et se met aussitôt à lécher sa queue.

– Laisse-moi voir un peu…

Il aboie « Todd ? » pour la forme, mais quand je m'approche il replie sa queue aussi loin sous son ventre que sa nouvelle longueur le permet. Doucement je la déplie, Manchee murmurant en lui-même « Queue, queue » pendant ce temps-là.

– Hé ! Ces pansements, ils marchent même pour les chiens !

Viola a retiré deux rondelles de son sac. Elle enfonce les deux pouces dedans et elles se gonflent aussitôt pour faire des gourdes. Elle s'agenouille, remplit les deux et m'en jette une.

– Merci, je dis, mais sans vraiment la regarder.

Elle essuie sa gourde. On reste debout sur la berge pendant un instant, puis elle range la gourde dans son sac et elle fait silence comme je sais maintenant qu'elle fait quand elle a quelque chose de difficile à dire.

– Je ne veux surtout pas te vexer, finit-elle par articuler en me regardant. Mais je crois que c'est peut-être le moment de lire cette indication sur la carte.

Je me sens rougir, même dans le noir, et je me sens prêt aussi à une dispute.

Puis je pousse un soupir. Je suis fatigué, il est tard et on court encore, et puis, enfin, elle a quand même raison. Il faudrait vraiment de la mauvaise foi pour lui donner tort.

Je laisse tomber mon sac à dos. J'en tire le livre, déplie la carte de sa couverture intérieure. Je la lui tends, sans la regarder. Elle sort sa lampe torche, éclaire le papier, le retourne du côté du message de Ben. Je suis surpris quand elle se met à le lire à haute voix. Et tout d'un coup, même avec sa voix, on dirait que celle de Ben descend la rivière, arrive en écho de Prentissville, frappant ma poitrine comme d'un grand coup de poing.

« *Va à la colonie en suivant la rivière et de l'autre côté du pont*, elle lit. *Elle s'appelle Farbranch et les gens devraient bien t'accueillir.* »

– C'est vrai, je fais. Certains.

« *Il y a des choses que tu ne sais pas sur notre histoire, Todd, et j'en suis désolé mais si tu les savais tu serais en grand danger. La seule chance pour toi d'être bien accueilli, c'est ton innocence.* »

Je me sens rougir encore plus. Heureusement, il fait trop sombre pour le voir.

« *Le livre de ta maman t'en dira plus, mais pour l'instant, le monde plus vaste doit être averti, Todd. Prentissville est en marche. Les plans sont prêts depuis des années, ils n'attendent qu'une chose, que le dernier garçon de Prentissville devienne un homme.* »

Viola lève les yeux.

– C'est toi ?

– C'est moi, oui. J'étais le plus jeune. J'aurai treize ans dans vingt-sept jours et alors je deviendrai officiellement un homme selon la loi de Prentissville.

Et je peux pas m'empêcher de penser une seconde à ce que Ben m'a montré –

Comment un garçon devient –

Je couvre ça très vite et enchaîne :

– Mais je sais pas du tout pourquoi Ben dit ça, qu'ils m'attendent.

«Le Maire a prévu de s'emparer de Farbranch et qui sait quoi d'autre au-delà. Cillian et moi…»

– On prononce Killian, je corrige.

«Cillian et moi on essaiera de le retarder aussi longtemps qu'on pourra mais on ne pourra pas l'arrêter. Farbranch sera en danger et vous devez les prévenir. Souviens-toi toujours, toujours, que nous t'aimons comme notre propre fils et que t'envoyer là-bas c'est la chose la plus dure qu'on ait jamais faite. S'il y a la plus petite possibilité, on se reverra, mais d'abord tu dois aller à Farbranch aussi vite que tu peux, et quand tu seras là-bas, tu dois les avertir. Ben.»

– Cette dernière ligne est soulignée, dit Viola.

– Je sais.

Et puis on dit rien pendant un instant. Il y a comme un reproche dans l'air mais peut-être que ça vient de moi.

Comment savoir, avec une fille silencieuse?

– Ma faute, je fais. Tout est de ma faute.

Viola relit le texte une seconde fois, pour elle-même.

– Ils auraient dû te le dire. Pas s'attendre à ce que tu lises puisque tu ne sais pas…

– S'ils me l'avaient dit, tout Prentissville l'aurait entendu dans mon Bruit et ils auraient su que je savais. On aurait pas eu d'avance sur eux…

Je détourne mon regard du sien.

– J'aurais dû le donner à quelqu'un qui sait lire et voilà. Ben, c'est un type bien… (Je baisse la voix.) C'était.

Elle replie la carte et me la tend. Ça nous sert plus à rien maintenant, mais je la replace soigneusement à l'intérieur du livre.

– Je pourrais te le lire, dit Viola. Le livre de ta mère. Si tu voulais.

Je reste dos tourné et range le livre dans mon sac à dos.

– On doit y aller. On a perdu assez de temps ici.

– Todd…

– On a une armée à nos trousses. Plus trop le moment de faire la lecture.

Alors on se remet en route. On court aussi longtemps que possible, mais quand le soleil se lève, lent, et paresseux, et froid, on a pas dormi, et pas dormi après une longue journée de travail, alors même avec une armée sur nos talons, on peut tout juste à peine marcher d'un bon pas.

Mais on continue encore, pendant toute cette matinée. La route longe toujours la rivière comme on l'espérait, et le terrain commence à s'aplanir autour de nous, des grandes prairies sauvages qui s'étendent vers des collines basses et des collines plus élevées au loin, et, en direxion du nord, vers des montagnes encore plus loin.

Mais pas de clôtures, pas de champs cultivés, aucun signe d'habitations ni de gens, sauf cette piste poussiéreuse. Une bonne chose en un sens, mais bien étrange tout de même.

Si Nouveau Monde n'a pas été décimé, alors, où sont passés les gens ?

Nous voilà encore au détour d'un autre virage poussiéreux, avec rien après, sauf d'autres virages poussiéreux.

– T'en penses quoi ? je demande. Tu crois qu'on est sur la bonne route ?

Viola murmure, l'air pensif :

– Mon papa disait : « Il n'y a qu'en avant, Vi, vers l'extérieur et vers le haut. »

– Il n'y a qu'en avant… je répète.

– Vers l'extérieur et vers le haut.

– Quel genre c'était ? Ton père ?

Elle baisse les yeux, et de côté je devine comme une moitié de sourire.

– Il sentait le pain frais…

Puis elle reprend sa marche et elle ajoute rien de plus.

La matinée se transforme en après-midi et ça change rien. On court quand on peut, on marche vite quand on peut pas courir, et on se repose uniquement quand on en peut vraiment plus. La rivière reste plate et régulière, comme la terre brune et verte tout autour. Je vois des faucons bleus, ils planent très haut et cherchent une proie, mais pratiquement pas d'autre signe de vie.

– Comme elle est vide, cette planète, dit Viola, quand on s'arrête faire une rapide pause déjeuner, appuyés sur des rochers qui dominent un barrage naturel.

– Oh, elle est bien assez remplie, tu sais, je marmonne en mâchant mon fromage. Crois-moi.

– Je te crois. Je veux juste dire que je comprends pourquoi des gens voudraient s'installer ici. Plein de terres fertiles, plein de potentiel pour commencer une nouvelle vie.

– Mmouais, ils auraient bien tort, je réponds, mâchant toujours.

Elle se masse la nuque et regarde Manchee, il renifle les abords du barrage, flairant probablement les tisserands de bois qui l'ont rendu habitable en dessous.

– Pourquoi deviens-tu un homme à treize ans, là-bas ?

– Hmm ?...

Je lève le nez, surpris.

– Sur le papier... La ville qui attend que le dernier garçon devienne un homme. Mais pourquoi attendre ?

– C'est comme ça que Nouveau Monde a toujours fait. C'est supposé marqué dans la Scripture. Aaron le ressassait tout le temps, comme quoi ça symbolisait le jour où tu manges de l'Arbre de la Connaissance et alors tu passes de l'innocence au péché.

Elle me jette un coup d'œil amusé.

– Ça me paraît plutôt lourdingue.

Je hausse les épaules.

– Ben disait que la vraie raison c'était que sur une planète isolée, un petit groupe de gens a besoin de tous les adultes disponibles, alors ils fixent l'âge des vraies responsabilités à treize ans.

Je jette une pierre dans le courant.

– M'en demande pas plus. C'est treize ans, point final. Treize cycles de treize mois.

– Treize mois ?

Je hoche la tête.

– Mais il n'y a que douze mois, dans une année !

– Non. Treize.

– Peut-être ici. Mais là d'où je viens, il y en a douze.

Je plisse les yeux.

– Treize mois dans une année de Nouveau Monde, je répète comme un débile.

Elle a l'air de calculer quelque chose.

– Mais alors, suivant la longueur d'une journée ou d'un mois sur cette planète, tu pourrais avoir… quatorze ans déjà.

– Bon, ça marche pas comme ça ici, je fais, un peu brusquement, un peu énervé. Moi, j'aurai treize ans dans vingt-sept jours.

– Quatorze ans et un mois, en fait… Et donc, on peut se demander comment savoir l'âge des gens…

– Il reste encore vingt-sept jours jusqu'à mon anniversaire, j'insiste. (Je me remets debout, et j'enfile mon sac à dos.) Allez, on a perdu assez de temps comme ça à bavarder.

Le soleil a déjà commencé à plonger derrière la cime des arbres quand on aperçoit les premiers signes de cilivisation : un moulin abandonné au bord de l'eau, sa toiture brûlée, depuis des années peut-être. On marche depuis si longtemps qu'on parle même pas, on surveille même pas vraiment le terrain autour de nous. On entre, on jette nos sacs par terre contre les murs et on se laisse tomber sur le sol comme si c'était un lit de plumes. Manchee, qu'a jamais l'air fatigué, court dans tous les sens, levant la patte sur chaque plante qui pousse à travers les planchers éventrés.

– Mes pieds… je gémis, retirant précautionneusement mes chaussures, et je compte cinq – non, six ampoules.

En face, Viola pousse un soupir épuisé.

– Il faut dormir. Même si…

– Je sais.

Elle me regarde.

– Tu les entendras venir, s'ils arrivent ?

– Oh, oui je les entendrai. Ça, tu peux en être sûre.

On décide de dormir à tour de rôle. Je resterai de veille le premier et Viola peut à peine dire bonne nuit qu'elle a déjà sombré. Je la regarde dormir pendant que la lumière faiblit. Le peu de propre qu'on a eu chez Hildy est déjà parti depuis longtemps. Je dois pas avoir l'air mieux qu'elle, sa figure plâtrée de poussière, des cernes gris autour des yeux, ses ongles noirs de crasse.

Je réfléchis.

Je la connais depuis seulement trois jours. Trois feuttus petits jours dans une vie entière, c'est rien, mais c'est comme si rien de ce qu'était arrivé avant était vraiment arrivé, comme si tout ça n'a été qu'un gros mensonge attendant seulement que je le découvre, comme si la vraie vie maintenant, la vie qui court sans sécurité ni réponse, comme si elle fait rien qu'avancer.

J'avale une petite gorgée d'eau et j'écoute les criquets grésiller xexe xexe xexe et je me demande à quoi ressemblait sa vie avant ces trois derniers jours. Oui, c'est comment de grandir dans un vaisseau spatial ? Un endroit où vous rencontrez jamais de gens nouveaux, un endroit aux limites que vous pouvez jamais franchir ?

Un endroit un peu comme Prentissville, finalement, d'où, si vous disparaissez, vous pourrez jamais revenir.

Je l'observe. Mais elle en est sortie, non ? Elle a passé sept mois avec sa mère et son père à bord du petit vaisseau qui s'est écrasé.

Mais pourquoi ?

– Vous devez envoyer des vaisseaux éclaireurs pour étudier le terrain local et trouver les meilleurs sites d'atterrissage… marmonne Viola sans s'asseoir ni même bouger la tête. Comment font les gens pour dormir dans un monde rempli de Bruit ?

– On s'y fait. Mais pourquoi si longtemps ? Pourquoi sept mois ?

– C'est le temps qu'il faut pour monter un camp de base…

Elle se plaque les mains sur les paupières, épuisée.

– Moi et ma mère et mon père nous étions supposés trouver le meilleur lieu d'atterrissage pour les vaisseaux, et construire le premier camp, et ensuite prévoir les premières structures nécessaires aux colons quand ils débarqueraient. Une tour de contrôle, un entrepôt alimentaire, une clinique. (Elle me regarde entre ses doigts.) La procédure habituelle.

– J'ai jamais vu de tour de contrôle sur Nouveau Monde…

Elle se redresse.

– Ça, je veux bien le croire. Quand je pense que vous n'avez même pas de communications entre les colonies.

–Alors, vous êtes pas des colons d'église, hein… je fais, comme si j'en savais quelque chose.

– Quel est le rapport ? Quelle église sensée voudrait se couper d'elle-même ?

– Ben disait qu'on est venus dans ce monde pour une vie plus simple, il disait qu'il y a même eu une dispute, au début, pour décider s'il fallait détruire les générateurs à fission.

– Mais vous seriez tous morts ! s'exclame Viola.

– C'est pour ça qu'ils ont pas été détruits, je suppose. Même quand Maire Prentiss a décidé de se débarrasser de presque tout le reste.

Elle se frictionne les tibias et lève les yeux vers les étoiles qui commencent à se montrer par un trou dans le toit.

– Ma mère et mon père étaient tellement enthousiastes. Tout un nouveau monde, tout un nouveau départ, tous ces plans de paix et de bonheur…

Elle s'arrête.

– Désolé que ça soit si différent, je murmure.

Elle fixe ses pieds.

– Ça te dérangerait d'attendre un peu dehors, le temps que je m'endorme ?

– Pas de problème.

Je prends mon sac à dos et passe par l'ouverture où se trouvait la porte. Manchee se lève et me suit. Je m'assieds, il se pelotonne contre mes jambes et se rendort, pétant avec bonheur et poussant un profond soupir de chien. Pas compliqué, être chien.

Je regarde les lunes se lever, les étoiles suivre, les mêmes lunes et les mêmes étoiles qu'à Prentissville, même ici, au-delà du bout du monde. Je reprends le livre, le cuir de la couverture comme verni sous la lune. Je feuillette les pages au hasard.

Je me demande si ma maman était heureuse quand ils ont débarqué, si sa tête était pleine de paix et de bonne espérance et de joie éternelle.

Je me demande si elle a trouvé quelque chose de tout ça avant de mourir.

Ma poitrine se fait lourde, alors je remets le livre dans le sac et je pose la tête contre les planches du moulin. J'écoute la rivière couler et les feuilles chuchoter entre elles dans les quelques arbres autour de nous et je regarde les ombres des collines, très loin à l'horizon, et les forêts qui frémissent dessus.

Je vais attendre quelques minutes encore, puis je rentrerai à l'intérieur pour vérifier si Viola va bien.

Une seconde plus tard, elle me secoue, mais on est des heures plus tard, et ma tête complètement dans le brouillard jusqu'à ce que je comprenne.

– Du Bruit, Todd. J'entends du Bruit.

Je suis déjà debout, je réclame le silence à Viola et à Manchee qui aboie, pas content d'être réveillé. Ils se calment et je tends

l'oreille dans la nuit.

Murmure murmure murmure... là, comme une brise murmure murmure... pas de mots et très loin mais planant, nuage d'orage planant derrière une montagne murmure murmure.

Déjà j'ai tendu la main vers mon sac à dos.

– Il faut y aller.

– C'est l'armée ? demande-t-elle, courant à l'intérieur pour attraper son sac.

– Armée ! aboie Manchee.

– Sais pas. Probablement.

– Et si c'était la prochaine colonie ? dit Viola en revenant, son sac en bandoulière. On ne doit plus en être bien loin.

– Alors, pourquoi on l'a pas entendue quand on est arrivés ici ?

Elle se mord la lèvre.

– Bon D...

– Ouais. Bon D...

Alors la seconde nuit après Farbranch se passe comme ça, comme la première, à courir dans l'obscurité, en allumant les lampes quand il faut, en essayant de pas penser. Juste avant que le soleil se lève, la rivière sort de sa plaine pour entrer dans une petite vallée comme celle de Farbranch, et sûrement que c'est Phare

Brûlant ou je sais pas quoi, alors il y a peut-être des gens qui habitent par là.

Eux aussi, ils ont des vergers. Et des champs de blé, mais vraiment rien d'aussi bien entretenu qu'à Farbranch. Une chance pour nous, la plus grande partie de la ville perche au sommet d'une colline, coupée par une route qui semble plus importante, celle de gauche, peut-être, avec cinq ou six bâtiments qu'auraient grand besoin d'un coup de peinture. En bas de notre piste en terre, devant la rivière, il y a des bateaux et des pontons vermoulus, et des entrepôts, et tout ce qu'on peut conxtruire au bord d'une rivière qui passe.

Impossible de demander de l'aide. Et puis même, l'armée arrive de toute façon. On devrait les avertir mais avertir qui ? Des Matthew Lyle, ou des Hildy ? Et si en les prévenant on attirait l'armée tout droit sur eux parce qu'on entre dans le Bruit de tout le monde ? Et si la colonie sait qu'on est la cause de l'arrivée de l'armée et décide alors de nous livrer ?

Mais il faut bien les prévenir quand même, non ?

Et si ça nous met en danger ?

Et donc on se glisse à travers la colonie comme des voleurs, on court d'un entrepôt à l'autre, on reste hors de vue de la ville perchée là-haut, on reste immobiles, silencieux quand une femme toute maigrichonne se dirige avec son panier vers un poulailler derrière des arbres.

Mais c'est pas bien grand et on en sort avant que le soleil soit complètement levé, et nous voilà de nouveau sur la route comme si tout ça, on l'avait même pas vécu. On jette un regard en arrière, puis tout disparaît caché par un tournant.

– Cette colonie, chuchote Viola, on ne saura même pas comment elle s'appelait, en fait.

– Et maintenant, on a vraiment plus aucune idée de ce qui nous attend, je chuchote aussi.

– On continue jusqu'à Haven.

– Et puis quoi, ensuite ?

Et comme elle répond rien :

– On en met, de l'espoir, dans un seul nom…

– Il y a forcément quelque chose, Todd, dit-elle sans grand enthousiasme. Il y a obligatoirement quelque chose, là-bas.

Au bout d'un moment, je finis par dire :

– Bon, de toute façon, on verra bien.

Et c'est le début d'une nouvelle matinée. Deux fois sur la route, on aperçoit des hommes avec des charrettes à cheval. Chaque fois, on bifurque très vite, plongeant à couvert dans les bois, Viola serrant le museau de Manchee d'une main, moi essayant de garder Prentissville aussi loin que possible de mon Bruit, jusqu'à ce qu'ils soient loin.

Les heures passent et rien ne change. On entend plus ces chuchotements de l'armée, ou d'autre chose, comment vérifier de toute façon. Une fois de plus le matin se transforme en après-midi, quand on aperçoit une colonie, perchée sur une hauteur. Nous-mêmes on gravit une colline plus petite, et la rivière plonge doucement, on la voit s'étaler beaucoup plus loin, au milieu de ce qui ressemble à un début de plaine qu'il va falloir traverser.

Viola pointe ses jumelles un instant sur la colonie, puis me les tend. Dix ou quinze bâtiments, cette fois. Même à cette distance, ils ont l'air miteux et en bien mauvais état.

– Je ne comprends pas, remarque Viola. Normalement, selon les règles de la colonisation, l'agriculture de subsistance ne devrait plus exister depuis des années. Et il y a manifestement du commerce, alors pourquoi tant de difficultés ?

– T'y connais pas grand-chose à la vie des colons, hein ? je ricane, me moquant un peu.

Elle pince les lèvres.

– C'était une matière obligatoire, à l'école. J'ai appris à bâtir une colonie viable dès l'âge de cinq ans.

– L'école, c'est pas la vie.

– Ah oui ?

Elle hausse les sourcils, se moquant à son tour. Vexé, je réagis brusquement.

– Je te l'ai pas déjà dit, peut-être ? Nous étions trop occupés à survivre pour apprendre grand-chose sur l'agriculture de subsissance.

– Subsistance.

– M'en fiche.

Je me remets en route. Viola suit, énervée.

– On t'apprendra une chose ou deux, quand mon vaisseau arrivera. Ça, tu peux en être sûr.

– Mais oui, mais oui… Et nous autres abrutis de péquenots, on fera la queue pour vous lécher le derrière, tellement qu'on vous sera reconnaissants, pas vrai ?

Mon Bruit bourdonne et j'ai pas tout à fait dit « derrière ».

– Eh bien parfaitement. (Elle hausse le ton.)

Essayer de remonter le temps jusqu'à l'âge des ténèbres vous a drôlement réussi, hein ? Quand ils arriveront, tu verras comment les gens sérieux colonisent.

– Reste encore sept mois.. Largement le temps pour toi

d'observer comment les vrais gens vivent.

– Todd ! aboie Manchee.

Il nous fait sursauter, et brusquement s'élance en avant.

– Manchee ! je crie. Reviens ici !

Alors, tous les deux on l'entend.

22 *Wilf et la mer des choses*

Il est étrange, ce Bruit, presque sans mots, couronnant et descendant la colline devant nous, avec une seule idée mais parlant à travers un millier de voix chantant la même chose.

Oui.

Chantant.

– Qu'est-ce que c'est? demande Viola, aussi effarée que moi. Pas l'armée, quand même? Comment serait-elle devant nous?

– Todd! aboie Manchee du haut de la colline. Vaches, Todd! Vaches! Géantes!

– Des vaches géantes? reprend Viola, interloquée.

– Sais pas…

Déjà je m'élance vers le sommet de la colline.

À cause que ce son…

Comment le décrire?

C'est comme si les étoiles pouvaient sonner. Ou les lunes. Mais pas les montagnes, non. Trop flottant pour des montagnes. Un son, comme si une planète chantait quelque chose à une autre, un chant aigu, tendu, et plein de voix différentes jetant des notes différentes et descendant doucement vers d'autres notes différentes mais toutes tressant une seule, unique corde de son triste mais pas triste et lent mais pas lent et toutes chantant un mot.

Un mot.

On arrive au sommet de la colline et une autre plaine se déroule devant nous, la rivière cascadant pour la rejoindre et puis s'écoulant à travers comme une veine d'argent à travers un rocher plat et partout sur la plaine, marchant d'un côté à l'autre de la rivière, il y a des criatures.

Des criatures comme j'en ai jamais vu des pareilles, de toute ma vie.

Elles sont énormes, font bien quatre mètres de haut, plus peut-être, sous leur fourrure d'argent mitée, avec une grosse queue touffue, et puis des cornes blanches toutes recourbées et un long cou qui s'abaisse jusqu'à l'herbe de la plaine, l'herbe que leurs grosses lèvres tondent pendant qu'elles avancent lourdement, puis boivent l'eau en traversant la rivière, et il y en a des milliers, des milliers qui s'étendent de l'horizon à notre droite jusqu'à l'horizon à notre gauche, et le Bruit de toutes, c'est un seul mot chanté à différents moments sur différentes notes, mais un mot qui les relie toutes ensemble, les unit en un seul groupe pendant qu'elles traversent la plaine.

– *Ici*, dit Viola. Elles chantent «*ici*».

Elles chantent Ici. Elles s'appellent comme ça, dans leur Bruit.

Je suis Ici.

Nous sommes Ici.

Nous allons Ici.

Tout ce qui compte est Ici.

Ici.

C'est…

Comment le dire ?

C'est comme le chant d'une famille où tout est toujours bien, c'est un chant d'appartenir qui vous fait appartenir rien qu'en l'entendant, c'est un chant qui prendra toujours soin de vous et qui jamais vous quittera. Si vous avez un cœur, ça le brise, si vous avez le cœur brisé, ça le répare.

– C'est…

Woufff…

Je regarde Viola, elle se couvre la bouche d'une main et ses yeux sont mouillés, mais je devine un sourire à travers ses doigts et je vais pour dire quelque chose quand…

– Bé ! Z'irez pleus bin loin à pied… fait une voix complètement différente, sur notre gauche.

On pivote, ma main filant aussitôt vers mon couteau. Un homme qui conduit une charrette vide, tirée par une paire de bœufs, nous observe d'un petit chemin secondaire, sa mâchoire pendante comme s'il avait oublié de la refermer.

Il a un fusil sur le siège à côté de lui, comme s'il venait de le poser là.

Au loin, Manchee aboie :

– Vache !

– É z'viteront une cheurrette, dit l'homme, mé à pied, eucune chaince, é vous écrabeuilleront keum des crêpes.

Et il laisse encore pendre sa mâchoire. Son Bruit, enterré sous tous les Icis du troupeau, semble dire exactement ce que dit sa bouche. Je fais tellement d'efforts pour pas penser certains mots que j'en ai déjà mal à la tête.

– Z'peux vous canduire à tranvers. À vous de vouère.

Il lève le bras, le pointe vers le bas de la route qui disparaît sous les sabots de la horde. J'y avais même pas pensé, mais les criatures nous barrent complètement le passage, et, bien sûr, pas question d'essayer de marcher au milieu.

Je me retourne, commence à dire quelque chose, n'importe quoi pour nous tirer d'ici.

Alors se passe cette chose invraisemblable.

Viola regarde l'homme et elle articule :

– Z'm'épelle Hildy… É lui, zé Bén.

– Quoi ?… (Je l'ai aboyé, presque comme Manchee.)

– Wilf, fait l'homme à Viola, et il me faut bien une seconde pour comprendre qu'il nous a dit son nom.

– K'meint k'zava, Wilf ?… dit Viola, et sa voix n'est pas la sienne, du tout, une voix complètement nouvelle sort de sa bouche, s'étale et s'abrége, se tord et se détord et plus elle parle, plus cette voix sonne différent.

Plus elle sonne pareil que celle de Wilf.

– … On vient de Farbringe. D'où k't'é donc, toi ?

Wilf balance son pouce par-dessus son épaule.

– Bar Vizta. On se rind à Breuckley Feulls, charger de la meurchindise.

– Woeuh, supére, fait Viola. Nous peureil, on s'y rind, à Breuckley Feulls.

Mon mal de tête s'arrange pas. Je me plaque les mains sur les tempes, pour essayer de rentrer mon Bruit à l'intérieur, essayer de pas déverser des mauvaises choses dans le monde. Heureusement, le chant d'Ici nous fait déjà baigner, nager en plein dans le son.

– Hé bé, montez donc!... vocifère Wilf, avec un mouvement d'épaule.

– Viens-t'en, Ben, dit Viola jetant son sac à l'arrière de la charrette. Wilf y nous emmène.

Elle saute dans la charrette et Wilf fait claquer les rênes sur ses bœufs. Lentement ils démarrent et Wilf me jette même pas un coup d'œil. Je reste là debout stupéfait quand Viola passe devant moi, me fait frénétiquement signe de monter. J'ai pas le choix.

J'avance à son niveau et me hisse des deux bras.

Je m'assieds à côté d'elle et la fixe, ma bouche bée comme un four.

– *Mais qu'est-ce que tu fabriques?* je siffle enfin, voulant chuchoter.

– Chut...

Elle jette un coup d'œil sur Wilf par-dessus son épaule, mais il aurait presque l'air de nous avoir complètement oubliés, à entendre ce qui se passe dans son Bruit.

– Je ne sais pas, elle me glisse à l'oreille. Joue le jeu, c'est tout.

– Mais... quel jeu?

– Si nous pouvons passer de l'autre côté de la horde, alors elle sera entre nous et l'armée, non?

Ça, j'admets, j'y avais pas pensé.

– Mais qu'est-ce que Ben et Hildy ont à voir là-dedans?

– Il a un fusil, elle chuchote toujours, surveillant à nouveau Wilf. Et tu as dit toi-même comment les gens peuvent réagir s'ils savent d'où tu viens. Alors, c'est juste sorti comme ça, quoi.

– Mais tu parlais avec sa voix.

– Pas très bien.

– Suffisamment bien ! je m'exclame, un peu trop fort tellement je suis éberlué.

– Chut ! elle répète, quoique avec la horde des criatures qui se rapproche à chaque minute et le cerveau manifestement pas trop lumineux de Wilf, on pourrait tout aussi bien avoir une conservation normale.

– Mais comment tu fais ? je dis, toujours submergé par ma stufépaxion.

– C'est juste du mensonge, Todd... Vous n'avez donc pas de mensonge, ici ?

Évidemment qu'on en a du mensonge, ici. Nouveau Monde et la ville d'où je viens (j'évite de prononcer le nom, j'évite de penser au nom), c'est presque rien que du mensonge. Mais un mensonge différent. Je l'ai déjà dit, les hommes mentent tout le temps, à eux-mêmes, aux autres hommes, au monde en général, mais qui peut démêler le fil qui vole parmi tous les mensonges et toutes les vérités qui flottent hors de votre tête ? Tout le monde sait que vous mentez mais tout le monde ment aussi, alors quelle importance ? Qu'est-ce que ça change ? Ça fait juste partie de la rivière d'un homme, partie de son Bruit, et parfois vous pouvez faire la différence, parfois non.

Mais un homme, il cesse jamais d'être lui-même quand il ment.

Tandis que je sais rien sur Viola, à part ce qu'elle raconte. La seule vérité que j'ai, elle sort de sa bouche. Et donc, pendant une seconde tout à l'heure, quand elle a dit qu'elle s'appelait Hildy et moi Ben et qu'on était de Farbranch et elle parlait exactement comme Wilf (alors qu'il est même pas de Farbranch, au fait), toutes ces choses sont devenues vraies juste un instant et le monde est devenu différent, pendant une seconde il est devenu fabriqué par ça, la voix de Viola, et ça décrivait pas quelque chose, ça fabriquait quelque chose, ça nous fabriquait différents avec juste des mots.

Oh, ma tête.

– Todd! Todd! aboie Manchee, surgissant derrière la charrette, entre nos pieds Todd!

– Zut, Manchee, lâche Viola.

Je saute au bas de la charrette, l'attrape, emprisonne son museau d'une main, avec l'autre le hisse à bord.

– Fodd? il souffle à travers sa gueule fermée.

– Chut, Manchee, je fais.

– Je ne suis même pas sûre que ça ait de l'importance, remarque Viola, à voix plus haute.

Je regarde autour de nous.

– Vchhh… grogne Manchee.

Une criature passe juste devant nous.

On est dans la horde, maintenant.

Dans le chant.

Alors, très vite, j'oublie tout sur les mensonges et le reste.

J'ai jamais vu la mer, seulement en vidéo. Pas de lacs non plus, là où je suis né, juste la rivière et le marais. Il y a peut-être eu des bateaux autrefois, mais j'en ai pas connu.

Pourtant, si je devais imaginer ça, être sur la mer, je l'imaginerais comme ça. La horde nous entoure et avale tout, laissant que le ciel et nous. Elle passe autour de nous comme un courant, parfois nous remarque, mais généralement remarque rien d'autre qu'elle-même, et le chant d'*Ici*, au milieu il devient tellement énorme qu'il semble prendre le contrôle de votre corps, fournir l'énergie qui fait battre votre cœur et respirer vos poumons.

Au bout d'un moment, je me retrouve à tout oublier, Wilf et les... les autres choses que je pouvais penser et je reste juste allongé dans la charrette, à les regarder passer toutes, criatures individuelles qui soufflent, se nourrissent, se bousculent de temps en temps avec leurs cornes, et il y a des bébés aussi, et des vieux mâles, et des criatures des plus grandes, et des plus petites, certaines avec des cicatrices, d'autres avec des fourrures plus miteuses.

Viola est allongée à côté de moi et la petite cervelle de chien de Manchee est submergée par tout ça et langue pendante il regarde juste le troupeau passer, tandis que Wilf nous conduit à travers la plaine, et il y a rien d'autre dans le monde.

Il y a rien d'autre.

Je regarde Viola et elle me regarde et elle sourit et elle secoue la tête et elle essuie le mouillé de ses yeux.

Ici.

Ici.

Nous sommes *Ici* et pas ailleurs.

Parce qu'il y a nulle part ailleurs sauf *Ici.*

– Alors ce... Aaron, dit Viola au bout d'un moment, à voix basse, et je sais bien pourquoi c'est maintenant qu'elle aborde le sujet.

On est tellement en sécurité à l'intérieur de l'*Ici* qu'on peut penser à tous les dangers qu'on veut.

– Aaron ?

J'essaye de pas trop hausser la voix non plus, observant une petite famille de criatures qui valsent, cabriolent derrière la charrette, la maman criature poussant du mufle son bébé criature qui nous fixe intrigué.

– Aaron, c'était ton saint homme ?

– Oui, notre seul et unique.

– Quel genre de choses prêchait-il ?

– La routine. Feu infernal. Danemassion. Jugement.

Elle me dévisage.

– Je ne suis pas sûre que ça soit vraiment la routine, Todd.

Je hausse les épaules.

– Il croyait qu'on vivait la fin du monde. Qui peut dire s'il avait tort ?

Elle secoue la tête.

– À bord du vaisseau, notre prédicateur n'était pas comme ça. Le pasteur Marc. Il était gentil et amical, et avec lui, les choses semblaient toujours devoir aller mieux.

Je ricane.

– Évidemment, c'est pas du tout le style d'Aaron. Il disait toujours : « Dieu nous entend et si l'un de nous tombe, nous tombons tous. » Comme s'il attendait que ça. Qu'on tombe.

– Je l'ai entendu le dire aussi.

Elle croise ses bras.

L'*Ici* nous enveloppe encore, se déverse partout.

Je me tourne vers elle.

– Est-ce que… Est-ce qu'il t'a fait du mal? Dans le marais?

Elle fait non de la tête et lâche un soupir.

– Il tempêtait et puis délirait devant moi et je suppose que c'était un genre de prêche, mais si je courais il courait après moi et fulminait encore plus, et je pleurais et je lui demandais de m'aider mais il ne m'écoutait pas et il prêchait encore et je voyais des images de moi-même dans son Bruit quand je ne savais même pas ce qu'était le Bruit. Jamais je n'ai eu aussi peur de ma vie, même pas quand notre vaisseau s'est écrasé.

Tous les deux on regarde vers le soleil.

– Si l'un de nous tombe, nous tombons tous, dit-elle. Mais qu'est-ce que ça veut dire, au juste?

Si j'y pense vraiment, je me rends compte que j'en ai pas la moindre idée. Alors je dis rien et on replonge dans l'Ici et on le laisse nous embarquer encore plus loin.

Nous sommes Ici.

Nulle part ailleurs, non.

Au bout d'une heure d'une semaine ou d'une seconde, les criatures commencent à paraître moins serrées et on émerge de l'autre côté de la horde. Manchee saute en bas de la charrette. On roule assez lentement pour qu'il risque pas d'être laissé derrière, alors je le laisse. Nous, on reste encore allongés là.

– C'était pas croyable, murmure Viola, alors que le Bruit déjà commence à disparaître. J'ai même oublié combien mes pieds me font mal.

– Hmm…

– Mais qu'est-ce que c'était?

– Graindes cheuzes, tonne Wilf sans se retourner. Jeuste des cheuzes, zé tout.

Viola et moi on se regarde, on l'avait presque oublié.

Est-ce qu'on lui en laissé capter beaucoup ?

– Cheuzes, é z'ont un nom? demande Viola assise, dans son mensonge à nouveau.

– Bé, bin sûr, fait Wilf en rendant un peu de rênes aux bœufs maintenant qu'on est sortis de la horde. Cheuriots de Liannes, Beuutes des Préés, Gréléphantes… (On le voit hausser les épaules.) Moi z'les épelle jeuste cheuzes, hé pis zé tout.

– Cheuzes, dit Viola.

– Jeusses, j'essaie de répéter.

Wilf regarde par-dessus son épaule.

– Bé dites, z'étes vrément teus de Farbringe ?

– Bé voué, m'z'ieu, fait Viola en me glissant un regard.

Wilf lui adresse un hochement de tête.

– Z'eurez bin veu z't'anrmée, donc ?

Mon bruit monte en flèche avant que j'aie le temps de l'étouffer mais Wilf a toujours pas l'air de faire attention. Viola me dévisage, fronçant les sourcils.

– Quelle anrmée, Wilf? fait-elle, d'une voix qui ment un peu faux.

– L'anrmée de z'te ville meudite, dit-il, conduisant toujours ses bœufs comme si on parlait de légumes. L'anrmée qui sort du maréceuge, elle vient pour preindre les colonies, elle greuzit en avainzant. L'avez vrémeint pas veue ?

– Hé où donk'vous aurez einteindu parler de z't'anrmée, Wilf?

– Des histouéres. Zavez bin, zes histouéres qui remantent la riviére. Aleurs, l'avez veue, ou pas ?

Je secoue la tête mais Viola dit :

– Voué, on l'a vue.

Wilf regarde par-dessus son épaule.

– Elle é grainde ?

– Trés grainde, dit Viola en le fixant d'un air grave. Faut t'préparer, Wilf. C'est du vré dainger qu'arrive là. Tu dois preuvenir Brockley Hills.

– Breuckley Feulls, il corrige.

– Faut les preuvenir, Wilf.

On l'entend pousser comme un grognement, puis on réalise que c'est un rire.

– Hé, hé!... Bé ki zé k'irait 'couter Wilf ?... il marmonne presque pour lui seul avant de claquer ses rênes sur les bœufs.

Il faut presque tout le reste de l'après-midi pour atteindre l'autre bout de la plaine. À travers les jumelles de Viola, on aperçoit encore la horde de choses traverser au loin, du sud au nord, comme s'il y en aurait toujours, éternellement. Wilf dit plus rien sur l'armée. Viola et moi on limite notre conservation au strict minimum pour pas en dévoiler plus. Et puis j'ai tellement de mal à nettoyer mon Bruit, ça m'épuise presque toute ma contracenssion. Manchee suit au bord de la route, occupé par ses propres petites affaires, s'arrêtant pour renifler chaque fleur.

Le soleil a bien baissé dans le ciel quand la charrette finit par s'arrêter avec un long craquement.

– Breuckley Feulls, annonce Wilf, pointant du menton vers où on voit la rivière au loin qui bascule d'une petite falaise.

Au pied des chutes, quinze ou vingt bâtiments se rassemblent autour du bassin. Une piste plus petite part de notre route pour les rejoindre.

– Là qu'on desceind ... dit Viola. Et on saute avec nos sacs.

– Z'penzé bin aussi, dit Wilf, nous jetant un coup d'œil par-dessus l'épaule.

– Meurzi beuceup, Wilf.

– De rein... (Puis, fixant l'horizon :) Va feulloir z'anbriter bintôt. Va pleuvouére.

Viola et moi on lève automatiquement les yeux. Pas un nuage.

– Voué, voué... Peursonne 'coute Wilf...

Viola le regarde, sa voix redevenant elle-même, pour essayer d'enfoncer le clou.

– Vous devez les avertir, Wilf, s'il vous plaît. Si vous entendez qu'une armée arrive, alors vous avez raison, et les gens doivent se préparer.

Wilf répond seulement par un nouveau « Voué, voué...», envoie un coup de rênes et engage ses bœufs sur la piste qui mène à Brockley Falls. Il se retourne même pas une fois vers nous.

On le regarde s'en aller, et puis on reprend notre route.

– Waouh ! fait Viola en étirant ses jambes pour avancer.

– Je sais. Les miennes aussi.

– Tu crois qu'il disait vrai ?

– Sur ?...

– L'anrmée qui greuzit en avainzant. (Elle imite encore sa voix.)

– Comment tu fais ça ? T'es même pas d'ici !

Elle hausse les épaules.

– Un jeu, on y jouait avec ma mère. Raconter une histoire en changeant de voix pour chaque personnage.

– Et tu peux faire ma voix ? je demande, un peu pour la chercher.

Elle sourit.

– Alors keumme ça, tu peux t'feure la conveursassion euvec toi toute seule ?

Je me renfrogne.

– Je parle pas du tout comme ça.

On descend la route, Brockley Falls disparaissant derrière nous. On s'est bien reposés dans la charrette, mais on n'a pas dormi. On essaye d'avancer aussi vite que possible, quoique la plupart du temps on marche et c'est tout. Peut-être que l'armée est vraiment plantée loin derrière, peut-être qu'elle devra attendre le passage des criatures.

Peut-être. Peut-être pas.

Et puis, une demi-heure plus tard…

Il pleut.

– Les gens feraient vraiment mieux d'écouter Wilf, dit Viola en regardant le ciel.

La route a repris son trajet au bord de la rivière et on trouve un endroit raisonnablement abrité entre les deux. On va dîner, attendre que la pluie s'arrête. Sinon, faudra quand même bien continuer. J'ai même pas regardé si Ben m'a mis un poncho.

– Qu'est-ce que c'est, un poncho ? demande Viola, pendant qu'on s'assied chacun contre un arbre.

– Une cape, pour la pluie, je ronchonne, fouillant dans le sac. Eh non, pas de poncho. Super. Et d'ailleurs, je t'ai pas déjà dit de pas écouter trop près ?

Je me sens encore un peu calme, même si, bon, je devrais probablement pas. Le chant d'Ici, j'ai encore l'impression de l'entendre, même si je l'entends plus vraiment, même s'il est maintenant à des kilomètres dans la plaine. Je me surprends à le murmurer, même si j'ai pas la note, essayant de capter ce sentiment de connession, d'appartenir, d'avoir quelqu'un là à qui dire – on est Ici.

Je regarde Viola, elle grignote des fruits secs.

Je pense au livre de maman, dans mon sac.

Je pense à ces histoires, racontées avec leurs voix.

Est-ce que je pourrais supporter d'entendre parler la voix de ma maman ?

Viola froisse le paquet de fruits qu'elle vient de finir.

– C'est le dernier.

– J'ai encore un peu de fromage. Et du mouton séché. Mais va falloir commencer à chercher de la nourriture en chemin.

– Tu veux dire… en voler ?

– Non, chasser. Ou voler, pourquoi pas après tout, si on a pas le choix. Et il y a les fruits sauvages, et je connais des racines qu'on peut manger, si on les fait bouillir.

– Hmm… fait Viola. Pas beaucoup d'occasions de chasse sur un vaisseau spatial.

– Je pourrais te montrer.

– D'accord. (Elle essaie de prendre un air enthousiaste.) Il ne faut pas un fusil ?

– Pas si t'es bon chasseur. Les lapins, c'est facile, avec des pièges. Les poissons, avec des lignes. Et on peut prendre des écureuils au couteau, mais ils ont pas beaucoup de viande sur les os.

– Cheval, Todd, aboie Manchee doucement.

Je ris, pour la première fois de ce qui me paraît toute une éternité. Viola rit aussi.

– On chasse pas les chevaux, Manchee. (Je tends la main pour le caresser.) Crétin de chien.

– Cheval, il aboie encore et se dresse pour regarder la route dans la direxion qu'on a prise.

Là, on rit plus.

23 *Un couteau vaut pas plus que celui qui le tient*

Des sabots sur la route, loin, mais qui s'approchent au grand galop.

– Quelqu'un de Brockley Hills ? dit Viola, l'espoir et le doute mélangés dans la voix.

– Brockley Falls, je corrige. Faut se cacher.

On fait nos sacs en vitesse. Un étroit ruban d'arbres nous coince entre la route et la rivière. On ose pas traverser la route, et avec la rivière dans notre dos, on trouve rien de mieux qu'un tronc abattu. On s'aplatit derrière, regroupant nos affaires, Manchee compressé entre mes genoux, la pluie éclaboussant tout.

Je sors mon couteau.

Les sabots se rapprochent, de plus en plus fort.

– Un cheval seulement, chuchote Viola. C'est pas l'armée.

– Oui. Mais écoute comme il va vite.

Bedom, voda bedom, voda bedom…

À travers les arbres, on distingue le point qui s'approche, lancé à fond sur la route, malgré la pluie et la nuit qui tombe. Personne chevaucherait comme ça pour porter une bonne nouvelle, oh non.

Viola regarde la rivière.
– Tu sais nager ?
– Ben ouais.
– Super. Parce que moi non.
Bedom, voda bedom, voda bedom...
Je commence à entendre le bourdonnement du Bruit du cavalier, mais le galop est plus fort et pour le moment j'entends pas si bien
– Cheval, fait Manchee.
C'est là. Statique entre le martèlement de sabots. Par éclairs. Des bouts de mots captés. Chev- et Pap- et Sombre- et Stup- et plus, et encore et encore.
Je serre le couteau plus fort. Viola dit plus rien maintenant.
Bedom, voda bedom, voda bedom, voda...
Plus vite et Soir tombe et Tirer et Peu importe...
Le voilà sur la route, sortant d'un virage qu'on a pris il y a cent mètres, le voilà penché en avant...
Bedom voda...
Le couteau me tourne dans la main à cause que...
Tués tous et Elle sentait bon et Sombre ici...
Bedom VODA..
Je crois que je reconnais...
BEDOM VODA-BEDOM VODA...
Et il est plus près et plus près et il est presque...
Et alors Todd Hewitt ? sonne aussi clair que le jour à travers la pluie et le galop et la rivière.
Viola retient son souffle.
Et je vois qui c'est maintenant.

– Junior, aboie Manchee.

Oui, Mr. Prentiss Jr.

On essaye de s'aplatir un peu plus derrière le tronc, mais ça sert à rien parce qu'on le voit déjà tirer brutalement sur ses rênes pour stopper son cheval, et le cheval se cabre et le désarçonne presque.

Presque, seulement.

Et pas assez pour lui faire lâcher le fusil qu'il tient sous son bras.

TODD HEWITT, SACRÉE POURRITURE!!! hurle son Bruit.

– Oh, bon Dieu de… siffle Viola et je comprends très bien ce qu'elle veut dire.

– HIAAA-HOUUU ! glapit Mr. Prentiss Jr.

Et on est assez près pour voir le sourire sur son visage et entendre la stufépaxion dans sa voix.

– Vous prenez la ROUTE ?! Alors comme ça, vous suivez la ROUTE ?!

Mes yeux croisent ceux de Viola. Parce qu'on avait le choix ?

– Ton Bruit, je l'entends depuis ta naissance ou presque, pauvre crétin !

Il fait pivoter son cheval à droite et à gauche, essayant de repérer où nous sommes précisément, dans notre ruban d'arbres.

– Et tu crois que je vais pas l'entendre juste parce que tu te PLANQUES ???

Il y a de la joie dans son Bruit. Une vraie joie, comme s'il arrivait pas à y croire, à sa chance.

– Hé, mais, attends un peu, ajoute-t-il, et on l'entend diriger son cheval hors de la route, entrer dans le bois. Attends un peu. C'est quoi, ça, à côté de toi ? Cet espace vide de *rien* ?

Il le dit d'un ton si mauvais que Viola sursaute. J'ai mon couteau dans la main mais il est à cheval et il a un fusil.

– Trop feuttu vrai que j'ai un fusil, Todd, mon gars ! clame-t-il, ne cherchant plus mais arrivant directement vers nous, guidant son cheval par-dessus les taillis et autour des arbres.

– Et j'ai un autre fusil, aussi. Un fusil rien que pour ta petite dame, Todd.

Je regarde Viola. Je sais qu'elle voit ce qu'il pense, ce qu'il a dans son Bruit, les images qui transpirent de ça. Elle le sait, je vois son visage se fermer aussitôt. Je lui envoie un coup de coude et jette mes yeux sur notre droite, la seule possibilité que nous avons de fuir.

– Oh, oui, s'il te plaît, cours, mon gars, fait Mr. Prentiss Jr. S'il te plaît, donne-moi une bonne raison de te faire du mal.

Le cheval est si proche qu'on entend son Bruit aussi, nerveux, affolé.

On peut pas s'aplatir plus.

Il est presque au-dessus de nous.

Je serre le couteau, serre la main de Viola bien fort, pour nous porter chance.

C'est le moment ou jamais.

Et –

MAINTENANT !!! je hurle.

On a bondi, un coup de fusil explose, déchiquetant les branchages au-dessus de nos têtes, mais on court.

– CHOPE !!! crie Mr. Prentiss Jr. à son cheval, et les voilà.

En deux foulées, le cheval pivote, saute sur la route. Le ruban entre la route et la rivière nous laisse parfaitement visibles. Les branches craquent, les mares nous éclaboussent, nos pieds glissent et lui martèle la route en suivant tous nos mouvements.

On va pas lui échapper. Oh, ça non, aucune chance.

Mais on essaye. On se divise, on prend chacun un chemin tortueux par-dessus les troncs d'arbres et à travers les buissons et Manchee halète et aboie sur nos talons et la pluie nous éclabousse le dos, et la route se rapproche et puis soudain elle bifurque vers la rivière et on a plus le choix, il faut traverser devant lui pour rejoindre les bois plus épais de l'autre côté, et je vois Viola sauter sur la route, poings fermés dans sa course, et Mr. Prentiss Jr. qui déboule dans le virage et il fait tourner quelque chose dans sa main et on se jette de l'autre côté mais le cheval ronflant, rugissant, il est déjà sur nous et je sens quelque chose m'attraper les jambes, les attacher si vite, si serré que je tombe aussitôt.

– Aaanh ! je hurle et mange la gadoue et les feuilles mortes, et le sac à dos me passe par-dessus la tête et m'arrache presque les bras et Viola me voit tomber, elle est presque de l'autre côté mais je vois la boue se creuser là où ses pieds se cramponnent quand elle s'arrête et je crie « NON, COURS, COURS ! » et elle croise mes yeux et je vois quelque chose changer dans son visage mais qui sait ce que ça veut dire et comme le cheval approche elle se retourne et disparaît dans les bois et Manchee vient vers moi et il aboie « Todd ! Todd ! » et je suis pris je suis pris je suis pris.

Parce que Mr. Prentiss Jr. se tient au-dessus de moi, essoufflé, haut perché sur son cheval blanc, fusil armé et pointé. Je sais ce qui s'est passé. Il a lancé une corde avec des poids à chaque bout dans mes jambes et elle s'est enroulée et m'a attrapé, joli coup de chasseur poursuivant un cerf des marais. À cause que maintenant, me voilà vautré dans la boue, à plat ventre, comme un animal.

– Mon père va être bien content de te voir, pour sûr… ricane Mr. Prentiss Jr.

Nerveux son cheval piaffe d'un pied sur l'autre. Pluie, je l'entends penser, et C'est un serpent?

– J'étais supposé vérifier s'il y avait des rumeurs sur toi plus loin sur la route. Et puis te voilà, pour de vrai, en chair et en os.

– Va te faire feuttre… (Et vous pensez bien que j'ai pas dit « feuttre ».)

J'ai toujours le couteau dans ma main.

– Oh, là là, comment que j'en ai la tremblote, dit-il, déplaçant le fusil, et je vois directement dans le canon. Lâche ça, tu veux bien ?

J'écarte mon bras et lâche le couteau dans la boue.

– Ta petite dame, elle t'a pas été trop loyale, dis donc…

Il saute au bas de son cheval, et le calme de sa main libre. Manchee grogne mais Mr. Prentiss Jr. éclate de rire.

– Eh ben, il lui est arrivé quoi, à sa queue ?

Manchee bondit, babines retroussées, mais Mr. Prentiss Jr. est bien plus rapide, et il lui balance un coup de pied vicieux en plein museau. Manchee jappe et recule se cacher dans les taillis.

– Tous tes amis t'abandonnent, à gauche comme à droite, hein, Todd ? (Il s'avance vers moi.) Mais on doit bien apprendre un jour, vois-tu ! Les chiens sont des chiens, et les femmes valent pas mieux que les chiens.

– Tu vas la fermer, oui ? je siffle entre mes dents.

Son Bruit dégouline de triomphe et de fausse pitié.

– Pauvre, pauvre Toddy. Voyager tout ce temps avec une femme, et je devine que tu t'as même jamais imaginé quoi faire avec.

– T'arrêtes de parler d'elle, oui ? je crache, toujours à plat ventre, jambes attachées.

Quoique mes genoux, je réalise que je peux les plier.

Son Bruit devient plus laid, plus fort, mais sa figure reste toute vide, comme une terreur dans un rêve.

– Ce qu'il faut faire, Todd, c'est garder celles qui sont des putains, et abattre celles qui n'en sont pas.

Il se penche encore plus près. Je vois les malheureux poils de sa lèvre supérieure, même pas plus noirs sous la pluie qui tombe. Il a seulement deux ans de plus que moi. Il est plus grand de deux ans seulement.

Serpent ? pense le cheval.

Je repose ma main lentement sur le sol.

Je prends appui dans la boue.

– Je vais t'attacher, chuchote-t-il, et puis j'irai chercher la petite dame et je te dirai quel genre c'est…

Il a pas le temps de finir.

De toutes mes forces, je pousse avec mes mains et mes jambes repliées, pour me propulser en plein dans sa figure. Le haut de ma tête percute son nez avec un craquement. Il tombe en arrière, moi atterrissant sur lui. Des deux poings je le frappe très dur au visage pendant que la surprise l'empêche de réagir, et j'envoie valser le fusil d'un coup de pied et je saute devant le cheval en hurlant « Serpent ! Serpent ! » en agitant les bras, et le truc marche instantanément, le cheval pivote et se lance au galop sur la route fou

de terreur, sans cavalier, sous la pluie.

Je me retourne et *BAM !* Mr. Prentiss Jr. me frappe sur l'arête du nez avec son poing mais je tombe pas et il hurle « Espèce de... » et je détends mon bras avec le couteau et je le fais reculer d'un bond en arrière et j'arme mon bras encore, l'eau ruisselant de mes yeux à cause du coup et de la pluie et lui s'écarte encore, cherchant son fusil et boitant un peu, et il l'aperçoit dans la boue et il se tourne pour le prendre et je pense à rien et je saute sur lui, je le renverse et il me frappe avec son coude mais je tombe pas et mon Bruit hurle et son Bruit hurle.

Et je sais même pas comment mais je suis sur son ventre,

la pointe de mon couteau sous son menton.

Tout s'arrête aussitôt.

– Pourquoi vous êtes après nous ? je lui crie à la figure. Pourquoi vous nous pourchassez ?

Et lui et sa pathétique non-moustache sourient.

Je lui envoie un coup de genou entre les jambes.

Il grogne et me crache dessus mais j'ai toujours le couteau qui lui fait maintenant une petite entaille.

– Mon père te veut.

– Pourquoi ? Pourquoi est-ce qu'il nous veut ?

– *Nous* ? Il écarquille les yeux. Y a pas de feut-tus *vous* ! Il te veut *toi*, Todd. Juste toi !

– Mais pourquoi ? Hein, pourquoi ?

Il répond pas. Il fouille dans mon Bruit. Il regarde et il fouille.

– Hé ! (Je lui balance une bonne gifle en travers de la figure.) Hé ! Je t'ai fait un questionnement !

Mais le sourire revient. J'y crois pas, mais son purain de sourire revient. Un ricanement.

– Tu sais ce que dit toujours mon père, Todd Hewitt ? Il dit qu'un couteau vaut pas plus que celui qui le tient.

– Ferme-la.

– Tu sais te battre. Ça, je te l'accorde. (Toujours souriant, toujours saignant un peu sous le menton.) Mais t'es pas un tueur.

– Tu vas la boucler ? je hurle, mais je sais qu'il voit dans mon Bruit que j'ai entendu Aaron prononcer les mêmes mots.

– Alors ? Tu vas faire quoi maintenant ? Me tuer ?

– Je vais le faire ! Je vais TE TUER !

Il lèche un peu de pluie sur ses lèvres et il rit. Je le cloue au sol avec un couteau sous le menton, et il rit.

– ARRÊTE ÇA ! je hurle et je lève le couteau.

Il continue à rire et puis il me regarde et il dit –

Il dit –

Il dit ça –

– Tu veux savoir comment Ben et Cillian m'ont supplié avant que je leur mette une balle entre les deux yeux ?

Et mon Bruit bourdonne rouge.

Et je serre le couteau pour le frapper.

Et je vais le tuer.

Je vais le tuer.

Et –

Et –

Et juste au sommet de mon arc –

Juste au moment où je vais –

Juste au moment où le pouvoir est mien de commander et de faire ce que je veux –

J'hésite –

Encore –

J'hésite –

Seulement une seconde –

Mais Dieu me pardonne –

Dieu me pardonne –

Parce qu'en cette seconde il relève d'un coup les jambes, se libère et me balance un violent coup de coude en pleine gorge. Je me penche, suffoquant, et je sens sa main me tordre le poignet, m'arracher le couteau.

Comme une sucette de la main d'un bébé.

– Maintenant, Todd, fait-il, debout au-dessus de moi, je vais t'apprendre une ou deux choses sur la bonne façon de tenir un couteau.

24 *La mort d'un pauvre trouillard*

Je le mérite. J'ai tout raté. Je le mérite. Si j'avais encore le couteau, je me tuerais avec. Sauf que je serais probablement trop trouillard pour le faire, ça aussi.

– T'es vraiment un cas, Todd Hewitt, fait Mr. Prentiss Jr. en examinant mon couteau.

Je reste agenouillé dans la boue, une main sur la gorge à essayer de récupérer mon souffle.

– T'avais gagné la partie et puis t'as tout fichu par terre. (Il passe le doigt sur la lame.) On peut pas faire plus débile.

– Allez, qu'est-ce que t'attends ? je marmonne.

– Tu dis ?

Il a retrouvé le sourire, son Bruit s'éclaire.

– QU'EST-CE QUE T'ATTENDS ? je hurle.

– Oh, je vais pas te tuer... (Ses yeux étincellent.) Mon père serait pas très content, vois-tu ?

Il fait un pas, tient le couteau devant ma figure. Rentre la pointe dans ma narine, m'oblige à reculer la tête.

– Mais y a des tas de choses qu'on peut faire avec un couteau, sans tuer un homme.

Je cherche même plus autour de moi un moyen de m'échapper.

Je regarde droit dans ses yeux qui sont éveillés et vivants et prêts à vaincre, son Bruit pareil, des images de lui à Farbranch, des images de ma ferme, des images de moi agenouillé devant lui.

Il y a rien dans mon Bruit sauf un gouffre plein de ma débilité et de ma nullité et de ma haine.

Je suis désolé, Ben.

Je suis tellement, tellement désolé.

– Et puis, t'es pas un homme, hein ? (Il baisse la voix.) Et t'en seras jamais un.

Il bouge le couteau dans sa main, tourne la lame vers ma joue.

Je ferme les yeux.

Et je sens un flot de silence me submerger par-derrière.

Mes yeux se rouvrent d'un coup.

– Hé hoo... Ça par exemple ! s'exclame Mr. Prentiss Jr. en regardant au-dessus de ma tête.

Les bois plus épais sont derrière moi, mais je sens le silence de Viola aussi nettement que si je la voyais.

– Cours ! je hurle sans me retourner. Tire-toi de là !

Elle m'écoute pas. Je l'entends dire à Mr. Prentiss Jr. :

– Recule... Je te préviens...

– Tu *me* préviens ?

Il sourit, pointant le couteau sur lui-même.

Puis il sursaute. Quelque chose s'est collé à sa poitrine. Comme un petit filet avec une bulle en plastique au bout. Mr. Prentiss Jr. glisse le couteau dessous pour l'enlever, mais ça reste collé. Il regarde Viola, narquois.

– Je sais pas ce que c'est, la môme, mais ça marche pas.

Et puis…

SMACK… FLASH!!!…

Un coup de foudre.

Une main derrière ma nuque me tire en arrière, m'étrangle presque. Je tombe, mais je vois Mr. Prentiss Jr. se convulser dans un grand spasme, il a jeté le couteau d'un côté, et des étincelles, des petits éclairs remontent les fils jusqu'à son corps. De la fumée et de la vapeur fusent de partout, de ses manches, de son col, de son pantalon. Viola me tire toujours par le cou quand il tombe, face la première dans la gadoue, sur son fusil.

Elle lâche prise et on bascule sur le talus, au bord de la route. On reste là allongés à respirer très fort. Les étincelles et les éclairs cessent peu à peu et le corps de Mr. Prentiss Jr. se contracte dans la boue.

– J'avais peur… souffle Viola entre deux inspirations, avec toute cette eau (inspiration) que ça te prenne et moi aussi avec lui (inspiration) mais il allait te couper…

Je me lève sans rien dire, mon Bruit concentré, mes yeux sur mon couteau. J'y vais tout droit.

– Todd… dit Viola.

Je le ramasse et me tiens au-dessus de lui.

– Il est mort ? je demande, sans la regarder.

– Devrait pas. C'était juste le voltage d'un…

Je lève le couteau.

– Todd, non !

– Donne-moi une bonne raison, je fais, le couteau suspendu au-dessus de lui, mes yeux fixés sur lui.

– Tu n'es pas un tueur, Todd.

Je pivote, mon Bruit rugissant comme une bête sauvage.

– DIS PAS ÇA!... DIS JAMAIS ÇA!...

Elle lève la main, adoucit sa voix :

– Todd...

– JE SUIS le pourquoi de ce foutoir ! C'est pas TOI qu'ils veulent ! C'est MOI ! (Je me retourne vers Mr. Prentiss Jr.) Et si je pouvais en tuer un, alors peut-être que...

– Todd, non, écoute-moi, dit-elle en s'approchant. Écoute-moi !

Je la regarde. Mon Bruit est si laid et ma figure tellement tordue qu'elle hésite un peu et puis elle avance encore d'un pas.

– Écoute, j'ai quelque chose à te dire.

Et alors se déversent d'elle plus de mots que j'en ai jamais entendu.

– Quand tu m'as trouvée, là-bas dans le marais, je fuyais cet homme, Aaron, depuis quatre jours, et tu étais la deuxième personne que je voyais sur cette planète, et tu arrivais avec ce même couteau et, pour ce que j'en savais, tu étais exactement comme lui.

Elle garde toujours les mains levées, comme pour calmer le cheval de Mr. Prentiss Jr., depuis longtemps parti.

– Mais avant même que je comprenne ce qui se passait, le Bruit et Prentissville et ton histoire, j'ai vu qui tu étais. Tout le monde le voit bien, Todd. On voit bien que tu ne nous feras pas de mal. Que ce n'est pas toi.

– Tu m'as frappé au visage avec un bout de bois...

Elle pose les mains sur ses hanches.

– Et alors, tu t'attendais à quoi ? Tu arrivais avec un couteau. Mais est-ce que j'ai frappé assez fort pour te faire vraiment du mal, hein, dis-moi ?

Je dis rien.

– Et j'avais raison. Tu as pansé mon bras. Tu m'as sauvée d'Aaron alors que tu n'y étais pas obligé. Tu m'as sortie du marais où j'aurais été tuée. Tu m'as soutenue face à cet homme dans le verger. Tu es venu avec moi quand il a fallu quitter Farbranch.

– Non, je dis à voix basse. Tu comprends rien à l'histoire. On doit seulement fuir à cause que je pouvais pas...

– Je crois que je la comprends enfin, cette histoire, Todd. Pourquoi te courent-ils après comme ça ? Pourquoi toute une armée te pourchasse-t-elle à travers villes et rivières et plaines et toute cette planète perdue ? (Elle désigne Mr. Prentiss Jr.) J'ai entendu ce qu'il disait. Tu ne comprends pas pourquoi ils ont tant besoin de toi ?

Le gouffre en moi s'ouvre juste plus noir et plus sombre.

– Du fait que je suis celui qui colle pas.

– Exactement !

Mes yeux s'agrandissent.

– Et en quoi c'est une bonne nouvelle ? J'ai une armée qui veut me tuer du fait que je suis pas un tueur.

– Faux. Tu as une armée qui veut *faire* de toi un tueur.

– Comment ça ?

Elle avance encore d'un pas.

– S'ils peuvent faire de toi le genre d'homme qu'ils veulent…

– Garçon. Encore pas homme.

– Peu importe. S'ils peuvent éteindre cette partie de toi qui est bonne, la partie qui ne veut pas tuer, alors ils ont gagné, tu comprends ? Parce que s'ils peuvent faire ça avec toi, ils peuvent le faire avec n'importe qui. Et ils gagnent. Ils gagnent !

Elle est près de moi maintenant, et elle tend la main et elle la pose sur mon bras, celui qui tient le couteau.

– On les bat. Tu les bats en ne devenant pas ce qu'ils veulent.

Je serre les dents.

– Il a tué Ben et Cillian.

Elle secoue la tête.

– Non. Il a dit qu'il les avait tués, nuance. Et tu l'as cru.

On le regarde. Il bouge plus et la vapeur commence à diminuer.

– Je connais ce genre de garçon. On a ce genre de garçon, même sur un vaisseau spatial. C'est un menteur.

– C'est un homme.

– Tu veux bien arrêter de répéter ça ? Hein ? Tu vas continuer longtemps à dire que c'est un homme et pas toi ? Juste à cause d'un pauvre anniversaire débile ? Si tu venais d'où je viens, tu aurais déjà quatorze ans et un mois !

– Mais je viens pas d'où tu viens ! Je suis d'ici, et c'est comme ça que ça marche, ici !

– Oui, et tu trouves que ça marche bien, *ici* ? (Elle lâche mon bras et s'agenouille à côté de

Mr. Prentiss Jr.) On va l'attacher. On va l'attacher bien solidement et on va ficher le camp, d'accord ?

Je lâche pas le couteau.

Je lâcherai jamais ce couteau, peu importe ce qu'elle dit, peu importe comment elle le dit.

Elle lève les yeux et regarde autour de nous.

– Où est Manchee ?

Oh, non. Manchee.

On le trouve dans les buissons. Il grogne sans mots, juste comme peut grogner un animal. Il a son œil gauche fermé et plein de sang autour de la gueule. Pas du premier coup, mais finalement je l'attrape quand même et Viola en profite pour sortir sa trousse de secours miracle. Je le maintiens pendant qu'elle l'oblige à avaler un comprimé qui le rend tout groggy, puis elle lui nettoie ses dents cassées et elle met de la crème sur son œil. Elle y colle un pansement et il a l'air si petit et battu que quand il dit « Vodd ? » à travers son brouillard borgne, je le serre contre moi et je m'assieds un moment sous les branchages à l'abri de la pluie pendant que Viola refait son sac et récupère le mien dans la boue.

– Tes habits sont trempés, dit-elle enfin. Et tes provisions écrasées. Mais le livre est toujours dans le plastique. Le livre n'a rien.

Mais je pense à maman, si elle savait quel trouillard son fils serait un jour, et j'ai presque envie de jeter le livre dans la rivière.

Je le fais pas.

On retourne attacher Mr. Prentiss Jr. avec sa propre corde. La secousse électrique a fait exploser la crosse en bois de son fusil. C'est pas de veine, on aurait pu en avoir besoin.

– Avec quoi tu l'as électrocuté ? je demande, tout essoufflé en le tirant sur le côté de la route (les gens assommés sont vraiment très lourds).

– Un appareil pour dire au vaisseau où je suis sur la planète. J'ai mis un temps fou à le démonter.

Je me relève.

– Et comment ton vaisseau va savoir où tu es, maintenant ?

Elle hausse les épaules.

– On n'a plus qu'à espérer trouver quelque chose, à Haven.

Je la regarde aller chercher son sac. Si seulement on trouvait au moins la moitié de ce qu'elle espère, à Haven.

On est partis. Mr. Prentiss Jr. avait raison, c'était vraiment idiot de rester sur la route, alors on s'en écarte de vingt ou trente mètres, mais pas du côté de la rivière, en essayant de la garder en vue. On porte Manchee à tour de rôle, la nuit est venue.

On parle pas beaucoup.

Parce qu'elle a peut-être marqué un point, quand même. Peut-être que c'est ça qu'ils veulent, avec leur armée, peut-être que s'ils peuvent m'enrôler, ils peuvent enrôler tout le monde. Peut-être que je leur sers de test, qui sait, après tout, cette feuttue ville bien assez dingue pour croire à un truc du genre.

Si l'un de nous tombe, nous tombons tous.

Mais, premièrement, ça esplique pas pourquoi Aaron nous court après, et, deuxièmement, je l'ai entendue mentir, elle aussi, non ? Ses mots sonnent vrai, mais comment savoir si elle pense vraiment ce qu'elle dit être vrai ?

Parce que, jamais j'irais rejoindre leur armée, et Maire Prentiss le sait forcément, pas après ce qu'ils ont fait à Ben et à Cillian, Bruit de Mr. Prentiss Jr. vrai ou pas, et c'est là qu'elle se plante. Peu importe ce qu'ils veulent, peu importe la faiblesse qui est en moi, qui fait que je peux pas tuer un homme, même quand il le mérite, ça va forcément me changer d'être un homme. C'est forcé, ou alors comment je ferai pour garder la tête haute ?

Minuit passe et je suis à vingt-cinq jours et un million d'années de devenir un homme.

Parce que, si j'avais tué Aaron, il aurait pas pu dire à Maire Prentiss où il m'avait vu.

Si j'avais tué Mr. Prentiss Jr. à la ferme, il aurait pas pu guider les hommes de Maire jusqu'à Ben et Cillian et il aurait pas vécu pour faire du mal à Manchee non plus.

Si j'avais été un genre de tueur, j'aurais pu rester aider Ben et Cillian à se défendre.

Peut-être que si j'étais un tueur, ils seraient pas morts.

Et alors là, je ferais l'échange tout de suite, quand vous voulez.

Je serai un tueur, s'il le faut.

Vous verrez.

Le terrain devient de plus en plus pénible et abrupt et la rivière recommence à creuser des gorges. On se repose un moment sous un rocher et on mange la fin des provisions pas détruites pendant la bagarre avec Mr. Prentiss Jr.

Je place Manchee en travers de mes genoux.

– Y avait quoi, dans ce comprimé ?

– Juste une petite miette d'antidouleur humain. J'espère que ce n'était pas trop.

Je passe une main dans son poil. Il dort, bien tiède, alors au moins il survit.

– Todd… elle commence, mais je l'arrête.

– Faut continuer à avancer aussi longtemps qu'on pourra. Je sais qu'on devrait se reposer, mais faut continuer jusqu'à ce qu'on en puisse plus.

Elle attend un peu et puis elle dit « D'accord » et on ne parle plus, on finit les derniers restes de provisions.

La pluie continue toute la nuit pendant notre marche. Il y a pas pire vacarme que la pluie dans les bois, un milliard de gouttes

clapotant sur un milliard de feuilles, la rivière qui gonfle et rugit, la succion de la gadoue sous nos semelles. J'entends du Bruit parfois au loin, probablement des criatures des bois, mais toujours invisibles, toujours parties quand on s'approche.

– Est-ce qu'il y a quelque chose par ici qui pourrait nous faire du mal ? demande Viola en haussant la voix à cause de la pluie.

– Bien trop pour pouvoir les compter. (Je montre Manchee dans ses bras.) Il est pas réveillé ?

– Non, pas encore, dit-elle d'un ton inquiet. J'espère que je…

Et c'est à ce point qu'on était pas préparés, du fait qu'en contournant un autre rocher, on tombe d'un coup sur le campement.

On stoppe net pour capter ce qui se présente, d'un coup d'œil.

Un feu.

Du poisson frais attaché à une broche au-dessus.

Un homme penché sur une pierre, écaillant un autre poisson avec un caillou.

L'homme levant les yeux quand on avance.

En une fraxion de fraxion de seconde, comme j'ai su que Viola était une fille même si j'en avais jamais vu avant, je sais pendant l'instant qu'il me faut pour prendre mon couteau, je sais que c'est pas du tout un homme.

C'est un Spackle.

25 *Tueur*

Le monde s'arrête de tourner.

La pluie s'arrête de tomber, le feu s'arrête de brûler, mon cœur s'arrête de battre.

Un Spackle.

Il y a plus de Spackle.

Ils sont tous morts à la guerre.

Il y a plus de Spackle.

Et en voilà un, debout devant moi.

Il est grand et mince, comme dans les vidéos, peau blanche, longs bras et doigts, la bouche à mi-figure, là où elle devrait pas être, les lobes d'oreilles au niveau des mâchoires, les yeux plus noirs que des pierres du marais, le lichen et la mousse à la place des habits.

Alien. Aussi alien qu'on peut l'être.

Bon D... de...

Autant chiffonner le monde que je connais et le jeter dans le vide.

– Todd ?

– Bouge pas.

À travers le son de la pluie j'entends le Bruit du Spackle.

Aucun mot m'arrive clairement, juste des images, hachées bizarrement et avec des couleurs fausses, mais des images de moi et de Viola, en état de choc devant lui.

Des images du couteau maintenant brandi dans ma main.

– Todd, fait Viola, une nuance d'avertissement dans la voix.

Mais son Bruit j'entends plus que ça. Des sentiments, qui se déversent en bourdonnant.

Des sentiments de peur.

Je sens sa peur.

Excellent.

Mon Bruit vire au rouge.

– Todd, répète Viola.

– Arrête de dire mon nom…

Le Spackle se redresse lentement, abandonne son poisson. Il a fait son campement sous un autre rocher au pied d'une petite colline. Une partie est sèche et je vois des sacs et un rouleau de mousse, peut-être un lit.

Et quelque chose de long qui brille appuyé contre le rocher.

Je vois l'image du Spackle dans son Bruit.

C'est le javelot qu'il a utilisé pour prendre le poisson dans la rivière.

– *Touche pas*, je lui fais.

Je pense pendant une seconde, mais seulement une seconde, comment je comprends tout ça si nettement, comment je le vois si nettement debout dans la rivière, comment il est facile à lire, même si c'est rien que des images.

Puis la seconde passe, un éclair.

À cause que je le vois penser à bondir pour attraper son javelot.

– Todd, dit Viola. Baisse ton couteau.

Et il bondit.
Je bondis en même temps.
(*Vous allez voir.*)
– Non ! hurle Viola mais mon Bruit rugit bien trop fort et elle, je l'entends pas plus qu'un murmure.
Du fait que, tout ce que je pense en courant à travers le campement, couteau brandi et prêt, courant sur le Spackle, ses genoux et coudes maigrichons quand il trébuche en courant vers son javelot, tout ce que je pense et lui envoie dans mon Bruit rouge, rouge, ce sont des images et des mots et des sentiments de tout ce que je sais, de tout ce qui m'est arrivé, de toutes les fois où j'ai pas pu me servir du couteau, chaque partie de moi hurlant…
Je vais te montrer qui c'est le tueur.
Je l'atteins avant qu'il atteigne le javelot, je le percute avec mon épaule. On tombe dans la terre moins boueuse et ses bras et ses jambes sont partout sur moi, longs, c'est comme se battre avec une araignée, et il me cogne sur la tête mais des petites claques plutôt et je réalise et je réalise que…
Je réalise qu'il est plus faible que moi.
– Todd ! arrête ! crie Viola.
Il s'écarte de moi en rampant, mais je le frappe à la tempe d'un coup de poing et il est si léger… ça le renverse sur un tas de rochers et il se retourne pour me regarder et de sa bouche sort un sifflement et il y a de la terreur et de la panique qui s'échappent tourbillonnant de son Bruit.
– ARRÊTE ! hurle Viola. Tu vois donc pas comme il a PEUR ?
– Et il fait bien !!! je hurle, moi aussi.

À cause que mon Bruit s'arrêtera plus maintenant.

Je fais un pas vers lui et il essaye de ramper plus loin, mais je l'attrape par sa longue cheville blanche, et je le tire des rochers jusqu'à la terre, et il couigne comme un porc un serpent ou je sais pas quoi et je prépare mon couteau.

Et Viola doit avoir posé Manchee, à cause qu'elle m'agrippe le bras et elle le tire en arrière pour m'empêcher de poignarder le spack et je la repousse de tout mon poids pour me dégager mais elle lâche pas prise et on trébuche, on tombe loin du Spackle qui se recroqueville contre un rocher, les mains plaquées sur son visage.

– Laisse-moi ! je hurle.

– S'il te plaît, Todd ! elle hurle aussi, tirant et tordant mon bras. Arrête, je t'en prie !

Je tords mon bras dans l'autre sens et j'utilise ma main libre pour la repousser et quand je me retourne le Spackle s'est déplacé en crabe –

Vers son javelot –

Ses doigts déjà sur le manche –

Et toute ma haine explose comme un volcan rouge feu –

Et je tombe sur lui –

Et je plonge le couteau dans sa poitrine.

J'entends un craquement, et le couteau tourne en frappant l'os et le Spackle hurle le son le plus effarrible, le plus terrorifiant, et du sang rouge sombre (rouge, c'est *rouge*, ils saignent rouge, les spacks) jaillit de la blessure et il tend son long bras et me griffe au visage et je recule mon bras et je le frappe encore et un long souffle grinçant sort de sa bouche avec un grand borborygme et ses bras et ses jambes s'agitent encore autour de lui et il me regarde avec ses yeux noirs, noirs, et son Bruit plein de douleur et de stufépaxion et de peur –

Et je retourne le couteau –

Et il meurt pas et il meurt pas –

Et dans un gémissement et dans un grand frisson il meurt.

Et son Bruit s'arrête complètement.

Je bloque ma respiration et j'extirpe le couteau et je recule à quatre pattes dans la boue.

Je regarde mes mains, puis le couteau. Partout du sang. Le couteau en est couvert, même le manche, et mes mains et mes bras et le devant de mes habits et une éclaboussure sur mon visage que j'essuie, mélangée au sang de ma griffure.

Même avec la pluie qui me tombe dessus, il y en a plus qu'on croirait ça possible.

Le Spackle est allongé là où –

Où je l'ai tué.

J'entends Viola suffoquer, s'étouffer, et je lève les yeux vers elle et alors elle a un mouvement de recul.

– Tu sais pas, je lui crie. Tu sais rien ! Ils ont tué ma maman ! Tout, tout ce qui est arrivé, c'est de leur faute !

Et alors je vomis.

Et je vomis encore.

Et quand mon Bruit commence à se calmer, je recommence à vomir.

Je garde le front appuyé contre le sol.

Le monde s'est arrêté.

Le monde reste arrêté.

J'entends rien de Viola à part son silence. Je sens mon sac à dos qui me tire entre mes épaules quand je me penche. Je regarde pas le Spackle.

– Il nous aurait tués, je lâche finalement, parlant au sol.

Viola dit rien.

– Il nous aurait tués, je répète.

– Il était terrifié ! crie Viola, et sa voix se brise. Même moi je voyais bien comme il avait peur !

– Il a voulu prendre son javelot, je dis, relevant la tête.

– Parce que tu l'attaquais avec un couteau !

Je la vois maintenant. Ses yeux écarquillés vides, comme quand elle s'est fermée et qu'elle s'est mise à se balancer.

– Ils ont tué tout le monde, je fais.

Elle secoue la tête, violemment.

– Pauvre… DÉBILE !

(Elle a pas dit *débile*.)

– Combien de fois as-tu découvert que ce qu'on t'avait raconté était faux ? elle fait, reculant encore, le visage tout tordu. Hein, combien de fois ?

– Viola…

– Est-ce que les Spackle n'ont pas tous été tués pendant la guerre ? dit-elle (et, mon Dieu, je hais la terreur dans sa voix). Hein ? Dis ?

Et la dernière goutte de colère s'écoule de mon Bruit quand je réalise qu'on s'est encore moqué de moi –

Et je pivote vers le Spackle –

Et je vois le campement –

Et je vois le poisson sur les lignes –

Et (non, non, non) je vois la peur qui venait de son Bruit –

(Non, non je vous en prie, non.)

Et il me reste plus rien à vomir mais je me révulse quand même –

Et je suis un tueur –

Je suis un tueur –

Un tueur –

(Oh, je vous en prie, non.) Je suis un tueur.

Je me mets à trembler. Je me mets à trembler si fort, je peux plus tenir debout. Je me retrouve à dire « Non » encore et encore et encore, et la peur dans son Bruit elle arrête pas de faire écho autour de la mienne, et j'ai nulle part où lui échapper, c'est juste là, et là, et là, et je tremble si fort que je peux même pas tenir à quatre pattes et que je tombe dans la boue et je vois le sang partout et la pluie qui lave rien.

Je ferme les yeux très fort.

Et il y a que du noir.

Seulement du noir et du rien.

Une fois de plus, j'ai tout gâché. Une fois de plus, j'ai tout raté.

Très, très loin, j'entends Viola prononcer mon nom.

Mais c'est si loin.

Et je suis seul. Ici et toujours, seul.

J'entends mon nom, encore.

De très, très loin, je sens mon bras tiré.

C'est seulement quand j'entends une particule de Bruit mais pas le mien que j'ouvre les yeux.

– Je crois qu'il y en a d'autres, là-bas, chuchote Viola tout contre mon oreille.

Je lève la tête. Mon propre Bruit tellement plein de déchets et d'horreur que j'ai du mal à bien entendre et la pluie tombe toujours aussi lourde qu'avant et je prends un moment très stupide à me demander si on séchera jamais et puis je l'entends ce murmure indistinct dans les arbres, impossible à localiser mais définitivement là-bas dans les arbres.

– Même s'ils ne voulaient pas nous tuer avant, murmure Viola, maintenant ils n'hésiteront pas.

– Faut y aller…

J'essaye de me mettre debout. Je tremble tellement que je dois m'y reprendre à deux fois, mais j'y arrive.

Je tiens toujours le couteau. Le sang colle.

Je le jette par terre.

Le visage de Viola est une chose terrible, de chagrin, d'effroi et d'horreur, de moi, tout à cause de moi, mais c'est comme ça on a pas le choix et je répète seulement « Faut y aller… », et je vais récupérer Manchee là où elle l'a posé, sur la zone sèche du campement.

Il dort toujours et tremble de froid quand je le prends, et je plonge ma joue dans ses poils et je respire sa douce puanteur de chien.

– *Dépêche*, dit Viola.

Et je me retourne et elle regarde partout, le Bruit murmurant tout autour à travers les bois et la pluie, la peur toujours sur son visage.

Elle me renvoie son regard que je peux pas soutenir alors je détourne les yeux.

Mais en même temps je vois un mouvement derrière elle.

Je vois les taillis s'écarter derrière là où elle se tient.

Et je la vois voir ma figure changer.

Et elle se tourne juste à temps pour voir Aaron sortir des bois derrière elle.

Et il l'attrape par le cou d'une main et il balance un tissu par-dessus son nez et sa bouche avec l'autre, et comme je crie et fais un pas en avant, je l'entends hurler par-dessous elle essaye de se débattre avec ses mains, mais Aaron la tient serrée et le temps que j'ai fait le deuxième et puis le troisième pas elle s'évanouit déjà de ce qu'il y a sur le tissu et à mon quatrième et mon cinquième pas il la laisse tomber par terre et Manchee toujours dans mes bras et à mon sixième pas il passe une main derrière son dos et j'ai pas mon couteau et j'ai Manchee et je peux seulement courir vers lui, et à mon septième pas je le vois brandir un bâton qu'il avait attaché dans son dos et il le fait siffler au-dessus de lui et ça me frappe en plein sur la tempe avec un CRAC !... et je tombe et Manchee bascule de mes bras et je m'effondre par terre sur le ventre et ma tête sonne si fort que je peux même pas me reprendre et le monde devient cotonneux et gris et plein de douleur et je suis sur le sol, et tout penche et glisse et mes bras mes jambes pèsent trop lourd à soulever, et ma figure est à moitié dans la boue mais à moitié retournée et je vois Aaron qui me regarde et je vois son Bruit et Viola dedans et je le vois voir mon couteau briller dans la boue et il le ramasse et j'essaye de m'écarter en rampant mais le poids de mon corps me colle sur place et je peux seulement regarder pendant qu'il se tient debout au-dessus de moi.

– Tu ne me sers plus à rien, mon garçon, dit-il, et il lève le couteau au-dessus de sa tête et la dernière chose que je vois c'est lui qui l'abaisse avec toute la force de son bras.

CINQUIÈME PARTIE

26 La fin de toutes choses

TOMBER non *TOMBER* non s'il vous plaît *aidez-moi Tomber* Le Couteau *Le Couteau* Le Spackle les spacks sont morts tous les spacks morts *VIOLA* pardon, s'il te plaît, pardon, *il a un javelot* TOMBER S'il te plaît s'il te plaît *Aaron, derrière toi ! Il arrive !* me sers plus à rien, mon garçon *Viola tomber*, Viola Eade Spackle *le hurlement et le sang et non* REGARDE-MOI regarde-moi non *s'il te plaît* regarde-moi il nous aurait tués *Ben* s'il te plaît pardon *Aaron ! Cours !* E-A-D-E Il y en a d'autres *faut partir d'ici* TOMBER tomber sang sombre *Le Couteau* mort cours *Je suis un tueur s'il te plaît non* SPACKLE *Viola Viola Viola...*

– Viola ! j'essaye de hurler mais c'est noir c'est du noir avec pas de son, du noir et je suis tombé et je n'ai pas de voix...

– Viola ! j'essaye encore et il y a de l'eau dans mes poumons et une douleur dans mes tripes et de la douleur, douleur dans...

– Aaron... je murmure pour moi-même et personne. Cours, c'est Aaron.

Et puis je retombe et c'est le noir –

...

…

– Todd ?

…

– Todd ?

Manchee.

– Todd ?

Je sens une langue de chien sur ma figure ce qui veut dire que je peux sentir ma figure ce qui veut dire que je sais où est ma figure et une gifle d'air souffle en moi et j'ouvre les yeux.

Manchee se tient juste à côté de ma tête, danse nerveux d'une patte sur l'autre, se lèche les babines et le museau, son pansement toujours sur l'œil, mais il est tout flou et c'est dur de…

– Todd ?

J'essaye d'articuler son nom pour le calmer, mais rien je tousse et une douleur aiguë me traverse le dos. Je suis toujours à plat ventre dans la boue où je suis tombé quand Aaron –

Aaron –

Quand Aaron m'a cogné sur la tête avec son bâton.

J'essaye de lever la tête, et une douleur aveuglante gagne tout le côté droit de mon crâne jusqu'à ma mâchoire, et je dois rester immobile à grincer des dents à laisser courir la douleur et l'incendie avant de pouvoir essayer encore de parler.

– Todd ? geint Manchee.

– Je suis là, Manchee… je gargouille enfin, ça sort de ma poitrine comme un grondement caverneux englué dans les glaires, et ça déclenche une nouvelle toux…

Que j'arrête presque aussitôt à cause de la douleur de foudre dans mon dos.

Mon dos.

J'étouffe une nouvelle toux et un sentiment d'horreur s'écoule de mes tripes me recouvre tout entier.

La dernière chose que j'ai vue avant –

Non.

Oh, non.

Je tousse très doucement sans ouvrir la bouche, essayant de bouger aucun muscle mais sans y arriver, supportant la douleur jusqu'à ce qu'elle aille à la limite et puis je travaille à faire bouger ma bouche sans me tuer.

Ma voix racle et râpe, métallique :

– S-ce qu'y a… couteau en moi, Manchee ?

– Couteau, Todd ! il aboie, partout rempli d'inquiétude. Dos, Todd !

Il s'avance pour me lécher encore la figure, sa façon de chien pour essayer d'arranger les choses. Moi juste respirer, pas bouger, une minute. Je ferme les yeux et j'aspire l'air à l'intérieur, malgré la plainte de mes poumons comme déjà submergés.

Je m'appelle Todd Hewitt, je pense, grosse erreur à cause que tout me revient d'un coup, me tombe dessus, me tire vers le bas, et le sang du Spackle et le visage de Viola qui a peur de moi et Aaron qui sort des bois et la prend…

Je me mets à pleurer mais la douleur avec l'étreinte des larmes est si forte que pendant une minute je me sens paralysé, un feu vivant me brûle les bras et le dos et il y a rien d'autre à faire que souffrir et attendre que ça s'en aille.

Lentement, lentement, oh, très lentement je commence à déplier un bras de sous mon corps.

Ma tête et mon dos font si mal que je tombe dans les pommes un instant, je crois, mais je me réveille, et lentement, lentement je remonte la main derrière moi, j'avance les doigts le long de ma chemise trempée dégoûtante, le long du sac à dos trempé dégoûtant qu'incroyablement je porte toujours, et je promène ma main jusqu'à ce que – le voilà, entre le bout de mes doigts.

Le manche du couteau. Qui sort de mon dos.

Mais je serais mort.

Je serais *mort*.

Est-ce que je suis mort ?

– Pas mort, Todd, aboie Manchee. Sac ! Sac !

Le couteau est planté haut entre mes omoplates, la douleur me le dit très précisément, mais le couteau a d'abord traversé le sac à dos, et quelque chose dans le sac l'a empêché de s'enfoncer complètement –

Le livre.

Le livre de maman.

Je palpe encore avec mes doigts, doucement, tout doucement, mais oui, Aaron a levé le bras et il a frappé à travers le sac à dos et toute la lame a pas pu s'enfoncer dans mon corps.

(*Mais dans le Spackle, si.*)

Je ferme encore les yeux, et j'essaye de prendre une inspiration bien profonde, mais pas trop non plus, et je la retiens jusqu'à ce que j'entoure le manche avec mes doigts, et ensuite je dois respirer et attendre que la douleur passe, et ensuite j'essaye de tirer mais c'est la chose la plus lourde au monde, et je dois attendre et respirer et essayer encore, et je tire et la douleur dans mon dos augmente comme un coup de fusil et je hurle, je hurle sans me retenir quand je sens le couteau sortir de mon dos.

Je cherche mon souffle, entre les hoquets, j'essaye de pas pleurer encore, tenant le couteau loin de moi, toujours planté dans le sac et le livre.

Manchee me lèche la figure.

– Bon garçon, je fais, sans trop savoir pourquoi.

Ça me prend comme une éternité de libérer mes bras des bretelles du sac pour pouvoir enfin jeter le couteau et tout le reste. Même alors, je peux absolument pas essayer de me redresser et je tombe encore dans les pommes puisque quand je rouvre les yeux je vois Manchee qui lèche ma figure et je respire en toussant, j'arrête plus de tousser.

Allongé là toujours dans la boue, plus que tout au monde je regrette que le couteau d'Aaron m'ait pas traversé, que je sois pas mort comme le Spackle, pour que je puisse finir de tomber dans ce gouffre, plus bas, plus bas, plus bas, jusqu'à ce qu'il y ait plus que du noir, plus bas dans le rien où il y a plus de Todd à blâmer d'avoir tout fait foirer, ou trahi Ben, ou trahi Viola et je pourrais tomber pour toujours dans le rien, et plus jamais devoir m'inquiéter de rien.

Mais il y a Manchee qui me lèche, et me lèche. Je lève un bras pour le repousser.

– Va-t'en !

Aaron aurait pu me tuer, me tuer si facilement.

Le couteau dans mon cou, le couteau dans mon œil, le couteau en travers de la gorge. J'étais à sa merci et il m'a pas tué. Il devait savoir ce qu'il faisait. Forcément.

Est-ce qu'il m'a laissé pour que le Maire me trouve ? Mais pourquoi était-il si loin devant l'armée ? Comment a-t-il pu faire toute cette route sans cheval ? Et depuis combien de temps nous suivait-il ?

Combien de temps avant qu'il sorte des buissons et emporte Viola ?

Une plainte s'arrache de ma poitrine.

C'est pour ça qu'il m'a gardé vivant. Pour que je vive en sachant qu'il a emporté Viola. C'est comme ça qu'il aime gagner. Comme ça qu'il me fait souffrir.

Une nouvelle sorte d'énergie me traverse, et je m'oblige à m'asseoir, ignorant la douleur, respirant courbé jusqu'à pouvoir imaginer tenir debout. Le raclement dans mes poumons et la

douleur dans mon dos me font tousser plus, mais je serre les dents et ça finit par passer.

Oui, je dois la retrouver.

– Viola, aboie Manchee.

– Viola, je dis et je serre les dents plus fort et j'essaye de me mettre debout.

Mais c'est trop, la douleur me coupe les jambes et je bascule dans la gadoue et je reste là tendu comme un arc cherchant un peu d'air et mon cerveau devient tout flou et brûlant et dans mon Bruit je cours et je cours et je cours vers rien et j'ai chaud partout et je transpire et je cours dans mon Bruit et j'entends Ben derrière les arbres et je cours vers lui et il chante la chanson il chante la chanson pour m'endormir, la chanson pour les garçons pas les hommes, mais quand je l'entends mon cœur s'élargit et c'est *Après un long sommeil il se levait le soleil…*

Je reviens à moi. La chanson remonte avec moi.

Et la chanson fait comme ça :

Après un long sommeil il se levait le soleil

Quand j'entendis appeler une jeune fille dans la vallée « Oh, ne me déçois pas. Oh, ne m'abandonne jamais. »

J'ouvre les yeux.

Ne me déçois pas. Ne m'abandonne jamais.

Je dois la trouver.

Je lève les yeux. Le soleil est dans le ciel mais j'ai aucune idée du temps écoulé depuis qu'Aaron a emmené Viola. C'était juste avant l'aube. Il y a des nuages mais il fait clair maintenant, alors on pourrait être en fin de matinée ou au début de l'après-midi. Ou peut-être un autre jour – une idée que j'essaye de repousser. Je ferme les yeux et j'essaye d'écouter. La pluie s'est arrêtée, alors il y a plus ce crépitement, mais le seul Bruit que j'entends les yeux fermés c'est le mien et celui de Manchee et au loin le bavardage sans mots des criatures des bois qui continuent leurs vies, des vies qu'ont rien à faire avec la mienne.

Pas de son d'Aaron. Pas d'espace de silence de Viola.

Je rouvre les yeux et je vois son sac.

Tombé pendant la lutte avec Aaron, sans utilité ni intérêt pour lui et juste laissé par terre comme s'il appartenait à personne, comme si Viola n'avait plus d'importance.

Ce sac si plein de choses utiles et débiles.

Ma poitrine se serre et je tousse et ça fait mal.

Je crois pas pouvoir tenir sur mes jambes alors je rampe, suffoquant de la douleur dans mon dos et ma tête, mais je rampe. Manchee inquiet aboie tout le temps « Todd, Todd », et ça prend une éternité, ça prend feuttrement longtemps, mais il faut que j'atteigne ce sac et je dois me pencher plié de douleur pendant un instant avant de pouvoir en faire quelque chose. Quand je récupère mon souffle, je l'ouvre et je fouille dedans jusqu'à ce que je trouve la boîte avec les pansements. Il en reste plus qu'un mais on s'en contentera. Maintenant il faut que j'enlève ma chemise, et ça demande d'autres pauses, d'autres respirations, centimètre par centimètre, et finalement elle quitte mon dos brûlant, passe par-dessus ma tête brûlante, et je vois le sang et la boue partout.

Je trouve le rasoir et coupe le pansement en deux. J'en pose un morceau sur ma tête, le maintiens jusqu'à ce qu'il colle, puis tends lentement le bras derrière moi pour poser l'autre sur mon dos. Pendant un moment ça fait encore plus mal à cause que la matière du pansement, la cellule humaine ou je sais plus quoi, elle se glisse dans les plaies et rapproche les bords. Je serre les dents mais ensuite le médicament commence à agir et une vague de fraîcheur envahit mon circuit sanguin. J'attends assez longtemps pour pouvoir me lever. Je vacille, mais j'arrive à rester debout.

Une minute encore, et je fais un pas. Puis un autre.

Mais pour aller où ?

J'ai aucune idée de la direxion où il a pu l'emmener. Il pourrait très bien avoir rejoint l'armée, maintenant.

– Viola, Manchee aboie en geignant.

– Je sais pas, mon vieux... Laisse-moi réfléchir...

Même si les pansements font leur effet, je peux pas tenir debout tout le temps, mais je fais mon possible et je regarde autour de moi. Le corps du Spackle se trouve en bordure de ma vision et je me tourne pour pas le voir.

Oh, ne me trompe pas. Oh, ne m'abandonne jamais.

Je pousse un soupir. Je sais ce que je dois faire.

– Il y a pas d'autre solution, Manchee. Faut revenir vers l'armée.

– Todd ? couigne Manchee.

– Pas d'autre solution, je répète, et m'enlève tout de l'esprit, excepté partir.

Avant toute chose, une chemise propre.

Je laisse le Spackle derrière moi et me tourne vers le sac à dos.

Le couteau est toujours là planté à travers le tissu et dans le livre à l'intérieur. Je veux pas vraiment le toucher, et, même dans mon brouillard, je veux pas voir ce qu'est devenu le livre, mais je dois enlever le couteau alors je bloque le sac avec mon pied et je tire un bon coup. Au troisième essai, il se dégage. Je le laisse tomber par terre.

Je le regarde, sur la mousse humide. Il y a du sang partout dessus. de Spackle, et mon sang plus vif à la pointe. Je me demande si ça veut dire que le sang du Spackle est entré dans mon sang quand Aaron m'a poignardé. Je me demande s'il y a des particules vraiment particulières qu'on peut attraper directement des Spackle.

Mais là c'est plus trop le moment de me poser des questionnements.

J'ouvre le sac et je sors le livre.

Il y a une fente en forme de lame qui le traverse de part en part. Le couteau est si aiguisé et Aaron doit être si fort que le livre est à peine abîmé. Les pages sont fendues tout au long du livre, mon sang et celui du Spackle rougissant un peu les bords, mais ça reste lisible.

Je pourrais encore le lire, j'aurais pu me le faire lire.

Si je l'avais mérité.

Cette idée-là aussi je la repousse. Je sors une chemise propre. Je tousse en même temps et même avec les pansements ça fait tellement mal que je dois attendre un moment que ça s'arrête. Mes poumons sont comme remplis d'eau, comme si je transportais une pile de galets de rivière dans ma poitrine, mais j'enfile la chemise, dans le sac à dos je prends tout ce qui peut me servir, quelques vêtements, ma trousse de secours à moi, ce qui n'a pas été détruit par Mr. Prentiss Jr. ou la pluie et je fourre le tout avec le livre de maman dans le sac de Viola du fait que le sac à dos je peux absolument plus le porter.

Mais il reste toujours le questionnement, non ?

Je vais où ?

Je vais suivre la route jusqu'à l'armée voilà où je vais aller.

Je vais rejoindre l'armée et sauver Viola je sais pas comment même si je dois échanger sa place contre la mienne.

Mais pour ça, est-ce que je peux y aller mains nues, quand même ?

Non, je peux pas.

Je regarde le couteau, là sur la mousse comme une chose sans aucune qualité, une chose en métal sans aucun rapport avec un garçon, une chose qui rejette toute la faute sur le garçon qui l'utilise.

Je veux pas le toucher. Surtout pas. Jamais plus. Mais je dois le prendre, et je dois nettoyer le sang comme je peux sur des feuilles mouillées, et je dois le glisser derrière moi dans l'étui toujours à ma ceinture.

Je dois faire ces choses. J'ai pas le choix.

Le Spackle flotte en bordure de ma vision mais je l'ai pas regardé pendant que je tenais le couteau.

– Viens, Manchee…

Je passe le sac de Viola le plus délicatement possible sur mon épaule.

Ne me trompe pas. Oh, ne m'abandonne jamais.

Il est temps.

– On va la trouver, hein, Manchee.

Je laisse le campement derrière moi et je prends la direxion de la route. Mieux vaut simplement revenir vers eux aussi vite que possible. Je les entendrai arriver et je pourrai quitter la route et alors je verrai bien s'il y a un moyen de la sauver, je suppose.

Ce qui peut vouloir dire tomber nez à nez avec eux.

Je m'ouvre un chemin à travers une haie d'arbustes quand j'entends Manchee aboyer : « Todd ? »

Je me retourne, essayant d'éviter de voir le campement.

– Allez, viens, mon pote…

– Todd !

– Je te dis viens, maintenant !

– Par ici, Todd !

Il aboie et agite son tiers de queue, le museau pointé dans un orientement très éloigné de la route, et même à l'opposé de l'armée.

– Par ici ! il aboie encore.

Il frotte le pansement sur son œil avec une patte, le fait tomber et me fixe de son regard borgne.

– Comment ça, par ici ? je fais, avec une drôle de sensation dans la poitrine.

Il hoche la tête et pédale, dressé sur les pattes arrière.

– Viola, il aboie, tournant en rond puis pointant toujours dans le même orientement.

– Tu la sens ? je demande (ma poitrine s'enfle).

Il aboie un aboiement de oui.

– Tu peux vraiment la *sentir* ?

– Par ici, Todd !

– Pas vers la route ? Pas vers l'armée ?

– Todd ! il jappe, gagné par l'excitation, sentant mon Bruit monter.

– T'es sûr ? Il faut être sûr, Manchee, vraiment.

– Par ici !

Et le voilà parti, à travers les buissons et sur une piste parallèle à la rivière. En sens inverse de l'armée.

Vers Haven.

Qui sait pourquoi et quelle importance, puisqu'en ce moment je cours après lui autant que me permettent mes blessures, puisqu'en ce moment je le vois bondir au loin et en avant et que je pense Bon chien, purain de bon chien.

27 On continue

– Par ici, Todd ! aboie Manchee, contournant un autre rocher.

Depuis une heure ou deux maintenant qu'on a quitté le campement du Spackle, le terrain devient de plus en plus difficile. Les bois escaladent des collines qu'on grimpe, qu'on descend et qu'on grimpe encore, et souvent c'est plus de la marche que de la course. Quand on arrive à un sommet, je vois d'autres collines et d'autres encore qui se gonflent devant nous, sous les arbres, quelques-unes si raides qu'on est obligés de les contourner. La route et la rivière se tortillent entre elles comme des serpents, loin sur ma droite, et parfois j'ai du mal à pas les perdre de vue.

Même avec les pansements qui font de leur mieux pour me tenir en un seul morceau, chaque pas me transperce le dos et la tête, alors de temps en temps j'ai pas le choix, je dois m'arrêter et même essayer de vider mon estomac vide.

Mais on continue.

Plus vite. Plus vite, Todd Hewitt.

Ils ont au moins une demi-journée d'avance sur nous, peut-être même une journée *et demie*, et je sais pas où ils vont ni ce qu'Aaron a prévu de faire quand il arrivera là-bas, alors on continue.

– T'es bien sûr ? je demande régulièrement à Manchee.

– Par ici ! il aboie encore et toujours.

Et pourtant ça n'a pas de sens, on prend pratiquement le chemin que Viola et moi on aurait pris de toute façon, en suivant la rivière, à l'écart de la route et vers l'est, vers Haven. Je saisis pas pourquoi Aaron va là-bas. Je vois pas pourquoi il s'éloigne de l'armée, mais c'est leur piste que Manchee flaire et donc c'est le chemin à suivre.

On continue jusqu'au milieu de la journée, montant, descendant, on traverse des arbres qui échangent peu à peu leurs larges feuillages des plaines pour des espèces plus pointues, plus hautes et presque comme des flèches. Ils sentent différemment aussi, parfument l'air d'un parfum que je peux goûter sur ma langue. Moi et Manchee on saute par-dessus toutes les sortes de ruisseaux et de cours d'eau qui alimentent la rivière, je m'arrête de temps en temps pour remplir les gourdes et on continue.

J'essaye de pas penser, de penser à rien. J'essaye de garder mon esprit fixé vers l'avant, vers Viola, trouver Viola. J'essaye de pas penser à son visage quand j'ai tué le Spackle. J'essaye de pas penser à sa peur de moi et puis comment elle a reculé comme si j'allais lui faire du mal. J'essaye de pas penser à sa terreur quand Aaron l'a attaquée et qu'alors j'ai servi à rien.

Et j'essaye de pas penser au Bruit du Spackle ni à la peur qui était dans lui ni à sa stufépaxion d'être tué pour rien sauf qu'il pêchait dans la rivière, ni au craquement que mon bras a senti quand le couteau est entré en lui, ni comment rouge sombre son sang coulait sur moi ni à la stufépaxion qui se déversait de lui dans mon Bruit quand il est mort quand il est mort quand il est…

Non, ça, j'y pense pas.

À cause qu'on continue, on continue.

L'après-midi se transforme en début de soirée, la forêt et les collines ont l'air de jamais vouloir finir, et puis arrive un nouveau problème.

– Manger, Todd ?

– Il y a plus rien… je marmonne, et mes pieds glissent en descendant une nouvelle pente. Pour moi non plus, j'ai rien.

– Manger ?

Je me rappelle pas quand j'ai mangé la dernière fois, et je me rappelle pas la dernière fois que j'ai vraiment dormi non plus, du fait que s'évanouir et dormir c'est pas pareil, quand même.

Et j'ai perdu le compte de combien de jours il me reste avant de devenir un homme, mais je peux vous dire que jamais ça m'a semblé aussi loin.

– Cureuil ! aboie soudain Manchee, et il se propulse autour du tronc d'un arbre à aiguilles et dans un fouillis de fougères au pied.

J'ai même pas vu l'écureuil mais j'entends Chien toupie et « Cureuil ! » et Toupie-toupie-toupie- et puis toup, et d'un coup plus rien.

Manchee bondit, un écureuil cireux en travers de la gueule, plus gros et plus grand que ceux du marais. Il le laisse tomber par terre devant moi, sorte de sac fourré dégoûtant, plein de sang, et j'ai plus si faim maintenant.

– Manger ? aboie Manchee.

– Super, mon vieux… (Je regarde ailleurs, surtout pas voir cette horreur.) Vas-y, tu peux le prendre.

Je transpire plus qu'il faudrait et j'avale deux, trois longues gorgées d'eau pendant que Manchee finit son repas. Des petits moustiques tourbillonnent en nuages presque invisibles, sans arrêt je dois les chasser de la main. Je tousse encore, malgré la douleur dans mon dos, la douleur dans ma tête, et quand Manchee a fini et qu'il est prêt à partir, je vacille un peu mais on repart.

Continue, Todd Hewitt. Continue.

J'ose pas dormir. Aaron, lui, pourrait bien pas dormir, alors moi je peux pas non plus. Et en avant, toujours et encore en avant, les nuages passent parfois sans que je les remarque, les lunes se lèvent, les étoiles clignotent. On descend au pied d'une petite colline et, là, on effraye toute une horde de cerfs, mais avec des cornes complètement différentes de ceux que je connais à Prentissville, et de toute façon ils volent à travers les arbres en me fuyant moi et l'aboiement de Manchee, j'ai à peine eu le temps d'enregistrer qu'ils étaient là.

On continue encore jusqu'à quelque chose comme minuit. (Reste vingt-quatre jours ?… vingt-trois ?) On a passé une journée entière sans entendre aucun son de Bruit ni d'autres colonies, pas que j'aurais pu les voir d'ailleurs, même quand on était assez près pour distinguer des petits fragments de route ou de rivière. Mais quand j'arrive au sommet d'une autre colline boisée, avec les lunes juste au-dessus de ma tête, j'entends finalement le Bruit des hommes, aussi net qu'un craquement de foudre.

Et je m'accroupis, même s'il fait nuit.

Avec les lunes j'aperçois sur les pentes en face deux longues cabanes dans deux clairières séparées. De l'une, j'entends le ramdam murmurant du Bruit d'hommes endormis. Julia? et à cheval et dis-lui que non et en amont de la rivière après la matinée et des tas de choses qu'ont aucun sens du fait que le Bruit rêveur, c'est le plus étrange de tous. De l'autre cabane monte le silence, le douloureux silence des femmes, je le sens même d'ici, les hommes dans leur cabane, les femmes dans l'autre, leur façon je suppose de résoudre le problème du sommeil, et la touche de silence, côté femmes, elle me fait penser à Viola, et je dois très vite m'appuyer à un arbre pour garder mon équilibre.

Mais là où il y a des gens, il y a de la nourriture.

– Est ce que tu retrouveras ton chemin jusqu'à la piste, si on la quitte ? je chuchote à mon chien, coupant la toux qui m'étouffe.

– V'rai piste, aboie Manchee, très sérieux.

– T'es sûr ?

– Todd sent, il aboie. Manchee sent.

– Alors, plus un bruit, maintenant.

On se glisse vers le bas de la colline, tout doucement à travers les arbres et les taillis, et on arrive au fond d'une petite vallée, les cabanes endormies au-dessus de nous.

J'entends mon propre bruit s'étendre sur le monde, chaud et renfermé comme la sueur qui se déverse de mes flancs, et j'essaye de le garder gris et plat comme faisait Tam, qui contrôlait son Bruit mieux qu'aucun homme de Prentissville –

Et en voilà justement la preuve.

Prentissville ? j'entends presque aussitôt filtrer de la cabane des hommes.

On s'arrête net. Mes épaules s'effondrent. Juste un Bruit rêveur pour l'instant, mais le mot se répercute à travers les hommes endormis comme les échos d'une vallée. *Prentissville* ? et *Prentissville* ? et *Prentissville* ? comme s'ils savaient pas encore ce que le mot signifie.

Mais en se réveillant, ils sauront.

Crétin.

Je pivote, me dépêche de regagner la piste.

– Viens…

– Manger ?… aboie Manchee.

– Viens, je te dis.

Et donc, toujours rien à manger pour moi, mais on continue à travers la nuit, on continue aussi vite que possible.

Plus vite, Todd. Allez, bouge-toi les fesses.

On continue, on continue, on escalade les collines, je m'agrippe aux plantes, aux arbustes pour me hisser, à la descente je me rattrape aux rochers pour garder mon équilibre, sur cette piste aucun endroit où ce serait facile de marcher, contrairement aux parties plates qui longent la route ou la rivière, et je tousse et parfois je trébuche et quand le soleil commence à se montrer, le moment vient où j'en peux plus, où j'en peux tout simplement plus, où mes jambes se chiffonnent sous mon corps et alors je dois m'asseoir.

J'en peux plus. (*Je suis désolé.*)

Mon dos me fait mal et ma tête me fait mal et

je transpire et je pue tellement et j'ai tellement faim, alors faut que je m'asseye au pied d'un arbre, juste une minute. Il le faut et je suis désolé, désolé, désolé.

– Todd ? mâchonne Manchee qui s'approche.

– Tout va bien, vieux.

– Chaud, Todd, il fait (voulant dire que moi j'ai chaud).

Je tousse. Mes poumons grondent comme une avalanche de pierres.

Lève-toi, Todd Hewitt. Bouge tes purains de fesses et avance.

Mon cerveau dérive, j'y peux rien, j'essaye de me raccrocher à Viola mais mon cerveau s'en va, et je suis petit et je suis malade au lit et je suis vraiment malade et Ben reste dans ma chambre avec moi à cause que la fièvre me fait voir des choses, des choses effarribles, des murs qui tremblent et scintillent, des gens qui sont pas là, Ben avec des crocs et des bras en plus, toutes sortes de trucs et je hurle et je m'écarte, mais Ben est là avec moi, et il chante la chanson et il me donne de l'eau fraîche si fraîche et il prend des comprimés, des médicaments…

Médicaments.

Ben me donne des médicaments.

Je reviens à moi.

Je lève la tête, fouille dans le sac de Viola, sors sa trousse de secours. Il y a toutes sortes de comprimés dedans, beaucoup trop. C'est écrit sur les petites boîtes, mais les mots, les lettres ont aucun sens pour moi, et je peux pas prendre le risque d'avaler le tranquillisant qu'a assommé Manchee. J'ouvre ma propre trousse de secours, rien à voir avec la sienne, mais au moins je sais que les comprimés blancs sont des antidouleur, rien de sophistiqué mais pas de surprise non plus. J'en mâche deux, puis deux encore.

Lève-toi, pauvre nouille.

Je m'assieds, respire un moment, et je lutte, je lutte et lutte contre le sommeil, j'attends que les comprimés agissent, et quand le soleil pointe tout juste derrière une colline au loin, j'ai comme l'impression que je me sens un peu mieux.

Je suis pas sûr cette impression corresponde à la réalité, mais j'ai pas le choix.

Lève-toi Todd Hewitt. Bouge-les une bonne fois, tes purains de miches !

– C'est bon… je lâche essoufflé, frottant mes genoux. Par où, Manchee ?

Et nous voilà repartis.

La piste nous mène comme tout à l'heure, à l'écart de la route, de tout bâtiment qu'on pourrait voir au loin, mais toujours en avant, toujours vers Haven, seul Aaron sait pourquoi. Au milieu de la matinée, on tombe sur un autre cours d'eau qui descend vers la rivière. Je surveille les parages, s'il y a des crocos, mais c'est trop peu profond pour eux, et je me baisse pour remplir les gourdes. Manchee barbote, lape, essaye de choper les petits poissons couleur bronze qui nagent autour de lui et mordillent ses poils.

Je m'accroupis pour m'asperger la figure. L'eau froide me réveille un peu, comme une gifle. J'aimerais tant savoir si on gagne du terrain sur eux. Savoir combien ils ont d'avance.

Si seulement il nous avait jamais trouvés.

Et surtout, s'il avait pas trouvé Viola.

Si seulement Ben et Cillian m'avaient pas menti.

Si seulement Ben avait raison, maintenant.

Si seulement j'étais de retour à Prentissville.

Je reste accroupi, lève les yeux vers le soleil.

Non, non, non… pas ça.

Pas « si seulement j'étais de retour à Prentissville ».

Plus maintenant.

Et puis, si Aaron l'avait pas trouvée, alors je l'aurais peut-être pas trouvée non plus et c'est pas bon non plus.

Je me retourne pour ramasser mon sac.

– Allez, Manchee.

Alors j'aperçois la tortue, qui prend le soleil sur une pierre.

Je reste paralysé.

J'ai jamais vu une tortue pareille. Sa carapace est hérissée et coupante, avec une ligne rouge sombre qui descend de chaque côté. Elle ouvre sa carapace tout du long pour capter le maximum de soleil, exposant complètement son dos mou. Sa chair molle.

Une tortue, ça se mange.

Son Bruit fait rien qu'un long haaaaa… expiré sous la lumière du soleil. Elle a pas l'air de s'intéresser à nous, pense peut-être qu'elle peut refermer sa carapace en un éclair et plonger sous l'eau plus vite qu'on pourra l'atteindre. Et puis même si on y arrivait, on pourrait pas rouvrir la carapace pour manger l'intérieur.

Sauf si on a un couteau avec quoi la tuer.

– Tortue ! aboie Manchee, mais il s'approche pas, les tortues du marais qu'on connaît, elles ont le bec bien assez costaud pour attaquer un chien. La tortue bouge pas, elle nous prend pas vraiment au sérieux.

Je cherche le couteau, dans mon dos.

J'y suis à mi-chemin, quand je sens la douleur entre mes omoplates.

Je m'arrête, ravale ma salive.

(Spackle et douleur et stufépaxion.)

Je regarde dans l'eau, j'y vois mon reflet, ma chevelure en broussaille, pansement en travers du crâne, plus sale qu'une vieille brebis.

Main tendue vers le couteau.

(Sang rouge et peur et peur et encore peur.)

J'arrête mon geste.

Je retire ma main.

Je me relève.

– Allez, Manchee.

Je regarde pas la tortue, j'écoute même pas son Bruit. Manchee aboie plusieurs fois encore, mais je traverse déjà le cours d'eau et on continue, on continue, on continue et voilà.

Alors, comme ça, je peux pas chasser.

Et je peux pas m'approcher des colonies.

Et donc, si on trouve pas Viola et Aaron bientôt, je vais mourir de faim, si cette toux me tue pas avant.

Génial. Rien d'autre à faire que de continuer, aussi vite que je peux.

Pas assez vite, Todd. Bouge tes purains de guibolles, pauvre débile.

La matinée devient un autre midi, le midi devient un autre après-midi, je prends d'autres comprimés, on continue, pas de nourriture, pas de repos, juste en avant, en avant et en avant. Notre piste commence à redescendre, une chance, au moins. De plus en plus près de la route, mais je me sens si mal que je lève même pas les yeux quand j'entends un Bruit éloigné, de temps en temps.

C'est pas le sien et j'entends pas de silence qui soit le sien, alors pourquoi m'en faire ?

L'après-midi devient une autre soirée, et on descend une pente assez raide, quand là, d'un coup, je tombe.

Mes jambes se replient sous moi et je suis pas assez rapide pour me rattraper, et je tombe et je continue à tomber, glissant dans la pente, percutant les fourrés, prenant de la vitesse, je sens mon dos se déchirer et je tends les bras pour m'arrêter, mais mes mains bien trop lentes, bien trop faibles pour agripper quelque chose, et je vibre et je tremble, vibre et tremble le long des feuillages et des herbes, et puis je me cogne quelque part et je rebondis en l'air, et je retombe sur les épaules, la douleur déchire mes épaules et j'appelle, et j'arrête pas de tomber, jusqu'à un massif de ronciers en bas de la pente où je plonge tout droit.

– Todd ! Todd ! Todd !

C'est Manchee, il accourt, mais je peux rien faire qu'essayer de supporter encore la douleur et encore la fatigue et encore les glaires dans mes poumons et encore la faim qui me mord les tripes et encore les écorchures de ronces partout, et je crois que je pleurerais s'il me restait une toute petite parcelle d'énergie.

– Todd ? aboie Manchee en me tournant autour, essayant de trouver un passage à travers les ronces.

– Laisse-moi une minute…

Je me redresse un peu, puis je bascule en avant et je m'aplatis sur la figure.

Lève-toi. Lève-toi, pourriture, LÈVE-TOI !

– Faim, Todd, fait Manchee (voulant dire que moi j'ai faim). Manger, manger, Todd.

Je plaque mes mains au sol, tousse en me redressant, crache mes glaires à pleines poignées. Enfin, me voici sur les genoux.

– Nourriture, Todd !

– Je sais, oui. Je…

Ma tête tourne trop, je dois me pencher, poser le front par terre.

– Laisse-moi… juste une seconde… je chuchote dans les feuilles mortes. Juste une petite… seconde.

Et je replonge dans le noir.

Je sais pas combien de temps j'y reste, mais Manchee aboie quand je me réveille.

– Gens ! il aboie. Gens ! Todd, Todd ! Todd ! Gens !

J'ouvre les yeux. Quelles gens ?

– Par ici ! il aboie. Gens ! Nourriture, Todd… Nourriture !

Je prends des petites inspirations, toussant continuellement, mon corps pèse quatre-vingt-dix millions de kilos, lentement, lentement je m'extirpe du roncier, je lève la tête.

Je suis dans un fossé en bordure de la route.

À gauche devant je vois des charrettes, tout un chapelet de charrettes tirées par des chevaux et des bœufs, qui disparaissent dans un tournant.

– Au secours !… Mais ma voix sort comme un souffle éteint.

Lève-toi.

– Au secours, je répète, mais ça sonne seulement pour moi-même.

Lève-toi.

C'est fini. Me lever, je peux plus. Je peux plus bouger. C'est fini.

Lève-toi…

Mais c'est fini.

La dernière charrette disparaît dans le tournant et c'est fini.

… abandonne.

Je repose la tête par terre, sur le bord de la route, les graviers et les cailloux me rentrent dans la joue. Un frisson me secoue et je roule sur le côté et je me recroqueville, je me pelotonne, je replie mes genoux contre ma poitrine et je ferme les yeux, j'ai échoué j'ai échoué et par pitié faites que le noir me prenne par pitié par…

28 *Le parfum des racines*

– Za va-t'y, Ben ?

Il a passé une main sous mon aisselle pour m'aider à me lever, mais je peux à peine me redresser, ni même tenir vraiment ma tête, alors je sens son autre main sous mon autre aisselle. Ça marche pas non plus, alors il emploie les grands moyens, il me soulève, me balance par-dessus son épaule. Je fixe l'arrière de ses cuisses pendant qu'il me porte vers la charrette.

– Zé ki don, Wilf? demande une voix de femme.

– Zé Ben. L'a pas l'ére bin en feurme.

Je sens qu'il me dépose à l'arrière de la charrette. Tout un fatras de colis et de caisses couvertes de peaux s'empilent avec des meubles et des grands paniers renversés, prêts à basculer par-dessus bord.

– Trop tard… je souffle. Fini.

Devant, la femme a sauté en bas du siège pour venir m'observer. Une costaude, avec sa robe usée, ses cheveux en coup de vent et des toiles d'araignée au coin des yeux, et sa voix fait des grumeaux, comme une soupe trop épaisse.

– Quoi don ké fini, mon p'tit geus ?
– Elle est partie…
Je sens mon menton se chiffonner, ma gorge se contracter.
– … Je l'ai perdue.
Une main rafraîchit mon front et c'est si bon que je la presse dessus. Elle l'enlève, et dit « Fiéévre » à Wilf.
– P'tét bin, répond Wilf.
– B'zoin d'un bon catapleusme, dit la femme, et je crois qu'elle se dirige vers le fossé mais ça n'a pas de sens.
– Et Hildy, où donc qu'elle est, Ben ? demande Wilf, essayant de croiser mon regard. Mais je peux à peine le voir tellement mes yeux sont mouillés.
– Elle s'appelle pas Hildy…
– Ça, ze l'sait bin, mais c'keum ça que z'l'épelle.
– Elle est partie, je répète, les larmes venant franchement.
Ma tête retombe en arrière. Je sens Wilf poser sa main sur mon épaule et la serrer.
– Todd ? aboie Manchee, il hésite, sur le bas-côté.
– Je m'appelle pas Ben, je répète.
– Voué, fait Wilf. Mé c'keum ça qu'on t'épelle.
Je le regarde. Son visage et son Bruit aussi vides que dans mon souvenir mais la leçon de toujours et toujours c'est que connaître le visage et le Bruit d'un homme c'est pas connaître un homme.
Wilf ajoute rien, il retourne à l'avant de la charrette. La femme, elle revient avec un torchon dans les mains. L'odeur est infecte, un mélange de racines, de boue et d'herbes effarribles, mais je

suis si fatigué, je la laisse le nouer autour de mon front, par-dessus le pansement toujours collé sur le côté de ma tête.

– A devré meurcher cont'la fiéévre, dit-elle, remontant d'un bond sur la charrette. On bascule un peu en avant quand Wilf secoue ses rênes. Les yeux de la femme, écarquillés, fouillent les miens comme pour pêcher une nouvelle extraordinaire.

– T'as l'anrmée au deurrière, toué eussi ?

Son silence près de moi me rappelle tellement Viola que j'ai du mal à pas me serrer contre elle.

– Un peu, oui.

– Té zui que Wilf m'a raincanté, hein ?... Toué et la fille qui z'ont dit à Wilf pour l'anrmée, pour qu'il dise aux gensses, Wilf, qu'il dise aux geinsses de z'en aller, pas vré ?

Je la regarde, le jus de racines puant dégouline sur ma figure et je me tourne, regarde Wilf sur son siège qui conduit la charrette. Il m'entend regarder.

– Z'ont écouté Wilf, feinanlement.

Je regarde plus loin sur la route. Après le premier tournant, j'entends pas seulement le courant de la rivière chanter de nouveau à droite (comme un vieil ami, ou un vieil ennemi), je vois aussi une ligne de charrettes qui s'allonge devant nous au moins jusqu'au prochain tournant, des charrettes pleines d'objets comme celle de Wilf et toutes sortes de gens juchés dessus, s'accrochant à tout ce qui les ferait pas tomber.

Une caravane. Wilf roule à l'arrière d'une longue caravane. Des hommes et des femmes, et même des enfants je crois aussi, mais j'ai du mal à voir à travers la puanteur de cette chose nouée autour de ma tête, leur Bruit et leur silence allant, venant, moussant et crépitant comme une grande nappe d'eau.

Armée j'entends surtout. Armée et Armée et Armée.

Et ville maudite.

Brockley Falls ? je demande.

– Bar Vizta, eussi… fait la femme, tête haute. … É bin d'eutres. Z'te reumeurre qu'a remanté la riviére et la reuute. L'anrmée d'la ville meuudite appreuche, appreuche, elle greuzit en appreuchant, avé des heummes ki prénent les anrmes, et ki meurchent avec.

Grossit en s'approchant.

– Zont des milliliers, a'z qu'on dit.

Wilf hausse une épaule.

– Vzzz… Pas mille geinsses eintre izi et la ville meudite.

La femme pince les lèvres, vexée.

– Z'en dis rin d'aut ke z'qu'on dit, zé tout.

J'observe la route déserte derrière nous, Manchee essoufflé un peu plus loin, et je me rappelle Ivan, l'homme de la grange de Farbranch, quand il me chuchotait que tout le monde pensait pas la même chose sur l'histoire, que Pren – ma ville avait encore des alliés. Peut-être pas des milliers, mais l'armée peut-être encore capable de grossir. Pour devenir plus forte et plus forte en avançant, et devenir si grande que plus personne pourrait lui résister ?

– On va à z'Heuvén, dit la femme. Y nous proteugerant, là-bas.

– Haven, je marmonne pour moi-même.

– On dit qu'y z'ont méme un r'mééde cont'le

Brouit dans z't'e ville. Alors là, moué z'émeré bin voére ça ! rit-elle tout fort… Ou l'einteindre, voué, l'einteindre !… Et elle s'en tape la cuisse.

– Ils ont des Spackle, là-bas ? je demande.

La femme se tourne vers moi, surprise.

– Des Sbagueules ? Z'appreuchent pas des geinsses, les Sbagueules. Pas plus mainteneint. Pas plus depuis la gueurre. Y restent eintre eux et nous eutres on reste eintre soué et tout l'mande il a la pé. (Mais j'ai l'impression qu'elle récite un texte appris par cœur quand elle ajoute :) En reste presque pleus, teute feuçon.

– Faut que j'y aille… J'essaye de me soulever sur les mains. … Je dois la retrouver.

Mais je perds aussitôt l'équilibre et je tombe de la charrette. La femme crie à Wilf de s'arrêter. Ils me hissent tous les deux à bord, la femme prenant Manchee du même coup. Elle dégage quelques caisses pour m'allonger et puis Wilf fait repartir ses bœufs. Il a claqué ses rênes un peu plus fort cette fois, je sens qu'on avance plus vite – plus vite que je pourrais marcher, en tout cas.

– Meinge, dit la femme en tendant du pain vers ma bouche. T'peux pas 'ller neulle peurt sein meinger.

Je prends le pain et mords dedans, puis je me jette sur le reste si vite que j'oublie d'en donner à Manchee. La femme en sort un autre et nous en donne à tous les deux, observant mes gestes avec de grands yeux gloutons.

– Merci, je dis.

– M'épelle Zaine. Ses yeux s'écarquillent comme si elle pouvait plus se contenir de parler…

Aleurs keum ça, t'as veu l'anrmée ? Avé té preupres z'yeux ?

– Oui. À Farbranch.

Elle retient sa respiration.

– Aleurs z'é don vréé. (*Pas une question, une affirmation*).

– Bé, z't'l'avé pas dit, k'z'été vré ? lâche Wilf, devant.

– Z'einteindu dire ki ceupent les tétes des geinsses et meingent leurs z'yeux en beuillon…

– Zaine !… coupe Wilf.

– Bah, ze fé k'peurler…

– Ils tuent des gens, je dis à voix basse. Tuer suffit.

Les yeux de Jane ricochent partout sur mon visage et mon Bruit, mais tout ce qu'elle dit finalement c'est :

– Wilf y m'a teut ranconté sur toué…

Et je me demande ce qu'il y a derrière son sourire.

Une goutte du torchon a coulé dans ma bouche et je m'étouffe et je crache et je tousse encore.

– Qu'est-ce que c'est, ce truc ? je râle, pressant le torchon avec mes doigts et grimaçant sous la puanteur.

– Catapleusme. Peur la fiéévre.

– Ça pue.

– Eudeur meuléfique chasse fiéévre meuléfique, énonce-t-elle satisfaite, comme si tout le monde savait ça.

– Maléfique ?… Mais la fièvre, c'est de la fièvre, quoi d'autre ?

– Voué, et z'te catapleusme, y gueurit la fiévre.

Je la dévisage. Ses yeux me quittent jamais

et leur partie grande ouverte commence à me mettre mal à l'aise. Aaron a cet air-là, quand il vous cloue au sol, quand il vous prêche son sermon à coups de poing, quand il vous prêche dans un trou d'où vous sortirez peut-être jamais.

Un regard de dingo.

J'essaye de contrôler cette pensée mais Jane montre pas qu'elle l'a entendue.

– Faut que j'y aille, je répète. Merci beaucoup pour le pain et le cataplasme, mais je dois y aller.

– T'peux pas peurtir dans ces boués, hou, ça nan, mon preince, dit-elle, toujours sans battre un cil… Y zont deingereux, zé boués-là, très deingereux.

– Comment ça, dangereux ?

Je m'écarte un peu.

– Des keuleunies, plus loin, chuchote-t-elle, et ses yeux s'ouvrent comme des soucoupes et avec un sourire maintenant, comme enchantée de me dire ça enfin… Des dingueux, l'Brouit les a reindus camplétemeint dingueux. J'einteindu peurler d'une où teut le monde y peurte un masque peur pas qu'y se rekeunéssent. Et d'une eutre où peursonne y fé rin que chainter teute la jeurnée tant y zont tombés dingueux. Et une eutre enceure avé des maisons en véérre et où peursonne y peurte de vétemeints pazque peursonne y n'a d'zegrets dans zon Brouit, tu campreinds ?

Elle est plus près maintenant, je sens son haleine, pire que le torchon, et je sens le silence derrière tous ses mots. Mais comment? Comment un silence peut-il contenir autant de vacarme ?

– Les gens savent garder des secrets dans le Bruit, je dis. Les gens, ils savent garder toutes sortes de secrets.

– T'vas pas bintôt y ficher la péé, à z'geuzon? grommelle Wilf de son siège.

La figure de Jane devient toute molle.

– Deuzeulée, lâche-elle comme à contrecœur.

Je me redresse un peu, la nourriture dans mon estomac m'a fait du bien, au moins (le torchon puant, ça je peux pas dire).

On se rapproche du reste de la caravane, assez près pour que je distingue l'arrière de quelques têtes et le Bruit d'hommes qui bavardent d'avant en arrière et le silence des femmes entre eux, comme des pierres dans un torrent.

De temps en temps, l'un d'eux, un homme généralement, jette un regard en arrière vers nous, et je sens qu'ils me scrutent, cherchent à voir ce que je suis.

– Je dois la trouver, je dis.

– La meum'zelle? demande Jane.

– Oui. Merci beaucoup, mais je dois y aller.

– Et ta fiéévre, aleurs? Et les zeutres keuleunies?

– Je prends le risque, dis-je en détachant le torchon sale. Viens, Manchee.

– T'peux pas peurtir keum ça, s'exclame-t-elle, les yeux plus grands que jamais, sa figure remplie d'inquiétude. L'anrmée…

– Je ferai attention à l'armée.

Je me redresse d'aplomb, me prépare à sauter à bas de la charrette. Encore peu vacillant, je dois respirer une ou deux fois avant de vaincre le vertige.

– Mé z'y vont t'avouére! fait Jane, à voix plus haute. Té de Preintizveulle…

Je lève les yeux, d'un coup.

Jane se plaque la main sur la bouche.

– *Feumme* ! crie Wilf, se retournant complètement.

– Pas fé ezpréés… me chuchote-t-elle.

Trop tard. Déjà le mot rebondit d'arrière en avant de la caravane d'une façon que je connais trop. Pas seulement le mot, mais ce qui me cloue à lui, ce que tout le monde sait ou pense qu'il sait sur moi, des visages qui se tournent pour mieux regarder la dernière charrette de la caravane, les bœufs et les chevaux ralentissant puis s'arrêtant pendant que les gens se retournent pour mieux nous examiner.

Des visages et du Bruit tendus tout au long de la route vers nous.

– T'as ki don là, Wilf? fait une voix d'homme, de la charrette devant nous.

– Geuzon fiévreux! crie Wilf. La m'leudie l'reind dingo! Y zé pas z' ki dit!

– T'é bin sûr?

– Voué, mon peute. L'geuzon il é teut meuleude.

– Fé venir, don, crie une femme. Qu'on l'vouéye, un peu.

– É si z't'un ezpian? lance une autre femme, d'une voix suraiguë. Ki guide l'anrmée jeusqu'à nous?

– On en veut pas des ezpians, crie un homme, un autre.

– Y z'éppelle Ben! dit Wilf. Il vient de Farbringe! Y fé des ceuchemeinres à ceuse d'l'anrmée, d'la ville meudite k'a toué zeu qu'il ééme. Pareule, z'le guareintis.

Personne crie plus pendant un instant, mais le Bruit des hommes bourdonne dans l'air comme un essaim, les visages de tout le monde tournés vers nous. J'essaye d'avoir l'air encore plus fiévreux et je mets l'invasion de Farbranch en pleine lumière. C'est pas dur. Très vite j'ai même envie de vomir.

Pendant un long moment personne dit rien et c'est aussi fort qu'une foule hurlante.

Et puis ça cesse.

Lentement, mais très lentement, les bœufs, les chevaux commencent à repartir, les gens regardant toujours en arrière mais au moins ils s'éloignent. Wilf fait claquer les rênes mais il fait marcher ses bœufs moins vite que les autres, laisse la distance augmenter entre nous et tout le monde.

– Ha, zuis tant dezeulée, fait Jane, tout essoufflée. Wilf y m'a dit de pas rein dire. Y m'a dit, mé…

– C'est pas grave… je la coupe, qu'elle arrête de parler au moins.

– Zuis tant, tant dezeulée…

La charrette couine et s'arrête. Wilf attend que la caravane soit à bonne distance, puis il saute en bas et nous rejoint.

– Peursonne y l'éceute Wilf, dit-il, peut-être avec un petit sourire. Mé queind y l'éceutent, y le crouéent.

– Je dois y aller.

– Voué… Treup deingereux, ici.

– Ze zuis dezeulée, répète Jane.

Je saute de la charrette, suivi par Manchee. Wilf prend le sac de Viola et le tend ouvert à Jane, qui comprend. Elle attrape une pleine brassée de fruits et de petits pains et les tasse dans le sac, puis rajoute encore de la viande séchée.

– Merci, je fais.

– Z'pére k'tu vas la treuver, dit Wilf pendant que je ferme le sac.

– Oui, j'espère aussi.

Un hochement de tête, et il repart grimper sur son siège, et fait claquer les rênes.

– Fé 'tteintion, Jane lance derrière moi, dans le plus assourdissant chuchotement qu'on ait jamais entendu. Fé bin 'teintion z'aux dingeux.

Je les regarde s'éloigner un moment, toujours toussant, fiévreux encore, mais je me sens mieux, la nourriture peut-être, plus que l'odeur des racines, et j'espère que Manchee va pouvoir retrouver la piste, et je me demande aussi quel genre d'accueil je vais recevoir si j'arrive un jour à Haven.

29 *Des Aaron par milliers*

Manchee, ça lui prend un petit moment, un norripilant petit moment, avant de retrouver la piste dans les bois, mais enfin il jappe « Par ici ! » et nous voilà repartis.

C'est un sacré bon chien. (*Mais je l'ai déjà dit, non ?*)

La nuit est complètement tombée maintenant. Je transpire encore et je tousse encore assez pour gagner le premier prix de la toux qui tue et mes pieds c'est plus rien que des ampoules et ma tête vrombit de Bruit fiévreux mais j'ai des aliments dans l'estomac et de quoi tenir deux jours dans le sac et donc rien compte plus que ce qui est devant nous.

– Tu la sens, Manchee ? je demande, en équilibre sur un tronc d'arbre jeté à travers un ruis seau. Est-ce qu'elle est vivante ?

– Sens Viola… il aboie, sautant de l'autre côté. Viola, peur…

J'encaisse le coup et accélère. Un autre minuit vient (*Vingt-deux jours ? Vingt et un ?*), et la pile de ma lampe finit par lâcher. Je prends celle de Viola mais c'est la dernière. Encore plus de collines et plus raides aussi, pendant qu'on avance à travers la nuit, plus difficiles à escalader, plus dangereuses à descendre, mais on avance, et on avance et on avance, Manchee flairant, mangeant la viande séchée de Wilf pendant qu'on trébuche en avant, moi toussant comme un perdu, prenant les plus petites pauses possibles, plié en deux contre un arbre, et puis le soleil commence à monter derrière une colline, alors c'est comme si je montais vers l'aube.

Et c'est quand la lumière nous frappe en plein que je vois le monde se mettre à vibrer.

Je m'arrête, m'agrippe à une fougère pour garder mon équilibre dans la pente. Tout devient flou pendant une minute. Je ferme les yeux mais ça aide pas, juste un flot de couleurs et d'étincelles derrière mes paupières, et mon corps frissonne comme une feuille et s'agite dans la brise que je sens venir du sommet, et quand elle passe, elle passe pas vraiment tout à fait, le monde gardant son étrange lumière, comme si je m'éveillais d'un rêve.

– Todd? aboie Manchee, inquiet maintenant, à voir qui sait quoi dans mon Bruit.

– La fièvre... je dis, et je tousse encore. J'aurais pas dû le balancer, ce torchon puant.

Non, mais là on y peut plus rien.

Je prends le dernier des comprimés antidouleur dans ma trousse, et faut y aller.

On arrive en haut de la colline. Pendant un instant, toutes les autres collines devant nous et la rivière et la route plus bas se gonflent et se dégonflent comme une grande, très grande couverture qu'on secoue. Clignant des yeux, je fais tout pour que ça se calme assez, pour que je puisse continuer. Manchee couigne à mes pieds. J'essaye de lui gratouiller la tête mais je manque tomber en avant, alors je me concentre sur cette pente qu'il va falloir descendre et surtout va falloir pas tomber.

Je pense encore au couteau dans mon dos, au sang qu'était dessus quand il est entré dans mon corps et que mon sang s'est mélangé à celui du Spackle et allez savoir maintenant ce qui tourbillonne dans mon intérieur depuis qu'Aaron m'a poignardé.

– Je me demande s'il savait… je dis à Manchee, ou à moi-même, ou à personne, on est arrivés au pied de la colline et je m'appuie contre un arbre pour faire que le monde arrête un peu de bouger. Je me demande si c'est ce qu'il voulait, me tuer lentement, à petit feu.

– Mais évidemment, mon garçon ! lance Aaron, sortant la tête de derrière l'arbre.

Je hurle, et je tombe en arrière, et je tends les bras pour l'écarter, et je tombe sur les fesses, et je recule en crabe puis je lève les yeux…

Il a disparu.

Manchee me fixe tétanisé, en arrêt complet.

– Todd ?

– Aaron, je souffle, mon cœur tambourine, ma respiration cassée par une toux de plus en plus épaisse.

Manchee hume l'air, renifle le sol autour de lui.

– Piste, par ici, il aboie, piaffant d'une patte sur l'autre.

Je regarde, toussant, toussant, le monde en pointillé, le monde un brouillard.

Aucun signe de lui, aucun Bruit autre que le mien, aucun silence de Viola. Je referme les yeux.

Je suis Todd Hewitt, je pense, luttant contre le tourbillon. *Je suis Todd Hewitt.*

Gardant les yeux fermés, je tâte la gourde, avale une gorgée, puis détache un morceau du pain de Wilf et le mâche lentement. Après seulement, je rouvre les yeux.

Rien.

Rien que des bois, et une autre colline à escalader.

Et la lumière vibrante du soleil.

Le matin passe. Au pied d'une autre colline encore, un autre cours d'eau, encore. Je remplis les gourdes et je bois un peu d'eau froide avec mes mains.

Je me sens mal, très mal, je pourrais pas le dire autrement. Ma peau se hérisse et parfois je frissonne et parfois je transpire et parfois ma tête pèse mille tonnes. Je me penche sur le ruisseau, et je m'asperge de froid, très froid.

Je me rassieds. Aaron se reflète dans l'eau.

– *Tueur*, prononce-t-il, un sourire crevant sa figure toute déchirée.

Je saute en arrière, recule à quatre pattes cherchant mon couteau (et la douleur me perce les épaules). Mais quand je lève les yeux il est plus là, et Manchee continue sa chasse aux poissons.

– Je viens te chercher, je dis en l'air, un air qui bouge de plus en plus avec le vent.

La tête de Manchee émerge du courant.

– Todd ?

– Je te trouverai, même si c'est la dernière chose que je fais.

– *Tueur*... j'entends encore murmurer avec le vent.

Je reste allongé une seconde, essoufflé, toussant, mais obligeant mes yeux à rester grands ouverts. Je retourne au ruisseau et m'asperge d'eau froide jusqu'à me faire mal à la poitrine.

Je me ressaisis, et on reprend notre marche.

L'eau froide fait l'affaire pendant un moment. On passe plusieurs collines tandis que le soleil gagne le midi sans trop trembler. Quand les choses redeviennent floues, je m'arrête et on mange.

– *Tueur*... j'entends dans les buissons autour de nous, et puis encore d'une autre partie de la forêt : « *Tueur...* », et puis encore d'autre part : « *Tueur...* »

Je lève pas la tête. Je continue à manger.

C'est juste le sang du Spackle, je me dis. Juste la fièvre et la maladie c'est tout.

– *Vraiment tout ?* lance Aaron, de l'autre côté de la clairière. *Mais si c'est tout, pourquoi me pourchasses-tu ainsi ?*

Il porte sa chasuble du dimanche, et son visage est tout raccommodé comme avant, à Prentissville, mains jointes, croisées sur sa poitrine pour nous convier à la prière, et il scintille au soleil et il me sourit de toute sa hauteur.

Le poing souriant que je connais si bien.

– *Le Bruit nous lie tous, jeune Todd*, siffle-t-il d'une voix gluante, étincelante comme un serpent. *Si l'un de nous tombe, nous tombons tous.*

– T'es pas là, je lâche entre mes dents.

– Là, Todd ! aboie Manchee.

– *Vraiment* ? ricane Aaron, avant de disparaître dans un brouillard.

Mon cerveau sait que cet Aaron-là n'est pas réel, mais mon cœur s'en moque et il bat dans ma poitrine comme un cheval de course. J'ai du mal à récupérer mon souffle et je perds encore du temps avant de pouvoir tenir debout pour reprendre mon chemin, dans l'après-midi.

La nourriture aide, Dieu bénisse Wilf et sa foldingue de femme, mais parfois on peut pas avancer plus vite qu'en titubant. Presque tout le temps, j'aperçois Aaron du coin de mon œil, caché derrière les arbres, appuyé contre les rochers, debout en haut d'un bois, mais je détourne la tête et je continue à avancer, trébucher.

Et puis, du sommet d'une colline, je vois la route traverser la rivière en contrebas. Le paysage bouge d'une façon qui me chavire l'estomac, mais je distingue quand même bien un pont qui conduit la route de l'autre côté, alors il y a rien d'autre maintenant entre nous et la rivière.

Je me rappelle cette autre route qu'on avait pas prise, à Farbranch. Je me demande où elle passe cette route, au milieu de ce désert sauvage. Je regarde vers la gauche mais c'est rien que des bois à perte de vue et des collines encore qui s'enflent et pas comme elles devraient. Je dois fermer les yeux un instant.

On descend, lentement, trop lentement, la piste nous menant tout près de la route et du pont, un haut pont branlant avec une rambarde en fer. L'eau s'est accumulée là où la route s'engage, formant mares et gadoue.

– Ils ont traversé la rivière, Manchee ?

J'appuie les mains sur les genoux pour reprendre mon souffle et tousser.

Manchee flaire frénétiquement le sol, traverse la route, la retraverse, va au pont et revient.

– Wilf sent ! il aboie. Charrette sent !

– Oui, je vois bien les traces… je fais en me frottant le visage. Mais Viola ?

– Viola ! aboie Manchee. Par ici !

Il s'écarte de la route, reste de ce côté-ci de la rivière et démarre.

Bon chien, je souffle entre deux crachats. *Bon chien.*

Je le suis à travers les branches et les broussailles, le courant chante, plus près sur ma droite qu'il ne l'a fait depuis des jours.

Et je tombe en plein sur une colonie.

Je me redresse surpris, tousse.

Une colonie détruite.

Les bâtiments, huit ou dix, carbonisés, en cendres, et j'entends pas le moindre murmure de Bruit, nulle part.

Un instant je me dis que l'armée est passée par là et puis je vois les plantes qui poussent dans les bâtiments brûlés et aucune fumée montant d'aucun feu, et le vent souffle à travers comme si seuls les morts vivaient ici. Je regarde autour de moi et il y a quelques embarcadères déglingués sur la berge, juste au pied du pont, une vieille barque solitaire qui les heurte dans le courant et quelques autres barques à moitié coulées, elles se chevauchent à mi-chemin de la berge, devant un grand tas de bois brûlé, peut-être un ancien moulin.

Il fait froid et c'est mort depuis longtemps et voilà un autre endroit sur Nouveau Monde qu'est jamais arrivé à l'agriculture de subsissance.

Et je me retourne et au milieu le voilà, Aaron.

Sa figure est redevenue comme quand les crocos l'ont déchirée et à moitié écorchée, avec sa langue qui pend du côté de la plaie ouverte dans sa joue.

Et il sourit toujours.

– *Rejoins-nous, jeune Todd. L'église t'est toujours ouverte.*

– Je vais te tuer.

Le vent me vole mes mots mais je sens qu'il m'entend à cause que j'entends le moindre mot qu'il prononce.

– *Tu ne le feras pas*… et il avance d'un pas, poings serrés. *Parce qu'en vérité je le dis, tu n'es pas un vrai tueur, Todd Hewitt.*

– Me provoque pas, je réponds, quelque chose d'étrange et de métal dans la voix.

Il sourit encore, ses dents pointant hors de sa joue et dans un flot de vibrations le voilà juste en face de moi. Il pose ses mains tailladées sur le devant de sa soutane et l'ouvre pour me montrer son torse nu.

– *C'est le moment ou jamais, Todd Hewitt, de manger de l'Arbre de la Connaissance.* (Sa voix résonne loin dans mon crâne.) Tue-moi.

Le vent me fait frissonner, mais je me sens brûlant et en sueur en même temps, et je peux pas inspirer plus d'un tiers d'air dans mes poumons et ma tête commence à me faire mal d'une façon que la nourriture n'aidera pas, et chaque fois que je pose un peu vite mon regard ailleurs, tout doit vite se remettre en place pour prendre forme.

Je serre les dents.

Sûrement je suis en train de mourir.

Mais lui partira le premier.

Je cherche dans mon dos, malgré la douleur entre mes épaules, et je sors le couteau de son étui, et je le tiens devant moi. Il brille de sang frais et scintille dans le soleil et pourtant je suis dans l'ombre.

Aaron élargit encore plus son sourire que son visage peut le contenir, et il bombe sa poitrine vers moi.

Je lève le couteau.

– Todd ? aboie Manchee. Couteau, Todd ?

– *Vas-y, Todd*, dit Aaron, et je jure que je sens son odeur de moisi. *Passe donc de l'innocence au péché. Si tu le peux.*

– Je l'ai fait. J'ai déjà tué.

– *Tuer un Spackle, c'est pas tuer un homme*, il siffle en grinçant des dents devant ma stupidité. *Les Spackle sont des diables envoyés nous tester. En tuer un c'est comme tuer une tortue*. (Son œil s'agrandit.) *Sauf que toi, tu peux même pas faire ça non plus, hein ?*

Je serre le couteau et je pousse un grognement et le monde devient flou.

Mais le couteau tombe toujours pas.

Avec un gargouillis, un sang épais s'écoule de la plaie du visage d'Aaron, et je comprends qu'il rit.

– *Ça lui a pris longtemps, si longtemps, avant de mourir… La pauvre…* il chuchote.

Et je crie de douleur –

Et je lève le couteau plus haut –

Et je vise son cœur –

Et il sourit toujours –

Et je baisse le couteau –

Et je le plante en plein dans la poitrine de Viola –

– Non!... je m'écrie, à la seconde où c'est trop tard.

Elle le regarde, le couteau, puis moi. Son visage est plein de souffrance et un Bruit stupéfait se déverse d'elle juste comme du Spackle que –

(Que j'ai tué.)

Et elle me regarde avec des larmes dans les yeux et elle ouvre la bouche et elle dit: «*Tueur.*»

Puis comme je tends la main, elle disparaît dans une vibration.

Et le couteau, tout propre, je le tiens toujours dans ma main.

Je tombe sur les genoux, je bascule en avant et sur le sol de la colonie incendiée, respirant et toussant et pleurant et gémissant pendant que le monde fond autour de moi et que tout devient liquide.

Je peux pas le tuer.

Je le veux. Je le voudrais tellement. Mais je peux pas.

Parce que c'est pas moi et parce que je la perds.

Je peux pas. Peux pas ça. Pas ça.

Je me laisse emporter par la vibration, je disparais.

C'est ce bon vieux Manchee, le plus vrai des copains, qui me réveille en me léchant la figure et un mot murmuré, inquiet, qui traverse son Bruit et son couignement.

– Aaron, il jappe, silencieux, tendu. Aaron.

– Laisse-moi, Manchee.

– Aaron, il gémit, me lèche et me lèche plus fort.

– Il est pas vraiment là, je fais, essayant de m'asseoir. C'est juste quelque chose…

C'est juste quelque chose que Manchee peut pas voir.

– Où est-il ? je lâche, me relevant trop vite, et tout valse rose et orange. Puis je recule vacillant devant ce que je vois.

Des centaines d'Aaron à des centaines d'endroits, tous autour de moi. Et des Viola aussi, effrayées, qui m'appellent au secours du regard, et des Spackle avec mon couteau son manche qui leur sort de la poitrine et ils me parlent tous en même temps, tous dans un énorme rugissement de voix.

– Trouillard, ils disent. Tous. Trouillard, ils répètent, encore et encore.

TROUILLARD ! TROUILLARD !
Trouillard !
TROUILLARD !
TROUILLARD !
TROUILLARD !
Trouillard
TROUILLARD !

Mais je serais pas un garçon de Prentissville si j'étais pas capable d'ignorer un Bruit.

TROUILLARD !
Trouillard !
TROUILLARD ! TROUILLARD !
TROUILLARD !
TROUILLARD
TROUILLARD !
TROUILLARD !
TROUILLARD
Trouillard
TROUILLARD !
TROUILLARD !
TROUILLARD !
TROUILLARD !

– Où ça, Manchee ? je fais, essayant de pas voir comment tout plonge en avant et glisse sur le côté.

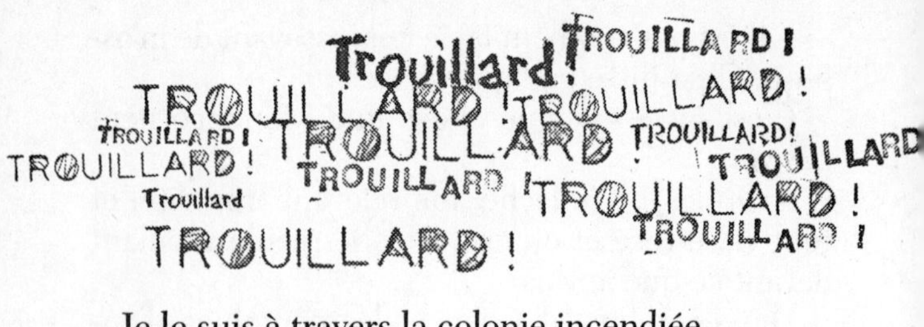

Je le suis à travers la colonie incendiée.

TROUILLARD!

TROUILLARD! TROUILLARD Trouillard
TROUILLARD! TROUILLARD! TROUILLARD!
TROUILLARD! TROUILLARD!
TROUILLARD Trouillard

Il m'emmène le long de ce qui devait être l'église et je la regarde pas et il grimpe en courant sur un promontoire et le vent souffle, hurle plus fort et les arbres se penchent et je pense, non, c'est pas seulement moi qui les vois comme ça, et Manchee aboie plus fort pour me prévenir.

TROUILLARD Trouillard
Trouillard TROUILLARD! TROUILLARD
TROUILLARD! TROUILLARD! TROUILLARD!
TROUILLARD TROUILLARD!

– Aaron! il aboie, pointant la truffe en l'air. Dans le vent!

TROUILLARD! TROUILLARD!
Trouillard! TROUILLARD!
TROUILLARD!
TROUILLARD!
Trouillard TROUILLARD!

À travers les arbres du promontoire je vois en aval de la rivière. Je vois mille Viola et elles ont peur de moi.

Trouillard ! TROUILLARD !
TROUILLARD ! TROUILLARD !
TROUILLARD ! TROUILLARD TROUILLARD !
OUILLARD ! TROUILLARD !
TROUILLARD ! TROUILLARD !
Trouillard TROUILLARD !
TROUILLARD ! TROUILLARD !

Je vois un millier de Spackle et mon couteau qui les tue.

ROUILLARD ! TROUILLARD Trouillard !
TROUILLARD ! TROUILLARD ! TROUILLARD !
TROUILLARD ! TROUILLARD ! TROUILLARD !
TROUILLARD Trouillard

Je vois un millier d'Aaron, ils tournent la tête vers moi et m'appellent « Trouillard » avec le pire sourire qu'on ait jamais vu.

Trouillard TROUILLARD Trouillard
TROUILLARD ! TROUILLARD !
ROUILLARD ! TROUILLARD ! TROUILLARD !
TROUILLARD TROUILLARD !

Et derrière eux, dans un campement au bord de la rivière, je vois un Aaron qui tourne pas du tout la tête vers moi.

Trouillard TROUILLARD Trouillard
TROUILLARD ! TROUILLARD !
ROUILLARD ! TROUILLARD ! TROUILLARD !
TROUILLARD TROUILLARD !

Je vois un Aaron agenouillé en prière.

TROUILLARD Trouillard
Trouillard TROUILLARD ! TROUILLARD
TROUILLARD ! TROUILLARD ! TROUILLARD !
TROUILLARD TROUILLARD !

Et je vois Viola par terre devant lui.

TROUILLARD Trouillard
Trouillard TROUILLARD ! TROUILLARD
TROUILLARD ! TROUILLARD ! TROUILLARD !
TROUILLARD TROUILLARD !

– Aaron ! aboie Manchee.

TROUILLARD Trouillard
Trouillard TROUILLARD ! TROUILLARD
TROUILLARD ! TROUILLARD ! TROUILLARD !
TROUILLARD TROUILLARD !

– Aaron, je dis.
Trouillard.

30 Un garçon appelé Todd

– *Qu'est-ce qu'on va faire maintenant*? dit le garçon qui se glisse derrière moi.

Je relève la tête, laisse l'eau froide de la rivière ruisseler dans mon dos. Je suis descendu du promontoire en trébuchant, me frayant un passage parmi les milliers de gens qui m'appelaient tous *trouillard*, et je suis arrivé à la berge et tout de suite j'ai plongé ma tête dans l'eau, elle m'a fait trembler très fort mais elle calme aussi le monde. Je sais que ça durera pas, je sais que la fièvre et l'infexion du sang gagneront à la fin, mais pour l'instant j'ai besoin d'y voir aussi clair que possible.

– *Comment est-ce que tu vas les approcher*? demande le garçon, changeant de côté. *Il entendra notre Bruit.*

Les frissons me font tousser, tout me fait tousser, et je crache des glaires verdâtres de mes poumons, alors je retiens ma respiration et je replonge la tête dans le courant.

Le froid de l'eau me prend comme un étau mais je garde ma tête plongée, à écouter le bouillonnement de l'eau qui passe et les aboiements sans mots de Manchee qui fait des bonds autour de mes pieds. Je sens le pansement sur mon crâne se détacher et partir dans le courant. Je pense à Manchee qui s'est secoué pour se débarrasser du pansement de sa queue à un autre endroit de la rivière et j'oublie et je ris sous l'eau.

Je relève la tête, suffoquant, et je tousse encore plus.

J'ouvre les yeux. Le monde brille comme il devrait pas et puis il y a toutes sortes d'étoiles malgré le soleil, mais au moins le sol a cessé de flotter et tous les Aaron et les Viola et les Spackle en trop sont partis.

– *Tu crois qu'on peut vraiment y arriver tout seuls* ? demande le garçon.

– Pas le choix, je dis, me parlant à moi-même.

Je me tourne pour le regarder.

Il porte une chemise marron comme la mienne, pas de cicatrices sur la tête, un sac à dos, un livre à la main et un couteau dans l'autre. Je tremble encore de froid et je tiens à peine debout mais je respire, je tousse et je tremble et je le regarde.

– Viens, Manchee…

Je retourne sur mes pas, à travers la colonie incendiée, jusqu'au promontoire. Marcher me fait mal, comme si la terre froide se creusait à chaque pas, et je pèse plus qu'une montagne mais moins qu'une plume, mais je marche, je continue à marcher, je garde le promontoire en ligne de mire, voilà j'y suis, je fais les premiers pas pour l'escalader, je fais les pas suivants, je m'accroche aux branches pour me hisser, et comme ça j'atteins le sommet, je m'appuie contre un arbre là et je regarde.

– *C'est vraiment lui?* souffle le garçon dans mon oreille.

Je plisse les yeux, perce les feuillages vers l'aval de la rivière.

Oui, il y a toujours ce campement, toujours sur la berge, mais si éloigné, rien que des points parmi d'autres points. J'ai encore le sac de Viola sur l'épaule, je prends les jumelles, je les hausse jusqu'à mes yeux mais je tremble si fort que c'est difficile d'avoir une image nette. Ils sont assez loin pour que le vent couvre son Bruit à lui, mais elle, je suis sûr que j'entends son silence, là-bas.

J'en suis sûr.

– Aaron, dit Manchee. Viola.

Alors bon c'est pas une vibration et dans mon tremblement j'arrive à le distinguer toujours agenouillé, priant je sais pas quelle prière, et Viola allongée sur le sol en face de lui.

Je sais rien de ce qui se passe. Je sais pas ce qu'il fait.

Mais c'est vraiment eux, quand même.

Toute cette marche à trébucher et tousser et mourir et c'est vraiment vraiment eux, oh bon D… oui, c'est vraiment eux.

J'arrive peut-être pas trop tard alors, et seulement maintenant ma poitrine se soulève et ma gorge se serre et je réalise que depuis le début je croyais que j'arriverais trop tard.

Mais non.

Je m'appuie encore et… (*oh, ça va, hein*) je pleure. Je pleure, oui, je pleure, mais il faut que ça passe à cause que je dois digérer, je dois digérer le fait que ça dépend de moi, de moi seul, que je dois trouver un moyen, à cause que je dois la sauver, je dois…

– *Alors, qu'est-ce que tu vas faire?* demande encore le garçon, un peu en retrait, le livre toujours dans une main, le couteau dans l'autre.

Je me plaque les paumes sur les yeux et je frotte, je frotte essayant de réfléchir, essayant de me concentrer, essayant de pas écouter.

– *Et si c'était ça, le sacrifice?* dit le garçon.

Je lève les yeux. Quel sacrifice?

– *Le sacrifice que t'as vu dans son Bruit. Le sacrifice de…*

– Mais pourquoi là? Pourquoi est-ce qu'il aurait marché tout ce feuttu chemin pour s'arrêter au milieu de cette feuttue forêt et faire ça là?

L'expression du garçon change pas.

– *Peut-être qu'il est obligé… avant qu'elle meure.*

Je fais un pas, manque perdre l'équilibre.

– Meure de quoi? je coupe brusquement.

Ma tête me fait mal, recommence à bourdon ner.

– *De peur*, dit le garçon, reculant d'un pas. *De déception.*

Je détourne les yeux.

– Vas-y toujours, j'écoute plus.

– Écoute, Todd? aboie Manchee. Viola, Todd. Par ici!

Je me rappuie contre l'arbre. Je dois réfléchir. Je dois réfléchir et pour de bon cette fois

– On peut pas s'approcher, je souffle d'une voix pâteuse. Il nous entendra venir.

– *Il la tuera s'il nous entend.*

– J'te parle pas… (Je crache encore des glaires, ma tête danse et je tousse encore.) J'parle à mon chien… (Plus d'air, j'étouffe.)

– Manchee, fait Manchee en me léchant la main.

– Et je peux pas le tuer, je fais.

– *Tu peux pas le tuer.*

– Même si je le veux.

– *Même s'il le mérite.*

– Alors il faut trouver un autre moyen.

– *Si elle n'a pas trop peur en te voyant.*

Je le regarde encore. Encore là, encore avec le livre, et le couteau, et le sac à dos.

– Va-t'en… Va-t'en et reviens jamais.

– *T'arrives probablement trop tard pour la sauver.*

– Et toi, tu me sers à quoi ? je fais, haussant le ton.

– *Mais je suis un tueur*, dit-il.

Son couteau, je vois le sang sur la lame. Je ferme les yeux, grince des dents.

– Tu t'en mêles pas. Tu restes ici, c'est compris ?

– Manchee ? aboie Manchee.

J'ouvre les yeux. Le garçon, il est plus là.

– Mais non, pas toi, Manchee… (Je tends la main pour lui gratter les oreilles. Puis je le regarde.) Pas toi, Manchee.

Et je réfléchis. Dans les nuages et les tourbillons et les vibrations et les lumières et la douleur et le bourdonnement et le tremblement et la toux, je réfléchis.

Et je réfléchis.

Je caresse les oreilles de mon chien, mon feuttu super-crétin de chien que j'ai jamais voulu mais qui m'a jamais quitté quand même et qui m'a suivi à travers le marais et qui a mordu Aaron quand il essayait de m'étrangler et qui a trouvé Viola quand elle était perdue et qui léchait ma main avec sa petite langue rose et son œil est encore presque entièrement fermé du coup qu'il a reçu de Mr. Prentiss Jr. et sa queue est beaucoup, beaucoup plus courte depuis que Matthew Lyle l'a coupée quand mon chien – *mon chien* – a attaqué cet homme avec une machette pour me défendre mon chien qui est là chaque fois qu'il faut pour me tirer de l'obscurité où je tombe et qui me dit comment je m'appelle chaque fois que j'oublie.

– Todd, il murmure, frottant son museau dans ma main et tambourinant sur le sol avec sa patte arrière.

– J'ai une idée, je fais.

– *Et si ça marche pas*? murmure le garçon caché derrière.

Je l'écoute pas, je reprends les jumelles. Malgré la tremblote, je retrouve le campement d'Aaron et j'observe le coin autour. Ils sont tout près de la rivière et il y a un arbre fourchu sur la berge, blanchi et sans feuilles, comme si peut-être il avait été frappé par la foudre.

Ça devra suffire.

Je repose les jumelles et prends la tête de Manchee, mon chien, entre mes mains.

– On va la sauver, je lui dis. Tous les deux, ensemble.

– Sauver, Todd, il aboie, agitant son moignon.

– *Ça ne marchera pas*, fait le garçon, toujours invisible.

– Alors tu t'en mêles pas, je crache dans le vide, repris par la toux pendant que j'envoie des images de Bruit à mon chien pour lui dire ce qu'il devra faire.

– C'est tout simple, Manchee. Tu cours, et tu cours.

– Cours et cours !… il aboie.

– Bon chien… (Je lui frotte les oreilles.) Bon chien.

Je me remets sur pied et marchant, glissant, trébuchant, je descends le promontoire jusqu'à la colonie incendiée. Ma tête résonne comme une citerne maintenant, je crois entendre pulser mon sang empoisonné, et tout, partout dans le monde pulse en même temps. Je plisse les yeux, les ferme, presque, et les lumières tourbillons se calment et tout reste à peu près en place.

La première chose qu'il me faut c'est un bâton. Manchee et moi on se fraye un passage dans les bâtiments écroulés pour en trouver un de la bonne taille. Presque tout est noir et consumé mais ça me convient parfaitement.

– Gnelui-chi, Fodd ? fait Manchee, utilisant ses mâchoires pour en tirer un qui mesure à peu près la moitié de son corps, sous un tas de chaises brûlées, on dirait.

Qu'est-ce qui a bien pu se passer ici ?

– Très bien. (Je le lui prends.)

– *Ça ne marchera pas*, fait le garçon, caché dans un coin sombre. (Je vois l'éclair du couteau briller dans sa main.) *Tu ne la sauveras pas.*

– T'occupe…

J'enlève de gros éclats de bois du bâton. Une seule extrémité est carbonisée mais c'est précisément ce que je veux.

– Tu peux porter ça ? je demande à Manchee, en le lui tendant.

Il le prend dans sa gueule, le déplace un peu pour l'équilibrer.

– Mmgnouais ! il aboie.

– Super… (Je me redresse et manque basculer en avant.) Maintenant, il nous faut du feu…

– *Tu ne peux pas faire de feu*, dit le garçon, déjà sorti, nous guettant. *Sa machine à faire du feu est cassée.*

– Tu comprends vraiment rien, je réplique, sans le regarder. Ben m'a appris.

– *Ben est mort.*

– «*Après un long sommeil…*» je chante haut et fort, et les formes tortueuses du monde deviennent étoilées toutes bizarres mais je continue à chanter : «*Il se levait le soleil…*»

– *T'as pas assez de forces pour faire du feu.*

– «*Quand j'entendis une fille appeler dans la vallée…*» (Je trouve une longue planche et j'y évide un creux au couteau.) «*Oh, ne me déçois pas…*» (J'arrondis la pointe d'un autre bâton, plus petit.) «*Oh, ne m'abandonne jamais…*»

– *Comment peux-tu ainsi traiter une pauvre jeune fille ?* poursuit le garçon.

Je fais pas attention à lui. Je place le bout arrondi du bâton dans le creux et je commence à le faire tourner entre mes mains, appuyant bien fort sur la planche. Le rythme est le même que celui du tambour dans ma tête et presque aussitôt je me revois dans les bois avec Ben, lui et moi pariant sur qui ferait partir la première fumée. Il gagnait toujours, et la moitié du temps j'arrivais même pas à en sortir le plus petit feu. Mais on passait un bon moment.

On passait un bon moment.

– Allez… je me dis.

Je transpire et je tousse et je vois trouble mais je continue à faire tourner le bâton. Manchee aboie sur le bâton, pour l'encourager.

Alors un léger filet de fumée monte du creux.

Je pousse un cri. Je le protège du vent avec ma main et je souffle doucement pour l'activer. J'utilise de la mousse sèche pour l'alimenter et quand la première petite flamme jaillit c'est presque une vraie joie si je me rappelle encore à quoi ressemble la joie. Je place quelques brindilles dessus, j'attends qu'elles prennent, et puis j'ajoute des petits bouts de bois, et bientôt c'est un vrai feu qui brûle devant moi. Un vrai feu.

Je le laisse brûler un instant. Le vent souffle vers nous, et Aaron devrait pas remarquer la fumée.

Je compte sur ce vent pour d'autres raisons aussi.

Je me traîne jusqu'à la berge, me retenant aux troncs d'arbres pour tenir debout, et j'arrive au ponton. « Allez, allez… » je m'encourage, cherchant mon équilibre pour descendre. Les planches craquent sous mes pieds et je manque basculer dans la rivière mais j'atteins finalement la barque encore amarrée là.

– *Elle va couler*… dit le garçon dans la rivière, de l'eau jusqu'aux genoux.

Je saute dans la petite barque, et après un long moment de toux et de vertige, j'arrive à me relever. C'est étroit, ça grince et ça se déforme sous mon poids.

Mais ça flotte.

– *Tu sais pas manœuvrer une barque.*

Je remonte sur le ponton, regagne la colonie, et cherche un moment avant de trouver un morceau assez plat pour servir de rame.

J'ai pas besoin de plus.

On est prêts.

Le garçon est là, sac au dos, tenant dans chaque main les choses qui m'appartiennent, mais rien vraiment sur son visage, pas de Bruit que je puisse entendre.

Je le fixe, l'oblige à baisser les yeux.

– Manchee ?

– Ici, Todd ! (Il est déjà à mes pieds.)

– Bon chien.

On va au feu. Je prends le bâton qu'il a trouvé et place le bout déjà brûlé sur le feu. Au bout d'une minute, la pointe est rouge et fumante, les flammes attaquent le reste.

– Tu crois que tu peux tenir ça ? je lui demande.

Il saisit le bout non brûlant dans sa gueule et le voilà, le meilleur purain de chien de tout l'univers, prêt à porter le feu chez

l'ennemi.

– Prêt, mon vieux ?

– Mmrêt, Gnodd ! il approuve, bouche pleine, sa queue floue tellement qu'il l'agite vite.

– *Il tuera Manchee*, fait le garçon.

Je me tiens debout, le monde tourne et brille, mon corps à peine le mien, mes poumons se vident par morceaux, ma tête joue du tam-tam, mes jambes tremblent et mon sang bouillonne mais je tiens debout.

Je tiens debout.

Je m'appelle Todd Hewitt, et je te laisse là.

– *Tu ne pourrais jamais faire ça*, répond le garçon, mais je me tourne déjà vers Manchee et lui dis : « Vas-y, mon vieux !... » et le voilà qui s'élance vers le sommet du promontoire et redescend de l'autre côté, son bâton en feu dans la gueule, et je compte jusqu'à cent, tout haut, comme ça j'entends personne dire rien, et puis

je me force à compter encore jusqu'à cent et c'est suffisant, et

je titube aussi vite que je peux vers le ponton et la barque, et

je monte dedans et je prends la rame sur mes genoux, et j'utilise

le couteau pour couper le dernier bout de corde effilochée qui retenait la barque amarrée.

– *Tu pourrais jamais me laisser,* dit le garçon debout sur le ponton, livre dans une main, couteau dans l'autre.

– Tu paries ? je fais, et il devient de plus en plus petit dans la lumière vibrante qui faiblit alors que la barque s'éloigne du ponton et commence à dériver dans le courant.

Vers Aaron.

Vers Viola.

Vers ce qui m'attend plus bas sur la rivière.

31 Les scélérats sont punis

Il y en avait des bateaux, à Prentissville, mais je me souviens pas avoir jamais vu quelqu'un s'en servir. On a la rivière, c'est sûr, la même qui me ballotte ici dans tous les sens, mais notre portion est rocheuse et rapide et quand elle ralentit et s'étale, le seul coin tranquille c'est un marais rempli de crocos. Après, y a plus rien que des bois marécageux. Donc j'ai jamais mis les pieds dans un bateau et même si vous croiriez ça facile, juste descendre une rivière, et bien vous vous trompez rudement.

J'ai au moins cette chance que la rivière ici soit assez calme malgré un peu d'éclaboussures avec le vent. La barque dérive entraînée par le courant et elle descend que je fasse quelque chose ou pas, alors je peux mettre toute mon énergie toussante à juste essayer de l'empêcher de faire des ronds en avançant.

Ce qui me prend un petit moment, d'abord.

– Bon sang, je souffle. Feuttu machin.

Mais après quelques coups de pagaie à plat dans l'eau (et un ou deux tours complets, *oui, d'accord, ça va*), je finis par comprendre comment la garder plus ou moins pointée dans le bon sens et quand je lève les yeux, je réalise que j'ai probablement déjà fait la moitié du chemin.

Je ravale ma salive et je tremble et je tousse.

Mais voici le plan. Probablement pas le plan du siècle, mais entre les vibrations et les éclairs, c'est tout ce que ma cervelle a pu pêcher et c'est déjà pas si mal.

Manchee doit porter le bâton brûlant dans le vent d'Aaron et le lâcher quelque part où il mettra le feu. Alors Aaron pensera que j'ai allumé mon propre campement pas loin. Puis Manchee doit courir jusqu'au campement d'Aaron en aboyant comme un possédé, comme pour me dire qu'il a trouvé Aaron. C'est assez simple, il n'a qu'à aboyer mon nom, chose qu'il fait d'ailleurs presque tout le temps.

Aaron va lui courir après. Aaron va essayer de le tuer. Manchee sera plus rapide (*cours, Manchee, allez, cours*). Aaron verra la fumée. Aaron, qui me craint absolument pas, se lancera dans les bois pour m'achever une bonne fois pour toutes.

Je dériverai avec le courant, j'arriverai à son campement par la berge pendant qu'il me cherche dans les bois et je sauverai Viola. Je récupérerai Manchee aussi quand il aura fait un tour complet, poursuivi par Aaron (*cours, allez cours*).

Bon, voilà, c'est le plan.

Je sais.

Je sais, mais si ça marche pas, faudra que je le tue.

Et si j'en arrive là, peu importe ce que je deviens, et peu importe ce que pensera Viola.

Faudra le faire et donc je devrai le faire.

Je sors le couteau.

Il reste encore du sang séché sur la lame, mon sang, le sang du Spackle, mais le reste brille encore, vibre, étincelle, scintille et vibre. La pointe se recourbe vers le haut comme un effarrible pouce et les dents sourient comme des vraies dents et le fil de la lame pulse comme une veine gorgée de sang.

Le couteau est vivant. Tant que je le tiens, tant que je l'utilise, le couteau vit, il vit pour prendre la vie, mais il doit aussi être commandé, il doit m'avoir pour lui dire qui tuer, et il le veut, il veut pointer, plonger et pousser, et trancher et vider, mais je dois le vouloir aussi, ma volonté doit se joindre à sa volonté.

Je suis celui qui le permet et je suis le responsable.

Mais le couteau quand il le veut rend ça plus facile.

S'il faut en arriver là, est-ce que j'échouerai ?

– Non, chuchote le couteau.

– *Oui*, chuchote le vent qui descend la rivière.

Une goutte de sueur tombe de mon front, mouille la lame et le couteau redevient couteau, juste un outil, juste un morceau de métal dans ma main.

Juste un couteau.

Je le pose au fond de la barque.

Je tremble encore. Je tousse, crache encore des glaires. Je lève la tête, regarde autour de moi, ignore le flou du monde, laisse le vent me rafraîchir. La rivière s'incurve doucement et je continue à la descendre.

Bientôt. Impossible d'arrêter, maintenant.

Je regarde par-dessus les arbres sur ma gauche.

Je claque des dents.

Je vois pas encore la fumée.

Allez, vieux, c'est maintenant qu'il faut que ça se passe.

Mais pas de fumée.

Pas de fumée.

Et la rivière tourne encore.

Allez, Manchee.

Pas de fumée.

Et mes dents claquent, *cla-clac*, *cla-clac*, claquent. Je serre mes bras contre moi et…

Fumée !

Boules de coton, les premiers signes montent en aval.

Je serre les dents.

Bon chien. Oui, bon chien.

La barque file dans le lit du courant, alors je rame pour l'orienter vers la berge.

Je tremble, je tremble, j'arrive tout juste à tenir la rame.

La rivière tourne un peu plus.

Et voilà l'arbre fourchu, l'arbre frappé par la foudre qui se dresse sur ma gauche.

Le repère.

Aaron sera juste après.

L'arbre se rapproche.

Je tousse et je sue et je tremble mais non je lâche pas la rame, je dirige la barque plus près du bord. Si Viola peut pas courir pour une raison ou une autre, je dois échouer la barque et aller la chercher.

Je garde mon Bruit aussi vide que je peux, mais le monde se ferme en replis de lumière et de vibrations, alors impossible de compter là-dessus, faut seulement espérer que le vent souffle assez fort et que Manchee…

– Todd ! Todd ! Todd !!!… j'entends au loin. Mon chien, aboyant mon nom pour attirer Aaron au loin : Todd ! Todd ! Todd !!!…

Le vent m'empêche d'entendre le Bruit d'Aaron, alors je sais même pas si ça marche, mais je dépasse l'arbre fourchu, alors je peux plus rien y faire maintenant…

– Todd ! Todd !

Allez, *allez*…

L'arbre fourchu passe lentement –

Je m'aplatis dans la barque –

– Todd ! Todd !… plus faible, puis revenant –

Branches cassées –

Et puis j'entends rugir :

– TODD HEWITT ! aussi fort qu'un lion –

Comme un lion qui *s'éloigne* –

Allez, je me murmure à moi-même, *allez, allez* –

Mes poings crispés tremblent sur la rame et –

L'arbre est passé –

Le campement apparaît et –

La voilà.

La voilà.

Aaron est parti et la voilà.

Couchée sur le sol au milieu de son campement.

Sans bouger.

Mon cœur fait des bonds et je tousse sans même m'en rendre compte et je marmonne « *S'il te plaît, pitié, pitié* » et je rame comme un furieux et j'amène la barque plus près, plus près du bord et je me redresse et je saute à l'eau et je tombe sur les fesses mais j'attrape quand même l'avant de la barque entre mes mains et «*S'il te plaît, pitié, pitié*» et je me relève et je tire la barque hors d'eau et je lâche prise et je cours et je trébuche et je cours vers Viola Viola Viola…

– *S'il te plaît*, je souffle en courant, ma poitrine se serre et je tousse et ça fait mal. *S'il te plaît.*

J'arrive auprès d'elle et la voilà. Ses yeux sont fermés, sa bouche est ouverte un peu alors je pose ma tête contre sa poitrine, coupant le bourdonnement de mon Bruit et le cri du vent et les aboiements et les versions hurlées de mon nom qui sortent des bois autour de moi.

– *S'il te plaît*, je chuchote.

Vvvoummp… voummpa… Vvoump…

Elle est vivante.

– Viola, je chuchote, violemment. (Des petits points clignotants recommencent à danser devant mes yeux mais tant pis.) Viola!

Je la secoue par les épaules et je prends son visage entre mes mains et je secoue ça aussi.

– Réveille-toi, je chuchote. Réveille-toi! Réveille-toi, réveille-toi!…

Je peux pas la porter. Je tremble trop, je vacille trop, je suis trop faible.

Mais s'il faut la porter, je la porterai.

– Todd! Todd! Todd!… aboie Manchee tout au fond des bois.

– Todd Hewitt!!!… hurle Aaron en poursuivant mon chien.

Alors, sous moi, j'entends:

– Todd?

Viola? Ma gorge se serre, mes yeux se troublent.

Mais elle me regarde.

– T'as mmm… pas l'air… très en forme… souffle-t-elle, la voix pâteuse, les yeux ensommeillés.

Je remarque des bleus sur ses pommettes et la colère révulse mon estomac.

– Faut te lever, je chuchote.

– Il m'a drog… (Elle referme les paupières.)

– Viola ? (Je la secoue encore.) Il revient, Viola. Faut partir d'ici…

J'entends plus d'aboiements.

– Faut y aller… maintenant !

– Je mmm… pèse trop… lourd… lâche-t-elle dans une bouillie de mots.

– S'il te plaît, Viola ! (Je le *pleure* presque.) *S'il te plaît.*

Ses yeux papillonnent, plongent dans les miens.

– Tu es venu pour moi.

– Oui, je fais en toussant.

– Tu es venu pour moi… elle répète, et son visage se défait un peu.

Alors Manchee déboule, volant à travers les taillis, aboyant mon nom comme si sa vie en dépendait.

– TODD ! TODD ! TODD !!! il jappe, courant vers nous et nous dépassant. Aaron ! Arrive ! Aaron !!!

Viola jette un petit cri et dans un élan qui me renverse presque, elle se dresse sur ses jambes et me rattrape alors que je tombe et puis on récupère notre équilibre en s'appuyant l'un contre l'autre et moi, lui montrant la barque :

– Là ! je fais, essayant de reprendre ma respiration.

Et alors nous courons –

À travers le campement –

Vers la barque et la rivière –

Manchee bondissant devant et atterrissant dans la barque d'un seul saut –

Viola trébuchant devant moi –

Et on est à cinq pas –

Puis trois –

Et Aaron émerge des bois derrière nous en labourant le sol –

Son Bruit si fort que j'ai même pas besoin de regarder –

– TODD HEWITT !!!

Et Viola, elle atteint l'avant de la barque, elle tombe dedans –

Et encore deux pas –

Et un –

Et je l'atteins et je la pousse de toutes mes forces pour la remettre à l'eau –

Et… TODD HEWITT !!!…

Et il se rapproche –

Et la barque bouge pas –

– JE PUNIRAI LES SCÉLÉRATS !

Il s'approche encore –

Et la barque bouge pas –

Et son Bruit me frappe aussi fort qu'un coup de poing –

Et la barque bouge –

Pas à pas et mes pieds s'enfoncent dans l'eau et la barque bouge –

Et je tombe –

Et j'ai plus la force non plus la force de monter dans la barque –

Et je tombe dans l'eau et la barque s'écarte –

Et Viola agrippe ma chemise et elle me tire

jusqu'à ce que ma tête et mes épaules passent par-dessus l'avant –

– PAS QUESTION !!! rugit Aaron.

Et Viola hurle en me tirant et j'ai le torse dans le bateau –

Et Aaron est dans l'eau –

Et il m'attrape par les pieds –

– Non ! hurle Viola et elle m'agrippe plus fort, tire de toutes ses forces –

Et je me retrouve soulevé –

Et le bateau s'arrête –

Et la figure de Viola se tord –

Mais personne peut gagner ce genre de combat contre Aaron –

Et alors j'entends « TODD ! » aboyé avec une voix si fairosse que je me demande une seconde si un croco a pas émergé de l'eau –

Mais c'est juste Manchee –

Manchee –

Mon chien mon chien mon chien et il saute et je sens ses pattes rebondir sur mon dos et il atterrit sur Aaron avec un hurlement un grognement et un –

TODD !!!

Et Aaron hurle de colère –

Et il lâche mes pieds.

Viola vacille en arrière mais elle me lâche pas et je bascule dans la barque au-dessus d'elle.

La secousse nous écarte un peu plus dans le courant.

La barque se met à dériver.

Ma tête chavire et tournoie et quand je me retourne je dois me mettre à quatre pattes pour garder mon équilibre mais je suis à peu près redressé et penché hors de la barque quand j'appelle :

– Manchee !

Aaron est tombé en arrière dans le sable mou de la berge, les jambes prises dans sa soutane. Manchee l'attaque au visage,

griffes et dents sorties, grognant et rugissant. Aaron essaye de s'en débarrasser mais Manchee referme sa gueule sur le nez d'Aaron et secoue sa tête d'un coup brusque.

Le nez d'Aaron vient avec, arraché tout entier de sa figure.

Aaron hurle de douleur, le sang jaillit partout.

– Manchee, je hurle. Vite, Manchee !

– Manchee ! hurle Viola.

– Viens, mon chien !

Et Manchee détache ses yeux d'Aaron pour me regarder –

Et c'est là qu'Aaron saisit sa chance.

Il attrape violemment Manchee par la peau du cou, le soulève de terre.

– Manchee !!!

J'entends une éclaboussure, je me rends vaguement compte que Viola a pris la rame et qu'elle essaye d'empêcher la barque de s'éloigner plus dans le courant et le monde vibre et pulse et –

– REVIENS ICI !!! hurle Aaron, brandissant Manchee par la peau du cou.

Il est trop lourd pour être soulevé comme ça et jappe de douleur mais il arrive pas tout à fait à tourner suffisamment la tête pour mordre le bras d'Aaron.

– Laisse-le partir !!! je crie.

Aaron baisse la tête –

Du sang se déverse par le trou qu'occupait son nez, et même si sa joue s'est cicatrisée, on voit encore ses dents à travers et cette horreur répète, presque calmement maintenant, gargouillant dans le sang et le reste :

– Reviens à moi, Todd Hewitt !

– Todd ? jappe Manchee.

Viola rame comme une folle pour nous sortir du courant mais les drogues l'ont affaiblie et on s'éloigne de plus en plus.

– Non, je l'entends dire. Oh, non…

– Laisse-le !!! je hurle encore.

– La fille, ou le chien, Todd ? articule Aaron, et avec ce calme bien plus effrayant que quand il criait : Le choix t'appartient !

Je prends le couteau et je le tiens devant moi mais ma tête tourne trop et je tombe et me cogne les dents sur le banc de la barque.

– Todd ? fait Viola, qui rame toujours contre le courant, le bateau zigzaguant, tournoyant.

Je m'assieds, le sang à la bouche et le monde ondule tellement que je retombe presque à la renverse.

– Je te tuerai, je fais, mais si doucement, j'aurais aussi bien pu me taire.

– Ta dernière chance, Todd ! dit Aaron, mais il a plus l'air aussi calme.

– Todd ? jappe toujours Manchee. Todd ?

Et, non –

– Je te tuerai… (Mais ma voix est un murmure.)

Et, non –

Et j'ai plus le choix –

Le bateau est entré dans le courant –

Et je regarde Viola, qui rame toujours contre, des larmes ruisselant sur son menton –

Elle tourne la tête vers moi –

Et on a plus le choix –

– Non, fait-elle, suffoquant. Oh, non, Todd…

J'ai posé la main sur son bras, qu'elle arrête de ramer.

Le Bruit d'Aaron monte en rouge et en noir.

Le courant nous emporte.

– Pardon ! je m'écrie, pendant que la rivière nous emporte, mes mots des lambeaux arrachés de moi, ma poitrine serrée si fort que je peux presque plus respirer. Pardon, Manchee !

– Todd ??? il aboie, perdu et terrorifié et me regardant l'abandonner. *Todd* ?

– Manchee !!! je hurle.

Aaron approche sa main libre de mon chien.

– MANCHEE !!!

– *Todd* ??

Et Aaron tord ses bras et on entend un *CRAC*, et un jappement stoppé net qui me déchire le cœur pour toujours et toujours.

Et la douleur est trop, et c'est trop, c'est trop et mes mains sur ma tête je me renverse en arrière et ma bouche est ouverte dans une interminable plainte sans mots de toute la noirceur qui est en moi.

Et je tombe dedans.

Et je sais plus rien d'autre et la rivière nous emporte au loin, au loin et au loin.

SIXIÈME PARTIE

32 *Le chant de la rivière*

Le son de l'eau.

Du Bruit d'oiseaux.

Où m'abriter ? ils chantent. Où m'abriter ?

Derrière, il y a de la musique.

Oui, je jurerais qu'il y a de la musique.

Des nappes de musique, flûtées, étranges et familières…

Et il y a de la lumière découpée dans l'obscurité, des nappes de lumière blanche et jaune.

Et de la chaleur.

Et de la douceur sur ma peau.

Et un silence, là, à côté de moi, qui me serre comme il l'a jamais fait.

J'ouvre les yeux.

Je suis dans un lit, sous une couverture, dans une petite chambre carrée avec des murs blancs et du soleil déversé par au moins deux fenêtres ouvertes avec le son de la rivière qui s'écoule dehors et les oiseaux qui volettent dans les arbres (et de la musique, si c'est bien de la musique ?) et pendant un moment il y a pas seulement que je sais pas où je suis, mais aussi que je sais pas *qui* je suis ni ce qui s'est passé ni pourquoi cette douleur dans mon…

Je vois Viola endormie, recroquevillée sur une chaise près du lit, respirant par la bouche, les mains pressées entre ses cuisses.

Je suis encore trop vaseux pour faire bouger mes lèvres et articuler son nom mais mon Bruit doit le dire assez fort, à cause que ses paupières frémissent, s'ouvrent et ses yeux croisent les miens et en un éclair elle a quitté sa chaise, elle m'entoure de ses bras et elle m'écrase le nez contre sa gorge.

– Oh, mon Dieu, Todd ! dit-elle, en me serrant si fort que ça fait un peu mal.

Je passe une main dans son dos et je respire son parfum.

Des fleurs.

– Je croyais que tu ne reviendrais jamais à toi... Je croyais que tu étais mort...

Ma voix sort comme un grincement, pendant que je cherche à me rappeler.

– Et je l'étais pas ?

– Tu étais malade, dit Viola, s'agenouillant sur mon lit. Vraiment très malade. Le docteur Snow était pas sûr que tu te réveillerais et quand un docteur parle comme ça...

– Qui c'est, le docteur Snow ? je demande, inspectant la petite chambre autour de moi. Où sommes-nous ? À Haven ? Et c'est quoi, cette musique ?

– Nous sommes dans une colonie appelée Carbonel Downs. Nous avons descendu la rivière et...

Elle s'arrête parce qu'elle me voit fixer le pied du lit.

L'endroit où Manchee n'est pas.

Je me souviens.

Ma poitrine se referme. Ma gorge se referme. Je l'entends aboyer dans mon Bruit. « Todd ? » il dit, se demande pourquoi je l'abandonne. « Todd ? » avec un point d'interrogassion, juste comme ça, demande à tout jamais pourquoi je m'en vais sans lui.

– Il est plus là, je dis comme pour moi-même.

Viola a l'air prête à répondre quelque chose mais quand je lui jette un regard, ses yeux brillent, et elle hoche seulement la tête, et c'est bien, je demande pas plus.

Il est plus là.

Il est plus là.

Et je sais pas quoi dire là-dessus.

– Est-ce que j'entends du Bruit ? fait une voix forte précédée par son propre Bruit quand une porte s'ouvre d'elle-même face à moi.

Un homme entre, un vrai gaillard, grand et large, avec des lunettes qui lui gonflent les yeux et un épi dans les cheveux et un sourire en coin et du Bruit qui m'arrive tellement rempli de soulagement et de joie que j'ai du mal à m'empêcher de sauter par la fenêtre derrière moi.

– Le docteur Snow, me présente Viola, s'éloignant du lit pour lui faire place.

– Enchanté de te connaître enfin, Todd… dit le docteur Snow avec un grand sourire et s'asseyant sur le lit et sortant un machin de sa poche de chemise.

Il plante les deux embouts dans ses oreilles et place la troisième extrémité sur ma poitrine sans rien me demander.

– Pourrais-tu inspirer un grand coup, s'il te plaît ?

Je fais rien de ça, je le regarde, c'est tout.

– Je veux vérifier si tes poumons sont bien dégagés, dit-il, et je réalise ce qui me frappe : son accent, le plus proche de celui de Viola que j'aie jamais entendu sur Nouveau Monde.

– Pas exactement le même, corrige-t-il, mais presque…

– C'est lui qui t'a fait aller mieux, m'esplique Viola.

Je dis rien, mais je prends une grande inspiration.

– Parfait, dit le docteur Snow, plaçant son disque froid à un autre endroit de ma poitrine. Encore une fois.

J'inspire, et j'expire. Je me rends compte que je peux inspirer *et* expirer, jusqu'au fond de mes poumons.

– Tu as été un garçon très malade, dit-il. Je n'étais pas vraiment sûr qu'on gagnerait la partie. Jusqu'à hier, tu ne sortais même pas de Bruit. (Il me regarde dans les yeux.) Pas vu ce genre de maladie depuis bien longtemps.

– Ah, bon…, je marmonne.

– Pas entendu parler d'une attaque Spackle depuis très, très longtemps. (Je dis rien, me contente de respirer à fond.) C'est parfait, Todd. Et maintenant, pourrais-tu enlever ta chemise, s'il te plaît ?

Je le regarde, je regarde Viola.

– J'attends dehors, dit-elle en sortant.

Je tends les bras en arrière pour passer ma chemise au-dessus de ma tête, réalisant alors qu'il y a plus de douleur entre mes omoplates.

– Il lui en a fallu des agrafes, à celle-là, dit le docteur Snow en se penchant derrière moi.

Il pose l'instrument sur mon dos. Je sursaute.

– C'est froid.

– Elle t'a pas quitté une seconde, fait-il sans répondre et en vérifiant ma respiration à plusieurs endroits. Même pas pour dormir.

– Depuis combien de temps je suis là ?

– C'est le cinquième matin.

– *Cinq jours* ? je m'écrie. (Et il a même pas le temps de répondre oui que je me suis débarrassé des couvertures, me jetant hors du lit.) Faut qu'on parte d'ici, je fais, un peu vacillant sur mes jambes, mais quand même debout.

Viola se penche sur le seuil de la porte.

– J'ai essayé de leur dire...

– Tu es en sécurité, ici, dit le docteur Snow.

– On a déjà entendu ça... je rétorque, regardant Viola, quêtant son appui, mais elle se contente de masquer un sourire et je réalise que je me tiens là debout avec juste un caleçon plein de trous et tellement usé qu'il couvre plus trop ce qu'il est supposé couvrir.

– Hé ! je fais, plaquant les mains sur mes parties secrètes.

– Tu es autant en sécurité ici que n'importe où ailleurs... dit le docteur Snow derrière moi.

Il me tend l'un de mes pantalons pliés sur une pile bien propre près de mon lit.

– Nous étions l'un des principaux fronts durant la guerre. Nous savons nous défendre.

– Mais c'étaient des Spackle. (Je tourne le dos à Viola pour enfiler une jambe de pantalon.) Là, ce sont des hommes. Un *millier* d'hommes.

– C'est ce que dit la rumeur. Même si, numériquement, la chose est impossible.

– J'y connais rien en *munérique*, mais ils ont des fusils.

– Nous avons des fusils.

– Et des chevaux.

– Nous avons des chevaux.

– Et des hommes qui se joindront à eux, aussi, pas vrai ? je lance, pour le tester.

Là, il répond rien. Un bon point pour moi. Enfin, pas si bon que ça.

– On doit y aller, je marmonne en boutonnant mon pantalon.

– Tu as besoin de repos.

– Mais on va sûrement pas rester là à attendre que l'armée déboule.

Je me retourne vers Viola, puis me tourne instinctivement vers l'endroit où mon chien attendrait que je l'inclue dans ce « on ».

Il y a un moment de silence quand mon Bruit remplit la chambre avec Manchee, juste avec lui à mon côté, aboyant et aboyant et voulant faire popo et aboyant encore.

Et jappant.

Et mourant.

Et là je sais pas quoi dire, là.

(*Il est pas là. Il est pas là.*)

Je me sens vide. Vide de partout.

– Personne va t'obliger à faire quelque chose que tu veux pas faire, Todd, dit gentiment le docteur Snow. Mais les anciens du village voudraient parler avec toi avant que tu nous quittes.

Mes lèvres se pincent.

– Et à propos de quoi donc ?

– De tout ce qui pourrait nous aider.

– *Vous* aider ? Et comment ça ? je fais, attrapant

une chemise propre pour l'enfiler. L'armée va venir ici et tuer tout le monde, tous ceux qui refuseront de la rejoindre. Point final. Vous comprenez ?

– C'est chez nous, Todd. Nous allons nous défendre. Nous n'avons pas le choix.

– Eh bien, comptez pas sur moi pour…

– Papa ?

Un petit garçon se tient sur le seuil à côté de Viola.

Un vrai petit garçon.

Il me regarde, les yeux écarquillés, son Bruit une chose pleine de gaieté, de lumière et d'espace, et je m'entends décrit comme squelettique et cicatrice et garçon endormi et en même temps plein d'autres questionnements sur moi et de pensées chaleureuses vers son papa avec juste le mot papa répété encore et encore, signifiant tout ce que vous avez toujours voulu qu'un papa soit, s'identifiant à son papa, lui disant combien il l'aime et tout ça dans un seul mot répété encore et encore.

– Salut, p'tit gars, lance le docteur. Jacob, je te présente Todd. Tout bien réveillé comme il faut.

Jacob me regarde solennellement, l'index logé dans sa bouche, et hoche la tête.

– La chèvre, elle donne pas de lait, annonce-t-il doucement.

– Ah non ? rétorque le docteur Snow en se levant. Bon, alors, on ferait mieux d'aller voir si on pourrait pas la faire changer d'avis, hein ?

Papa papa papa, répète le Bruit de Jacob.

– Je vais m'occuper de la chèvre, me dit le docteur Snow, et puis j'irai réunir les anciens.

Je peux pas m'empêcher de dévisager Jacob. Qui peut pas s'empêcher de me manger des yeux.

Il est tellement plus proche que les gamins que j'ai vus à Farbranch.

Et il est si *petit*.

Est-ce que moi, j'ai été aussi petit ?

– Je vais ramener les anciens ici, continue le docteur, pour voir si tu ne peux pas nous aider (il se penche jusqu'à ce que je le regarde) et si nous ne pouvons pas t'aider.

Son Bruit est sincère, vrai. Je crois qu'il dit vraiment ce qu'il pense. Mais je crois aussi qu'il se trompe.

– Peut-être bien que oui, enchaîne-t-il avec un sourire. Mais peut-être bien que non. Tu n'as pas vu l'endroit, encore. Allez, viens, Jake…

Il prend son fils par la main.

– Au fait, tu trouveras à manger dans la cuisine. Je parie que tu meurs de faim. On sera de retour dans une heure maximum.

Je vais jusqu'à la porte pour le regarder partir. Jacob, l'index toujours dans sa bouche, tourne la tête vers moi jusqu'à ce qu'ils disparaissent, lui et son père.

– Quel âge ça peut avoir ? je demande à Viola. Je saurais même pas dire.

– Il a quatre ans. Il me l'a dit au moins huit cents fois. Bien jeune pour traire des chèvres.

– Pas sur Nouveau Monde, non.

Les mains sur les hanches, elle me lance un regard grave.

– Viens manger. Il faut qu'on parle.

33 *Carbonel Downs*

Elle me guide dans une cuisine aussi propre et claire que la chambre. La rivière toujours chantant dehors, les oiseaux toujours Bruyants, la musique toujours…

Je vais à la fenêtre.

– Mais c'est quoi, cette musique ?

Parfois, j'ai l'impression de la reconnaître, mais quand je me concentre, j'entends des voix qui changent par-dessus des voix, et qui courent en tourbillons.

– Ça vient des haut-parleurs du centre de la colonie, dit Viola, sortant une assiette de viande froide du réfrigérateur.

Je m'assieds à la table.

– Un genre de fête ?

– Non… fait-elle, sa voix signifiant « attends, un peu de patience »… pas une fête.

Elle pose du pain sur la table et une sorte d'orange que j'ai jamais vue avant, et puis un liquide rougeâtre au goût de baies sucrées.

Je pique dans l'assiette.

– Alors, raconte-moi.

– Le docteur Snow est un type bien, fait-elle comme si je devais savoir ça en premier. Tout en lui est bon et gentil et il a vraiment travaillé dur pour te sauver, Todd, ça, je peux te le dire.

– D'accord. Mais qu'est-ce qui se passe, ici ?

– Cette musique, elle passe jour et nuit, répond-elle en me regardant manger. On ne la perçoit presque pas ici, mais dans la colonie, on s'entend à peine penser.

J'arrête de mâcher mon pain.

– Mmm… Exactement comme au pub.

– Quel pub ?

– Le pub de Prent – hé, d'où croient-ils que nous venons ?

– De Farbranch.

– Bon, d'accord, je ferai de mon mieux… (Je pousse un soupir, mords dans le fruit.) Au pub de là d'où je viens, ils jouaient de la musique tout le temps, pour essayer de noyer le Bruit.

Elle hoche la tête.

– J'ai demandé au docteur Snow pourquoi ils faisaient ça, ici. Il m'a dit : « Pour ne pas dévoiler les pensées des hommes. »

Je hausse les épaules.

– Ça fait un ramdam pas possible, mais c'est pas idiot non plus. Une façon comme une autre de vivre avec le Bruit.

– Les pensées des *hommes*, Todd. Des *hommes*. Et tu remarqueras qu'il a parlé de réunir les *anciens* pour qu'ils viennent te demander conseil.

Une idée terrorifiante me traverse le cerveau.

– Est-ce que les femmes sont toutes mortes, ici, aussi ?

– Non, des femmes, il y en a, fait-elle, jouant avec un couteau à beurre. Elles font la lessive, et la cuisine, et des bébés et elles vivent toutes dans un grand dortoir en dehors de la ville où elles ne peuvent pas interférer dans les pensées des hommes.

Je repose ma viande au bout de ma fourchette.

– J'ai vu un endroit comme ça, quand je te cherchais. Les hommes qui dormaient dans un endroit, les femmes dans un autre.

– Todd… (Elle me regarde.) Ils ne m'ont pas écoutée. Pas un mot. Rien de ce que je leur ai dit sur l'armée. Ils ne cessaient de m'appeler *petite fille*, et me caressaient presque les cheveux. Non mais, tu imagines, un peu ? (Elle se croise les bras.) La seule raison pour laquelle ils veulent t'en parler maintenant, c'est l'énorme caravane de réfugiés qui arrive par la route de la rivière.

– Wilf.

Ses yeux me balayent, lisant mon Bruit.

– Ah… Mais je ne l'ai pas vu.

– Attends…

J'avale encore une gorgée de cette boisson rouge. J'ai l'impression d'être resté sans boire depuis des années.

– Comment ça se fait qu'on soit arrivés si loin devant l'armée ? Comment ça se fait, si je suis là depuis cinq jours, qu'on ait pas encore été rejoints ?

Elle gratte un truc collé à la table avec son ongle.

– Nous sommes restés dans cette barque pendant un jour et demi.

– Un jour et demi ? (Je réfléchis.) Alors on a dû en faire, des kilomètres.

– Des kilomètres et des kilomètres. On a dérivé avec le courant, indéfiniment. J'avais bien trop peur pour nous arrêter aux endroits qu'on dépassait. Tu n'imagines pas certaines des choses que…

Elle secoue la tête. Je me rappelle les avertissements de Jane.

– Des gens nus et des maisons en verre ?

Elle me jette un regard surpris, fait une grimace.

– Non, juste de la misère. Juste une horrible, très horrible misère. Certains endroits si atroces que les gens nous auraient peut-être bien dévorés, alors j'ai simplement continué, continué et tu étais malade, de plus en plus malade, et alors le matin du second jour j'ai vu ce docteur Snow et son fils Jacob qui pêchaient, et j'ai vu dans son Bruit qu'il était médecin, et, bon, l'endroit n'est pas très clair au niveau des femmes, mais au moins, c'est propre.

Je jette un coup d'œil sur la cuisine, effectivement propre, parfaitement propre.

– On peut pas rester là.

– Je sais. (Elle se prend la tête entre les mains.) Je me faisais tellement de souci pour toi… (Il y a une émotion dans sa voix.) J'avais tellement peur que l'armée arrive, et personne ne m'écoutait. (Elle en frappe la table de frustrement.) Et je me sentais si mal à cause de…

Elle s'arrête. Son visage se crispe, elle détourne les yeux.

– Manchee, je lâche, à haute voix, pour la première fois depuis…

– Je suis désolée, Todd, dit-elle, les yeux mouillés.

– Pas ta faute.

Je me lève brusquement, reculant la chaise.

– Il t'aurait tué, poursuit-elle. Et puis, il aurait tué Manchee, juste parce qu'il pouvait le faire.

– Parle plus de ça, s'il te plaît…

Je quitte la cuisine pour rentrer dans la chambre. Viola me suit.

– Je vais leur parler, à ces anciens…

Je ramasse le sac de Viola par terre et fourre dedans les autres vêtements lavés.

– Et puis on partira. On est loin de Haven, t'as une idée ?

Viola esquisse un tout petit sourire.

– Deux jours.

Je me redresse.

– On a fait tout ce chemin par la rivière ?

– On a fait tout ce chemin.

Je lâche un léger sifflement. Deux jours. Seulement deux jours. Jusqu'à Haven et qui sait ce qui nous attend, à Haven.

– Todd ?

– Mouais ? je marmonne, épaulant son sac.

– Merci.

– De quoi ?

– D'être venu me chercher.

Tout se pétrifie.

– C'est rien, je grogne, détournant les yeux à cause que je sens mon visage chauffer. Et… tout va bien ? je reprends, sans la regarder encore. Depuis qu'il t'a emmené ?

– Je ne me…

Puis on entend une porte se fermer et un gazouillis papa papa papa flotter dans l'entrée. Jacob apparaît sur le seuil de la cuisine.

– Papa m'a envoyé te chercher.

Je hausse les sourcils.

– Ah, et je suis supposé aller *les* voir maintenant, c'est ça ?

Jacob hoche la tête, d'un air extrêmement grave.

– Bon, eh bien en ce cas, on arrive… (Je mets de l'ordre dans le sac et, regardant Viola :) Et puis on s'en va.

– Ça marche, réplique-t-elle, d'un ton qui me rend tout joyeux.

On sort dans le hall, suivant Jacob, mais il nous arrête à la porte.

– Seulement toi, prononce-t-il en me regardant.

– Comment ça, seulement moi ?

– Il veut dire seulement toi, pour parler aux anciens, précise Viola en croisant les bras.

Jacob hoche la tête, l'air toujours aussi sérieux. Je regarde Viola puis Jacob, et je plie les jambes pour me mettre à sa hauteur.

– Bon, tu vas dire à ton papa que moi et Viola on arrive dans une minute, d'accord ?

Jacob ouvre la bouche.

– Mais il a dit…

– Ça m'est un peu égal, ce qu'il a dit, je le coupe doucement. Allez, vas-y.

Il lâche un petit hoquet, puis sort en courant.

– Je crois que j'en ai peut-être un peu ma dose d'écouter les hommes me dire quoi faire, je souffle, surpris par la fatigue de ma voix et brusquement je sens que je voudrais bien me remettre dans ce lit et dormir encore cinq jours.

– Tu crois que ça ira, pour marcher jusqu'à Haven ?

– Essaye un peu de m'en empêcher…

Elle sourit.

Je passe la porte.

Et pour la troisième fois, je m'attends à ce que Manchee nous dépasse en bondissant et en aboyant.

Son absence est tellement énorme, et c'est comme s'il était là, et mes poumons se vident entièrement, et je dois faire une pause et respirer à fond.

« Oh, bon D... » je me dis en moi-même.

Son dernier *Todd*? laboure mon Bruit comme une plaie.

Le Bruit, il a ça de particulier, aussi. Tout ce qui vous est arrivé continue de vous parler, sans cesse et sans cesse.

J'aperçois encore la poussière soulevée par la course de Jacob qui dépasse quelques arbres pour rejoindre le village. Je regarde autour de moi. La maison du docteur Snow est pas si grande mais elle s'étend quand même jusqu'à un quai sur la rivière. Un embarcadère, puis une passerelle basse relient la piste menant de Carbonel Downs à la route de la rivière, en face. Presque cachée par une haie d'arbres, cette route où nous avons marché si longtemps prend la direction de Haven.

– Dis donc, c'est le paradis ou presque, comparé au reste de Nouveau Monde.

– Quelques jolis bâtiments ne suffisent pas à faire un paradis, remarque Viola.

Je regarde encore autour de moi. Le docteur Snow a un jardin bien entretenu, posté sur la piste qui mène au village. Plus loin à travers les arbres, j'aperçois d'autres contruxions, et j'entends cette musique.

Cette musique étrange. Qui change tout le temps, pour vous empêcher de vous y habituer, je suppose. Rien que je reconnaisse mais c'est plus fort, là-bas, et je suppose que vous êtes pas supposé la reconnaître, mais je jure que j'ai entendu quelque chose dedans, quand je me suis réveillé…

– Au centre de la colonie, c'est presque insupportable, dit Viola. La plupart des femmes ne prennent même pas la peine de venir de leur dortoir. C'est d'ailleurs le but recherché, j'imagine, ajoute-t-elle en fronçant les sourcils.

– La femme de Wilf m'a parlé d'une colonie où tout le monde…

Je m'arrête, la musique change.

Sauf qu'elle change pas.

La musique de la colonie reste la même, brouillonne et bavarde, enroulée sur elle-même comme une queue de singe.

Mais il y a plus.

Il y a plus de musique que ça.

Et ça augmente.

– Tu entends ?

Je me tourne. Et je me retourne.

Et Viola aussi.

On essaye de comprendre ce qu'on entend.

– Peut-être que quelqu'un a placé un autre haut-parleur, de l'autre côté de la rivière, dit-elle. Juste au cas où les femmes auraient l'idée extravagante de vouloir sortir.

Mais je l'écoute pas.

– Non, je chuchote. C'est pas possible.

– Quoi ? demande Viola, d'une voix différente.

– Chut…

J'écoute plus attentivement, essaye de calmer mon Bruit pour pouvoir l'entendre.

– Ça vient de la rivière, elle murmure…

– Chut… je répète, du fait que ma poitrine commence à se soulever, mon Bruit à bourdonner trop fort pour servir à quelque chose.

Là-bas, entre le courant de la rivière et du Bruit des oiseaux chantants, il y a…

– Un chant, souffle Viola. Quelqu'un chante.

Quelqu'un chante.

Et ce que ça chante, c'est:

Après un très long, long so-o-mmeil, à peine se levait le so-o-leil…

Et mon Bruit s'enfle plus fort quand je le dis:

– Ben.

34 *Oh, ne m'abandonne jamais*

Je cours jusqu'à la berge et je m'arrête et je l'écoute encore.

Oh, ne me déçois pas.

– Ben ? je lance, essayant de crier et de chuchoter en même temps.

Les pas de Viola tambourinent derrière moi.

– Pas *ton* Ben ? Si ? C'est *ton* Ben ?

Je la fais taire d'un signe de main, et j'écoute, et j'essaye de faire le tri entre la rivière et les oiseaux et mon propre Bruit et là, juste là, parmi tout ça –

Oh, ne m'abandonne jamais.

– De l'autre côté de la rivière, dit Viola, et elle se précipite sur la passerelle, je la suis, ses pieds claquent contre les planches, je la dépasse, écoutant et regardant, écoutant et regardant et là et là et là et –

Là dans les arbustes les feuilles au bord de l'eau –

C'est Ben.

C'est vraiment Ben.

Il se tient accroupi derrière un rideau de feuillages, mains posées sur un tronc d'arbre, il me regarde venir, il me regarde courir sur le pont, et quand j'arrive tout près, son visage se détend et son Bruit s'ouvre aussi grand que ses bras et je vole vers eux, je saute du pont, et dans les taillis je le renverse presque et mon cœur explose et mon Bruit est aussi clair que l'azur tout entier et –

Et tout ira bien.

Tout ira bien.

Tout ira bien.

C'est Ben.

Et il me serre très fort et il dit « Todd », et Viola se tient un peu en retrait me laisse à mes retrouvailles, et je le serre dans mes bras, dans mes bras, et c'est Ben, oh Dieu tout-puissant c'est Ben, Ben, Ben.

– Oui, c'est moi, dit-il en riant un peu du fait que je lui coupe le souffle en lui écrasant la poitrine. Oh, comme c'est bon de te revoir, mon Todd !

– Ben… je fais, m'écartant et je sais pas quoi faire avec mes mains, alors j'agrippe sa chemise dans mes poings et je le secoue d'une façon qui doit vouloir dire « amour ».

– Ben… je répète.

Il hoche la tête, sourit.

Mais il a des cernes autour des yeux et déjà je vois le début, si vite ça va venir au-devant de son Bruit et je dois demander : « Cillian ? »

Il dit rien mais il me le montre, Ben courant vers la ferme déjà en flammes, déjà en train de brûler, avec des hommes de Maire à l'intérieur mais avec Cillian aussi, et Ben dans le chagrin, encore dans le chagrin.

– Oh… non… je lâche, mon estomac s'effondrant, même si je l'avais devinée cette vérité depuis longtemps.

Mais deviner une chose, c'est pas comme savoir une chose.

Ben hoche encore la tête, lentement, tristement, et je remarque maintenant comme il est sale, et il a du sang séché sur le nez, et il a l'air de pas avoir mangé depuis une semaine mais c'est toujours Ben et il peut encore me lire comme personne à cause que son Bruit me demande déjà «*et Manchee*» et je lui montre finalement et là finalement mes yeux se remplissent vraiment et se déversent et il me reprend dans ses bras et je pleure pour de bon sur la perte de mon chien et de Cillian et de la vie d'avant.

– Je l'ai abandonné, je répète sans arrêt, encombré de morve et toussant. Je l'ai abandonné.

– Je sais, dit-il, et je vois que c'est vrai, j'entends les mêmes mots dans son Bruit. Je l'ai abandonné, pense-t-il.

Mais après un moment, je le sens me repousser doucement.

– Écoute, Todd, on n'a pas beaucoup de temps.

– Pas beaucoup de temps pour quoi ? je renifle, et il regarde Viola.

– Salut, lance-t-elle, les yeux sur le qui-vive.

– Salut, dit Ben. Tu dois être *elle*.

– Probable.

– T'as protégé Todd ?

– On s'est protégés tous les deux.

– Bien, il hoche la tête, son Bruit chaud et triste en même temps. Bien.

– Viens, je dis en le prenant par le bras et en essayant de le tirer vers la passerelle. On peut te trouver quelque chose à manger. Et il y a un médecin…

Mais Ben bouge pas.

– Tu veux bien ouvrir l'œil pour nous ? demande-t-il à Viola. Nous dire si tu vois quelque chose, n'importe quoi. Qui vienne de la colonie, ou de la route.

Viola hoche la tête et quitte les fourrés pour rejoindre le chemin.

– Les choses ont pris une autre dimension, me dit Ben d'un ton grave, comme s'il parlait d'une maladie mortelle. Vous devez rejoindre un endroit appelé Haven. Aussi vite que possible.

– Je sais ça, Ben. Pourquoi est-ce que tu…

– Il y a toute une armée après toi.

– Je sais ça aussi. Et Aaron. Mais maintenant que tu es là, on peut…

– Non, je ne viens pas avec vous.

– Quoi ? je m'esclame, bouche bée. Et comment, que tu viens !

Mais il secoue la tête.

– Tu sais bien que je ne peux pas.

– On trouvera bien un moyen, je dis.

Mais déjà mon Bruit tournoie, réfléchit, se rappelle.

– Les hommes de Prentissville ne sont les bienvenus nulle part sur Nouveau Monde.

– Ils sont pas très enthousiastes envers les garçons de Prentissville non plus…

Il me prend par le bras.

– Quelqu'un t'a fait du mal ?

Je le regarde dans les yeux.

– Des tas de gens.

Il se mord la lèvre et son Bruit devient encore plus triste.

– Je t'ai cherché. Jour et nuit, suivant l'armée, la contournant, la devançant, guettant les rumeurs d'un garçon et d'une fille voyageant seuls. Et te voilà et ça va pour toi et je le savais. Je le savais…

Il soupire, et il y a tant d'amour et de tristesse là-dedans, il va bientôt dire la vérité, je le sens.

– … mais pour vous, sur Nouveau Monde, je suis un danger…

Il montre les taillis où nous sommes cachés, comme des voleurs.

– Va falloir que tu fasses le reste du chemin tout seul.

– Je suis pas seul, je réplique, sans réfléchir.

Il sourit, mais son sourire reste triste.

– Non, tu n'es pas seul, bien sûr.

Il regarde, à travers les feuillages, de l'autre côté de la rivière, jusqu'à la maison du docteur Snow.

– T'as été malade ? J'ai entendu ton Bruit hier matin qui descendait la rivière mais tout fiévreux et endormi. J'attendais ici depuis, je m'inquiétais, vraiment.

– J'ai été malade…

Et, comme un brouillard, la honte recouvre peu à peu mon Bruit.

Ben me scrute.

– Qu'est-ce qui s'est passé, Todd ? fait-il, lisant mon Bruit en douceur, comme toujours. Hein, qu'est-ce qui s'est passé ?

Je lui ouvre mon Bruit, tout mon Bruit depuis le début, les crocos qui ont attaqué Aaron, la course à travers le marais, le vaisseau de Viola, la fuite devant le Maire à cheval, le pont, Hildy et Tam, Farbranch et ce qui s'est passé là-bas, Wilf et les *choses* qui chantaient *Ici*, Mr. Prentiss Jr. et Viola qui m'a sauvé.

Et le Spackle.

Et ce que j'ai fait.

Je peux pas regarder Ben.

– Todd…

Je garde les yeux fixés au sol.

– Todd, il répète. Regarde-moi…

Ses yeux, plus bleus que jamais, ils captent les miens, ils les retiennent.

– On a tous fait des erreurs, Todd. Tous.

– Je l'ai tué, je marmonne, ravalant ma salive. Je l'ai tué. C'était un.. Il.

– T'as agi d'après ce que tu savais. T'as agi selon ce que tu pensais être le mieux.

– Et ça, c'est une excuse ? T'y crois vraiment ?

Mais il y a quelque chose dans son Bruit. Quelque chose d'autre, de révélateur.

– Quoi, Ben ?

Il lâche, dans un murmure.

– Temps que tu saches, Todd. Temps que tu saches la vérité.

Alors des branches craquent, et Viola déboule.

– Chevaux sur la route, fait-elle, tout essoufflée.

On écoute. Piétinements de sabots, sur la route de la rivière, rapides. Ben se retranche un peu plus dans les fourrés. On fait comme lui mais le cavalier arrive si vite qu'il s'intéresse même pas à nous. On l'entend labourer la route et virer sur la passerelle qui mène directement à Carbonel

Downs, sabots claquant sur les planches puis sur la terre avant d'être avalés par le son des haut-parleurs.

– Sûrement pas une bonne nouvelle, dit Viola.

– Probablement l'armée, remarque Ben. Maintenant, sans doute à quelques heures, pas plus.

– Quoi ?

Je fais un bond en arrière, et Viola comme moi.

– Je te l'ai bien dit qu'on n'a plus beaucoup de temps, dit Ben.

– Alors faut qu'on parte ! je m'écrie. Et tu dois venir avec nous. On dira aux gens…

– Non. Vous, vous allez à Haven, point final. C'est votre meilleure chance.

Aussitôt, on le submerge de questionnements.

– Alors, Haven est sûr ? demande Viola. À l'abri d'une armée ?

– C'est vrai qu'ils ont un remède contre le Bruit ? je demande.

– Ils ont des communicateurs ? Je pourrai contacter mon vaisseau ?

– Tu crois qu'on y sera en sécurité ? Vraiment ?

Ben nous arrête d'un geste.

– Je n'en sais rien. Ça fait vingt ans que je ne suis pas allé là-bas.

– Vingt ans ? s'écrie Viola. Vingt ans ? Mais alors, qu'est-ce qu'on en sait, de ce qu'on trouvera une fois là-bas ? Est-on seulement sûrs que ça existe toujours ?

Je me passe les mains sur le visage, et je sens ce vide où Manchee était d'habitude, qui peut-être me fait comprendre, enfin comprendre ce qu'on a jamais voulu savoir.

– On en sait rien, je lâche, comme une évidence totale. On l'a jamais su.

Viola pousse un gémissement, et ses épaules tombent d'un coup.

– C'est vrai, dit-elle. Je suppose que non.

– Mais il reste toujours un espoir, fait Ben. Vous devez toujours espérer.

On le regarde tous les deux et il doit y avoir un mot pour la façon dont on le regarde un mot que je ne connais pas. On le regarde comme s'il parlait une langue étrangère, comme s'il venait de dire qu'il partait pour l'une des deux lunes, comme s'il nous disait que tout ça n'était qu'un mauvais rêve avant distribution générale de bonbons.

– Y a plus beaucoup d'espoir nulle part, Ben.

Il secoue la tête.

– Et qu'est-ce qui vous mène, alors ? Qu'est-ce qui vous a porté jusqu'ici ? Hein ?

– La peur, dit Viola.

– La despérance, je dis.

– Non, réplique-t-il. Non, non et non... Vous avez été plus loin que la plupart des gens sur cette planète en toute une vie. Vous avez surmonté des obstacles et des dangers et des choses qui auraient dû vous tuer. Vous avez échappé à une armée et à un fou et à une maladie et vu des choses que la plupart des gens ne verront jamais. Comment croyez-vous que vous avez pu aller si loin si vous n'aviez pas d'espoir ?

Viola et moi on échange un regard.

– Je vois bien ce que tu essayes de dire, Ben, mais...

– L'espoir... il martèle, me serrant le bras en même temps. C'est l'espoir. Je regarde dans tes yeux maintenant et je te dis qu'il y a de l'espoir pour toi, pour vous deux. (Il se tourne vers Viola aussi.) Il y a de l'espoir qui vous attend au bout de cette route.

– Vous n'en savez rien, dit Viola, et mon Bruit, malgré moi, est d'accord avec elle.

– Non, répond Ben. Mais moi, je le crois. Je le crois pour vous. Et c'est ce qu'on appelle de l'espoir.

– Ben…

– Même si tu n'y crois pas, sache que moi j'y crois.

– J'y croirais un peu plus si tu venais avec nous.

– Y vient pas ? s'exclame Viola. (Puis, se reprenant :) Il ne vient pas ?

Ben la regarde, ouvre la bouche, puis se tait.

– Cette vérité, c'est quoi, Ben ? Cette vérite qu'on doit connaître ?

Ben respire un grand coup, puis lâche :

– Bon, d'accord.

Mais alors on entend appeler haut et clair de l'autre côté de la rivière :

– Todd ?

La musique de Carbonel Downs lutte avec le Bruit d'hommes qui traversent la passerelle.

Beaucoup d'hommes.

C'est l'autre but de la musique, je suppose. De pas entendre des hommes arriver.

– Viola ? (C'est la voix du docteur Snow.) Qu'est-ce que tu fabriques par ici ?

Je me redresse. Le docteur traverse le pont, la main du petit Jacob dans la sienne, menant une troupe d'hommes qui lui ressemblent, mais dans un style nettement moins amical et ils nous fixent et ils fixent Ben et ils nous voient Viola et moi lui parler. Et leur Bruit commence à prendre d'autres couleurs quand ce qu'ils voient devient plus clair.

Et certains ont des fusils.

– Ben ? je fais doucement.

– Cours, il me réplique dans un souffle. Cours, maintenant.

– Je t'abandonne pas. Pas cette fois.

– Todd…

– Trop tard, dit Viola.

Parce qu'ils sont là maintenant, ils ont quitté le pont et se dirigent vers les fourrés où on ne se cache plus vraiment.

Le docteur Snow arrive le premier. Il examine Ben des pieds à la tête.

– Et qui est donc cette personne ?

Et son Bruit n'a rien d'heureux.

35 *La loi*

– C'est Ben, je fais, essayant d'élever mon Bruit pour barrer la route à tous les questionnements qui viennent des hommes.

– Et qui est Ben, quand il est chez lui ? demande le docteur Snow, les yeux sur le qui-vive.

– C'est mon père, je dis. (À cause que, oui, c'est un peu vrai, quand même.) Ben est mon père.

– Todd… (J'entends Ben derrière moi, toutes sortes de sentiments doux dans la voix, mais surtout un avertissement.)

– Ton père ? lance un homme barbu derrière le docteur Snow, les doigts crispés sur le fût de son arme, mais sans la relever.

Pas encore.

– Tu devrais peut-être faire attention quand tu présentes quelqu'un comme ton parent, Todd, prononce lentement le docteur, attirant Jacob contre lui.

– Hé, tu prétendais pourtant que le garçon était de Farbranch, lance un troisième homme avec une tache de vin sous l'œil.

– C'est ce que la fille nous a dit, répond le docteur. N'est-ce pas, Vi ?

Viola soutient son regard mais ne dit rien.

– Peut pas se fier aux femmes, dit le barbu. Celui-là, c'est un homme de Prentissville ou je m'y connais pas.

– Et qui conduit l'armée tout droit vers nous, ajoute la tache de vin.

– Le garçon est innocent, dit Ben, et quand je me retourne, je vois ses mains levées en l'air. S'il vous faut quelqu'un, c'est moi.

– Correction, réplique le barbu, de plus en plus nerveux. T'es celui qu'il nous faut pas.

– Attends un peu, Fergal, intervient le docteur. Quelque chose ne colle pas, dans tout ça.

– Tu connais la loi, clame la tache de vin.

La loi.

À Farbranch aussi, ils parlaient de la loi.

– Mais les circonstances sont tout de même très spéciales, dit le docteur, qui se retourne vers nous. Nous devrions au moins leur donner une chance de s'espliquer.

J'entends Ben prendre sa respiration.

– Eh bien, je…

– Pas toi, coupe le barbu.

– Alors, Todd? reprend le docteur. C'est le moment ou jamais de nous dire la vérité.

Je regarde Viola et Ben. Quel côté de la vérité leur dire?

J'entends un claquement. Le barbu a relevé et armé son fusil. Comme deux ou trois hommes derrière lui.

– Plus t'attends, dit le barbu, et plus vous m'avez l'air d'espions.

– On est pas des espions, je réplique aussitôt.

– L'armée dont ta fille parlait a été repérée sur

la route de la rivière, dit le docteur. Un de nos éclaireurs vient de les annoncer à moins d'une heure d'ici.

– Oh, non… murmure Viola.

– Elle est pas ma *fille*, je lâche, tout bas.

– Comment ? demande le docteur.

– Comment ? répète Viola.

– Elle est sa propre fille, je dis. Elle appartient à personne.

Viola, comme elle me regarde.

– Peu importe, lance la tache de vin. On a une armée de Prentissville prête à nous tomber dessus et un homme de Prentissville qui se cache dans nos taillis et un garçon de Prentissville en plein chez nous depuis une semaine. Ça sent plutôt mauvais, si vous voulez mon avis.

– Il était malade, dit le docteur. Dans le coma.

– C'est toi qui le dis, insinue la tache de vin.

Le docteur Snow se tourne vers lui, très lentement.

– Tu me traites de menteur, maintenant, Duncan ? N'oublie pas, s'il te plaît, que tu parles au chef du conseil des anciens.

– Et toi, serais-tu en train de me dire que tu vois pas de complot là-dedans, Jackson ? réplique la tache de vin, sans reculer et en levant son fusil. Ils se moquent de nous ! Qui sait ce qu'ils ont raconté à leur armée ? (Il pointe son fusil sur Ben.) Mais on va y mettre fin, et tout de suite.

– On est pas des espions, je répète. On fuit l'armée autant que vous devriez le faire maintenant.

Et les hommes se regardent mutuellement.

Dans leur Bruit, j'entends ces pensées sur l'armée, sur le fait de fuir plutôt que de défendre la ville. Je vois aussi la colère bouillonner, colère d'avoir à faire ce choix, colère de pas savoir comment protéger au mieux leurs familles. Et puis je vois la colère se concentrer mais pas sur l'armée, pas sur leur impréparement malgré les avertissements de Viola depuis des jours, pas sur le monde tel qu'il est.

Ils concentrent leur colère sur Ben.

Ils concentrent leur colère contre Prentissville sous la forme d'un seul homme.

Le docteur Snow s'agenouille pour se mettre au niveau de Jacob.

– Hé, p'tit gars. Tu voudrais pas courir jusqu'à la maison, maintenant ? Hein ?

Papa papa papa j'entends dans le Bruit de Jacob.

– Pourquoi, papa ?... et il me regarde.

– Tu crois pas que la chèvre s'ennuie, toute seule ? fait le docteur. Parce que tu ne voudrais pas qu'elle s'ennuie, quand même ?

Jacob regarde son père, se tourne vers moi et Ben, puis vers les hommes autour de lui.

– Pourquoi est-ce que tout le monde a cette tête-là ?

– Oh, répond le docteur. On essaye juste de préparer certaines choses. Ne t'inquiète pas. Toi, tu vas rentrer à la maison pour être sûr que la chèvre va bien, d'accord ?

Jacob réfléchit une seconde ou deux puis finit par murmurer :

– D'accord, papa.

Le docteur lui plante un baiser sur le sommet du crâne et lui ébouriffe les cheveux. Jacob part en courant sur la passerelle vers sa maison. Lorsque le docteur se retourne, tout un arsenal de fusils l'accompagne, pointés vers nous.

– Comme tu peux voir, Todd, les choses ne se présentent pas très bien, dit-il, avec une vraie tristesse dans la voix.

– Il ne sait pas, coupe Ben.

– Ferme ta gueule, assassin ! crie le barbu, agitant son arme.

Assassin ?

– Dis-moi la vérité, reprend le docteur. Es-tu de Prentissville ?

– Il m'a sauvé de Prentissville ! s'exclame Viola. Sans lui…

– Ferme-la, fille ! tonne le barbu.

– L'heure n'est pas vraiment aux paroles de femmes, Vi, dit le docteur.

Le visage de Viola s'enflamme.

– Mais…

– S'il te plaît, insiste le docteur. (Puis il regarde Ben.) Qu'as-tu communiqué à ton armée ? Le nombre de nos hommes ? Le plan de nos fortifications ?

– Je fuis l'armée, clame Ben, les mains toujours dressées. Regardez-moi ! Est-ce que j'ai l'air d'un petit soldat ? Je ne leur ai rien dit. J'étais en fuite, je cherchais mon… (il marque une pause)… mon fils.

– Tu as fait cela, connaissant la loi ? demande le docteur.

– Évidemment, que je connais la loi. Comment j'aurais pu ne pas la connaître ?

– Quelle FEUTTUE LOI ? je hurle. De quoi est-ce que tout le monde parle ici, bon sang ?

– Todd est innocent, reprend Ben. Vous pouvez fouiller son Bruit aussi longtemps que vous voulez, vous ne trouverez rien qui dise que je mens.

– Tu peux pas leur faire confiance, maugrée le barbu, fusil en joue. Tu sais que tu peux pas.

– Nous ne sommes plus au courant de rien, remarque le docteur. Depuis dix ans, ou même plus.

– Nous savons qu'ils ont levé une armée, lance la tache de vin.

– Oui, mais je ne vois aucun crime chez ce garçon, dit le docteur. Et vous ?

Une douzaine de Bruits différents me tâtent, me sondent brusquement, brutalement, comme des bâtons.

Il se tourne vers Viola.

– Et la fille n'a fait que mentir pour sauver la vie de son ami…

Viola évite mon regard, toujours aussi rouge de colère.

– Et nous avons des problèmes bien plus graves. Une armée qui arrive, et qui sait ou ne sait pas tout ce qui l'attend ici.

– On est pas des ESPIONS ! je crie.

Mais le docteur Snow se tourne déjà vers les autres hommes.

– Ramenez la fille et le garçon en ville. La fille peut aller chez les femmes, et le garçon est assez bien remis pour pouvoir combattre à nos côtés.

– Hé ! attendez un peu ! je crie plus fort.

Le docteur Snow se tourne vers Ben.

– Et même si je te crois, même si tu es juste un père à la recherche de son fils, la loi reste la loi.

– C'est ton jugement définitif ? demande le barbu.

– Si les anciens sont d'accord.

Un peu hésitant, un bref hochement de tête général approuve quand même ses paroles.

– Désolé, Todd, fait le docteur.

– Attendez ! je répète, mais la tache de vin fait déjà un pas et m'attrape par le bras. Hé ! Lâchez-moi !

Un autre agrippe Viola qui résiste autant que moi.

– Ben ! j'appelle, tête tournée vers lui. Ben !

– Va, Todd, dit-il.

– Non, Ben.

– Rappelle-toi que je t'aime !

– Qu'est-ce qu'ils vont te faire ? je demande, cherchant à me libérer de la tache de vin. (Je me tourne vers le docteur Snow.) Qu'est-ce que vous allez lui faire ?

Il dit rien mais je le vois dans son Bruit.

Ce que la loi exige.

– JAMAIS DE LA VIE ! je hurle, et avec mon bras libre j'ai déjà détaché mon couteau et frappé la main de la tache de vin, le coupant en travers des doigts.

Il pousse un jappement, lâche prise.

– Cours, je crie à Ben. Cours, maintenant !

Viola mord la main de l'homme qui l'agrippe. Il pousse un cri et elle trébuche en arrière.

– Toi aussi, je lui lance. Tire-toi de là !

– À votre place, j'en ferais rien, gronde le barbu et les fusils claquent un peu partout en s'armant.

La tache de vin jure, il a levé le bras pour me frapper mais je brandis mon couteau droit devant moi.

– Essaye un peu, voir, je siffle entre mes dents. Allez, vas-y !

– ASSEZ ! hurle le docteur Snow.

Et dans le silence soudain qui s'ensuit, on entend le son des sabots.

Bedom, voda-bedom, voda-bedom.

Des chevaux. Cinq. Dix. Ou peut-être quinze.

Sur la route en tempête comme si le diable lui-même était à leurs trousses.

– Éclaireurs… je chuchote à Ben, mais je sais que non.

Il secoue la tête.

– Non, avant-garde.

– Ils sont armés, je dis au docteur Snow, en réfléchissant à toute vitesse. Ils ont autant de fusils que vous.

Le docteur réfléchit, lui aussi. Je vois son Bruit tournoyer, je le vois calculer le temps qui leur reste avant qu'arrivent les cavaliers, les ennuis que moi, Ben et Viola nous allons leur causer, le temps qu'ils vont perdre.

Je le vois décider.

– Laissez-les partir.

– Quoi ? crache le barbu, son Bruit trop impatient de tirer sur quelque chose. Mais… c'est un traître et un assassin.

– Et nous avons une ville à protéger, ajoute fermement le docteur. Et j'ai un fils à protéger. Comme toi, j'imagine, n'est-ce pas, Fergal ?

Le barbu plisse le front mais n'ajoute rien.

Bedom voda-bedom voda-bedom, le son monte de la route.

Le docteur se tourne vers nous.

– Partez. J'espère seulement que vous n'avez pas scellé notre perte.

– Non, je dis. Et c'est la vérité.

Il pince les lèvres.

– J'aimerais pouvoir te croire... (Il se tourne vers les hommes.) Allez!... Tous à vos postes! Vite!

Le groupe s'éparpille, regagnant Carbonel Downs, le barbu et la tache de vin comme enragés, cherchant une bonne raison d'utiliser leurs fusils, mais on leur en donne aucune. On les regarde juste partir.

Je m'aperçois que je tremble un peu.

– Bon sang de... commence Viola, et tout le haut de son corps se détend d'un coup.

– Il faut filer d'ici, je dis. L'armée va plus s'intéresser à nous qu'à eux.

J'ai toujours le sac de Viola avec moi, mais il y a plus rien dedans à part quelques vêtements, les gourdes, les jumelles, et le livre de maman, dans son plastique.

Tout ce qui nous reste au monde.

Et donc nous voilà prêts à partir.

– Ça s'arrêtera jamais, dit Ben. Je peux pas venir avec vous.

– Si, je réponds. Tu peux nous quitter plus tard, mais là, maintenant, on y va, et tu viens avec nous. On va pas te laisser prendre par l'armée...

Je regarde Viola.

– ... pas vrai?

Elle se redresse et m'appuie d'un ton ferme:

– Vrai.

– C'est réglé, alors.

Ben nous regarde, l'un après l'autre. Il plisse le front.

– Seulement jusqu'à ce que je sois sûr que vous êtes en sécurité.

– Trop parlé, je fais. Pas assez couru.

36 *Questionnements et réponses*

On reste à l'écart de la route de la rivière pour des raisons évidentes, on fonce à travers les arbres en se dirigeant, comme toujours, vers Haven, cassant branches et brindilles, fuyant Carbonel Downs aussi vite que nos jambes peuvent nous porter.

Il se passe pas dix minutes avant qu'on entende les premiers coups de fusil.

On regarde pas en arrière.

On court et les sons faiblissent.

On continue à courir.

Moi et Viola on est tous les deux plus rapides que Ben et il faut parfois ralentir pour le laisser nous rattraper.

On longe une, puis deux petites colonies désertes, des endroits où les rumeurs sur l'armée semblent avoir eu plus d'effet qu'à Carbonel Downs. On reste dans les bois, entre la rivière et la route, mais on aperçoit aucune caravane. Elles doivent déjà filer vers Haven.

On court.

La nuit tombe et on continue à courir.

On s'arrête au bord de la rivière pour remplir les gourdes.

– Ça va ? je demande à Ben.

Il secoue juste la tête et souffle :

– On continue.

Viola m'adresse un coup d'œil inquiet.

– Je suis désolé qu'on ait pas de provisions, je dis.

Mais il secoue encore la tête, répète :

– On continue.

Alors on continue.

Minuit vient et passe et on court toujours.

(Qui sait depuis combien de jours ? Et qui ça peut-il encore intéresser, maintenant ?)

Puis finalement Ben lâche :

– Attendez…

Il s'arrête, les mains crispées sur les genoux, la respiration rauque et saccadée.

Je regarde autour de nous, au clair des lunes. Viola regarde aussi. Elle pointe du doigt :

– Là.

– Là-haut, Ben… (Je montre la petite colline.) On aura une meilleure vue.

Ben dit rien, il suffoque juste un peu, hoche la tête et nous suit. Il y a des arbres sur toute la pente mais au sommet on trouve un sentier bien entretenu et une large clairière.

On comprend pourquoi en arrivant.

– Un cémitiaire, je dis.

– Un quoi ? demande Viola, examinant toutes les pierres carrées qui marquent les tombes.

Une centaine, peut-être même deux cents, bien alignées, l'herbe bien tondue. La vie du colon est dure et elle est courte et des tas d'habitants de Nouveau Monde ont perdu la bataille.

– Un endroit pour enterrer les gens morts, je lui esplique.

– Un endroit pour faire quoi ? réplique-t-elle en écarquillant les yeux.

– Ah, et les gens ils meurent pas, dans l'espace ?

– Si, bien sûr. Mais nous les brûlons. Nous ne les mettons pas dans des trous… (Elle croise les bras, front plissé, scrutant les tombes.) Tout ça n'est vraiment pas très sanitaire…

Ben a toujours rien dit, il s'est juste laissé tomber devant une pierre tombale et s'appuie dessus, reprenant son souffle. J'avale une gorgée d'eau et lui tends la gourde. J'inspecte les parages. On aperçoit un petit bout de route, et aussi la rivière qui coule sur notre gauche maintenant. Il fait clair, les étoiles brillent, les lunes commencent à décroître dans le ciel.

Ben prend un peu d'eau.

– Ça va, Ben ?

– Houais… (Sa respiration redevient à peu près normale.) Tu sais, je suis plutôt bâti pour le travail de la ferme. Pas pour la course.

Je regarde encore les lunes, la plus petite pourchassant la plus grande, deux lumières là-haut, suffisamment de lumière pour projeter des ombres, indifférentes aux soucis des hommes.

Je regarde en moi-même. Je regarde profond dans mon Bruit.

Et je réalise que je suis prêt.

C'est ma dernière chance.

Et je suis prêt.

– Je crois qu'il est temps, Ben. Je crois que le moment est venu, que c'est maintenant ou jamais.

Il passe la langue sur ses lèvres, referme la capsule de la gourde.

– Je sais.

– Le moment de quoi ? demande Viola.

– Je commence par où ? demande Ben.

Je hausse les épaules.

– Peu importe. Du moment que c'est vrai.

J'entends le Bruit de Ben concentrer, concentrer toute l'histoire, remonter une branche de la rivière, celle qui raconte enfin ce qui s'est vraiment passé, celle qui est restée cachée si longtemps et si profondément que jamais, de toute ma petite vie, jamais j'ai même su qu'elle existait.

Le silence de Viola se fait plus silencieux que d'habitude, immobile comme la nuit, attendant ce qu'il va dire.

Ben prend sa respiration.

– Première chose : le virus du Bruit n'était pas une arme Spackle. Le virus était là quand nous avons débarqué. Un phénomène naturel, dans l'air, qui avait toujours été, qui sera toujours. On est sortis de nos vaisseaux, et en une journée, tout le monde entendait les pensées de tout le monde. Imaginez notre stupéfaction.

Il fait une pause, plongé dans ses souvenirs.

– Sauf que ce n'était pas tout le monde, remarque Viola.

– Juste les hommes, hein, j'ajoute.

Ben hoche la tête.

– Personne n'a jamais compris pourquoi. Nos scientifiques étaient surtout des agronomes et des médecins déboussolés par ce phénomène, et donc, pendant un moment, ça a été le chaos. Purement et simplement le chaos, à un point qu'on n'imagine pas. Le chaos, la confusion, et du Bruit, du Bruit et du Bruit. (Il se gratte sous le menton.) Beaucoup d'hommes se sont dispersés dans des communautés éloignées, quittant Haven aussi vite qu'ils pouvaient se tailler des pistes. Mais les gens ont bientôt compris qu'on ne pouvait rien y faire, alors, pendant un temps, on a essayé de vivre avec du mieux possible, et on a trouvé aussi différentes manières de lutter contre, différentes communautés choisissant leurs propres options. Même chose quand on a réalisé que tout notre bétail parlait, et nos animaux domestiques aussi, et les criatures locales.

Il regarde le ciel, puis le cémitiaire, puis la rivière et la route.

– Tout sur cette planète parle à tout le monde. Sans exception. C'est comme ça, sur Nouveau Monde. De l'information, tout le temps, qui ne s'arrête jamais, que vous le vouliez ou non. Les Spackle le savaient, et ils ont évolué pour vivre avec, mais pas nous, on n'était pas préparés. Loin de là. Et trop d'informations peuvent rendre fou. Trop d'informations deviennent juste du Bruit. Et ça ne s'arrête jamais. Jamais.

Il fait une pause, et le Bruit est là, bien sûr, comme toujours, le sien et le mien, et le silence de Viola qui le rend seulement plus fort.

– Avec les années, c'est devenu plus difficile sur Nouveau Monde, de plus en plus difficile. Des récoltes détruites et la maladie et pas de prospérité… et pas d'Éden. Certainement pas d'Éden. Alors un prêche a commencé à s'étendre, un prêche empoisonné, un prêche qui s'est mis à chercher des coupables.

– Les aliens, dit Viola.

– Les Spackle, je balbutie (et la honte me submerge).

– Oui, ils s'en sont pris aux Spackle. Et ce prêche a fini par devenir un mouvement, et ce mouvement, une guerre. (Il secoue la tête.) Les Spackle n'avaient pas la moindre chance. On avait les fusils, ils en avaient pas, et ce fut la fin des Spackle.

– Pas tous…

– Non, pas tous. Mais depuis, ils ne sont pas assez fous pour s'approcher des hommes, je te le garantis.

Un souffle de vent passe sur la colline. Quand il s'en va, c'est comme si on était les dernières trois personnes de Nouveau Monde. Nous et les fantômes du cémitiaire.

– Mais l'histoire ne s'arrête pas avec la guerre, murmure Viola.

– Non, dit Ben. L'histoire n'est pas finie. Même pas à moitié finie.

Ça, je le sais. Et je sais où ça mène.

Et j'ai changé d'avis. Je veux plus entendre la fin.

Mais je veux l'entendre, aussi.

Je regarde dans les yeux de Ben, dans son Bruit.

– La guerre s'est pas arrêtée avec les Spackle, hein ? Pas à Prentissville ?

Ben s'humecte les lèvres et je sens l'incertitude dans son Bruit et la faim et le chagrin et ce qu'il imagine déjà être notre prochaine séparation.

– La guerre est un monstre, lâche-t-il, comme pour lui-même. La guerre, c'est le diable. Elle commence et elle brûle et elle s'étend et elle s'étend et puis s'étend. (Il me regarde, maintenant.) Et des hommes autrement normaux deviennent aussi des monstres.

– Ils ne supportaient pas le silence, n'est-ce pas ? murmure Viola. Ils ne supportaient pas que les femmes sachent tout sur eux et eux rien sur les femmes.

– Certains hommes pensaient ainsi, dit Ben. Pas tous. Pas moi, ni Cillian. Il y avait des hommes bien, à Prentissville.

– Mais ils étaient pas assez nombreux, je fais.

Il hoche la tête.

Une autre pause, pendant que la vérité commence à se dévoiler.

Finalement. Pour toujours.

– Alors tu veux dire que... questionne Viola. Tu veux vraiment dire que...

Et la voilà.

La voilà donc cette chose, qui est au centre de tout.

Cette chose qui pousse dans ma tête depuis que j'ai quitté le marais, pour s'illuminer par éclairs en chemin, surtout à travers Matthew Lyle, mais aussi dans les réaxions de tous ceux qui entendaient le mot Prentissville.

La voilà.

La vérité.

Et j'en veux pas.

Mais je la dis quand même.

– Après avoir tué les Spackle, les hommes de Prentissville ont tué les femmes de Prentissville. C'est ça ?

Viola étouffe un petit cri, même si elle avait forcément deviné, elle aussi.

– Pas tous les hommes, corrige Ben. Mais beaucoup. Ils se sont laissé emballer par Maire Prentiss et les prêches d'Aaron, Aaron qui disait que ce qui était caché était mal. Alors ils ont tué toutes les femmes et tous les hommes qui ont essayé de les protéger.

– Ma maman…

Ben hoche simplement la tête.

Une nausée me retourne l'estomac.

Ma maman qui meurt, tuée par des hommes que j'ai probablement vus tous les jours.

Je m'assieds sur une pierre tombale.

Il faut que je pense à autre chose. Il faut que je mette quelque chose d'autre dans mon Bruit pour pouvoir le supporter.

– Qui était Jessica ? je demande, du fait que je me rappelle le Bruit de Matthew Lyle à Farbranch, sa violence, le Bruit qui prend maintenant un sens même si ça n'a vraiment aucun sens.

– Certains ont compris ce qui se tramait, dit Ben. Jessica Elizabeth était notre maire et elle a senti d'où soufflait le vent.

Jessica Elizabeth. *New Elizabeth*, je me rappelle, maintenant.

– Elle a regroupé des filles et des jeunes garçons pour qu'ils s'enfuient par le marais. Mais avant qu'elle puisse elle-même partir avec ceux qui n'avaient pas encore perdu la tête, les hommes de Maire ont attaqué.

– Alors c'est donc ça, je fais, comme tout engourdi d'un coup. New Elizabeth est devenue Prentissville.

Ben sourit tristement, agité par un souvenir.

– Ta maman n'a jamais imaginé que ça puisse arriver. Tellement pleine d'amour, cette femme, tellement pleine d'espoir dans la bonté des autres. (Son sourire s'efface.) Et puis il est venu un moment où c'était trop tard pour s'enfuir, et tu étais bien trop petit pour être envoyé au loin, alors elle t'a confié à nous, elle nous a dit de te protéger, quoi qu'il arrive.

– Mais comment est-ce que je pouvais être en sécurité à Prentissville ?

Ben me regarde dans les yeux, baigné de tristesse tout autour de lui, son Bruit tellement chargé de tristesse que je me demande comment il arrive encore à se tenir droit.

– Et pourquoi est-ce que tu n'es pas parti ?

Il se passe les mains sur la figure.

– Parce qu'on n'y croyait pas non plus, à cette attaque. En tout cas, moi je n'y croyais pas, et puis on avait monté l'exploitation ensemble, et on pensait que toute cette folie s'épuiserait avant même qu'il se passe quelque chose. Jusqu'à la fin j'ai cru que c'était juste une rumeur, une absurdité, même de la part de ta maman. (Il fronce les sourcils.) J'avais tort. J'étais stupide. (Il détourne la tête.) Je suis resté aveugle, obstinément...

Je me rappelle ses mots quand il m'a réconforté pour le Spackle.

On a tous fait des erreurs, Todd. Tous.

– Et ensuite il était trop tard. La tragédie était accomplie et la nouvelle de ce que Prentissville avait fait s'est répandue comme un feu de brousse, à commencer par les très rares qui avaient pu fuir. Tous les hommes de Prentissville ont été déclarés criminels. On ne pouvait plus partir.

– Pourquoi personne n'est venu vous attaquer ? questionne Viola, toujours bras croisés. Pourquoi le reste de Nouveau Monde ne s'est-il pas uni contre vous ?

– Pour faire quoi ? Se lancer dans une autre guerre, mais cette fois contre des hommes lourdement armés ? Nous enfermer dans une prison géante ? Ils ont juste proclamé cette loi, que si un homme de Prentissville traversait le marais, il serait exécuté. Et puis ils nous ont laissés nous débrouiller.

– Mais ils ont bien dû… bégaye Viola, avec un geste d'incompréhension. Quelque chose. Je ne sais pas, moi.

– Quand ça ne se passe pas devant ta porte, c'est tellement plus facile de penser : pourquoi y aller et s'attirer des ennuis ? On avait tout le marais entre nous et Nouveau Monde. Le Maire a décrété que Prentissville était en exil. Condamnée, bien sûr, à une mort lente. Nous avons accepté de ne jamais partir, sinon, il nous poursuivrait et nous tuerait lui-même.

– Mais les gens n'ont pas essayé ? demande Viola. Ils n'ont pas essayé de fuir ?

– Ils ont essayé, oh, pour ça oui. Et on en a vu pas mal disparaître.

– Mais si toi et Cillian vous étiez innocents…

– Nous n'étions pas innocents, rétorque Ben avec force, et soudain son Bruit prend un goût amer. (Il soupire.) Non, pas innocents.

– Comment ça ? je demande, levant la tête. (La nausée ne me quitte pas.) Que veux-tu dire, pas innocents ?

– Vous avez laissé faire, dit Viola. Vous n'êtes pas morts avec les autres hommes qui protégeaient les femmes.

– Nous n'avons pas combattu. Et nous ne sommes pas morts. (Il secoue la tête.) Nous ne sommes pas innocents, du tout.

– Mais pourquoi vous n'avez pas combattu ? je demande.

– Cillian le voulait, lance Ben presque aussitôt. Il faut que tu le saches. Il était prêt à n'importe quoi pour les arrêter. Cillian aurait donné sa vie. (Il détourne les yeux, encore.) Mais je ne l'ai pas laissé faire.

– Pourquoi ?

– Moi, je sais, chuchote Viola.

Je la regarde, parce que moi, pas du tout.

Viola fixe Ben.

– Soit ils mouraient en combattant pour ce qui est juste mais ils laissaient un bébé sans protection, dit-elle, soit ils devenaient accomplicites avec ce qui est mal et ils te gardaient en vie.

Je sais pas ce ça que veut dire, accomplicites, mais j'ai compris.

Ils l'ont fait pour moi. Toute cette horreur. Pour moi.

Ben et Cillian. Cillian et Ben.

Ils l'ont fait pour que je vive.

Je sais pas comment réagir.

Faire ce qui est bien devrait être facile.

Pas tout un immense bourbier comme le reste.

– Alors on a attendu, continue Ben. Dans une ville-prison. Pleine du Bruit le plus laid qu'on ait jamais entendu avant que les hommes commencent à renier leur passé, avant que le Maire débarque avec ses plans grandioses. Et donc nous avons attendu le jour où tu serais assez grand pour partir tout seul, préservé par nous dans ton innocence. (Il se passe une main sur le crâne.) Mais le Maire t'attendait, lui aussi.

– Moi ?

– Oui, toi, le dernier garçon à devenir un homme. Lorsque les garçons devenaient des hommes, on leur disait la vérité. Ou en tout cas, une certaine version de la vérité. Alors ils devenaient eux-mêmes accomplicites.

Je me souviens de son Bruit à la ferme, sur mon anniversaire, sur comment un garçon devient un homme.

Sur ce que l'accomplicité veut dire et comment elle peut se transmettre.

Comment elle attendait de m'être transmise.

Et sur les hommes qui…

Je rejette ça hors de mon esprit.

– Ça n'a aucun sens, je dis.

– Tu étais le dernier. S'il arrivait à transformer tous les garçons de Prentissville en hommes selon sa vision, alors il était Dieu, n'est-ce pas ? Il nous aurait tous créés, il nous contrôlerait tous.

– Si l'un de nous tombe…

– Nous tombons tous. C'est pour ça qu'il te veut. Tu es un symbole. Tu es le dernier garçon innocent de Prentissville. S'il peut te faire tomber, alors son armée, sa chose parfaite est au complet.

– Et sinon ? je fais, en me demandant si je suis pas déjà tombé.

– Sinon, il te tuera.

– Alors, Maire Prentiss est aussi fou qu'Aaron, dit Viola.

– Pas tout à fait. Aaron est fou, oui. Mais le Maire sait très bien exploiter la folie pour atteindre son but.

– Qui est ? demande Viola.

– Ce monde. Il veut ce monde tout entier.

J'ouvre la bouche pour poser d'autres questionnements sur d'autres choses que je veux pas vraiment connaître et puis, comme si rien d'autre devait jamais arriver, on l'entend.

Bedom, voda bedom, voda bedom. Descendant la route, sans une pause, comme une blague perpétuelle qui serait jamais drôle.

– C'est pas vrai… lâche Viola.

Ben est déjà debout, il écoute.

– Un seul cheval, on dirait.

On regarde vers la route qui jette des étincelles sous les lunes.

– Jumelles, fait Viola, à côté de moi maintenant. Je les sors sans un mot, presse le bouton de visée nocturne et regarde, guettant le son qui tinte dans l'air de la nuit.

Voda-bedom, voda-bedom.

Je scrute la route plus loin et plus loin en arrière jusqu'à ce que…

Le voilà.

Le voilà, *lui*.

Qui d'autre ?

Mr. Prentiss Jr., bien sûr, sain et sauf, détaché et à cheval.

– Bon sang, siffle Viola qui lit mon Bruit au moment où je lui tends les jumelles.

– *Davy Prentiss* ? dit Ben, lisant aussi mon Bruit.

– Le seul et l'unique…

Je replace les gourdes dans le sac de Viola.

– Faut y aller.

Viola tend les jumelles à Ben et il regarde. Il les décolle de ses yeux, les examine rapidement.

– Super chouettes, dis donc…

– Faut y aller… comme toujours, coupe Viola.

Ben se tourne vers nous, jumelles toujours entre les mains. Il nous dévisage à tour de rôle, et je vois ce qui est en train de germer dans son Bruit.

– Ben…

– Non. C'est ici que je vais vous laisser.

– *Ben…*

– Je peux m'occuper de ce feuttu Davy Prentiss.

– Il a un fusil, pas toi.

Ben s'avance.

– Todd…

– Non, Ben, je t'écoute pas.

J'ai haussé la voix. Il me fixe dans les yeux et je remarque qu'il a plus besoin de se pencher pour le faire.

– Todd, je veux compenser le mal que j'ai fait en te protégeant.

– Tu vas m'abandonner, Ben ? (*Ma voix devient humide, je sais, ça va, hein.*) Encore une fois ?

Il hoche la tête.

– Je ne peux pas venir à Haven. Tu sais que je ne peux pas. Je suis l'ennemi.

– Attends, on peut leur espliquer ce qui est arrivé.

Mais il secoue toujours la tête.

– Le cheval, il approche, souffle Viola.

Bedom voda-bedom voda-bedom.

– La seule chose qui fait de moi un homme, articule Ben, d'une voix maintenant forte comme un roc, c'est de te voir sain et sauf et devenu un homme.

– Je suis pas un homme encore, Ben. (*Ma gorge se serre, oui, ça va, hein.*) Je sais même pas combien il me reste de jours.

Alors il me sourit et c'est ce sourire qui me dit que c'est la fin.

– Seize, dit-il. Seize jours jusqu'à ton anniversaire…

Il me prend par le menton et le relève.

– … mais tu es un homme et depuis un bon moment maintenant. Ne laisse personne prétendre le contraire.

– Ben…

Il s'approche encore, tend les jumelles à Viola derrière mon dos et me prend dans ses bras et me souffle dans l'oreille :

– Aucun père ne pourrait être plus fier de son fils.

– Non, je balbutie. C'est pas juste.

– Tu as raison… (Il s'écarte.) Mais il y a un espoir au bout de la route. Ne l'oublie pas.

– T'en va pas.

– Je dois le faire. Le danger arrive.

– De plus en plus près, annonce Viola, les jumelles collées aux yeux.

Voda-BEDOM, voda-BEDOM.

– Je vais l'arrêter. Je vais vous donner du temps… (Il regarde Viola.) Tu t'occupes de Todd, hein ? J'ai ta parole ?

– Tu as ma parole.

– Ben, s'il te plaît, je chuchote. S'il te plaît.

Il me reprend par les épaules une dernière fois.

– N'oublie pas… L'espoir…

Puis il se tait et il pivote et il descend la colline en courant, du cémitiaire à la route. Quand il arrive en bas, il se retourne et nous voit en train de l'observer.

– Qu'est-ce que vous attendez ? crie-t-il. Allez, courez !!!

37 *À quoi bon?*

Je dirai pas ce que je ressens quand on dévale l'autre côté de la colline, loin de Ben, pour toujours cette fois, à cause que comment la vie peut continuer après ça?

La vie égale courir et quand on arrête de courir alors peut-être qu'on le sait que la vie elle est finalement finie.

– Allez, Todd! appelle Viola, par-dessus son épaule. Je t'en prie, dépêche-toi!

Je dis rien.

Je cours.

On arrive en bas, on rejoint la rivière. Encore. La route de l'autre côté. Encore.

Et toujours.

La rivière chante plus fort qu'avant, avec plus de force, mais qu'importe. Qu'importe.

La vie est pas juste.

Non.

Jamais.

Elle est vide et débile avec rien que de la souffrance et de la douleur et des gens qui veulent vous faire du mal. Vous pouvez pas aimer rien ni personne à cause que tout vous sera enlevé ou détruit et que vous vous retrouvez seul et obligé de lutter sans cesse, de courir sans cesse pour rester en vie.

Rien ne vaut rien dans cette vie. Rien de rien nulle part.

À quoi bon ?

– Parce que, fait Viola en s'arrêtant à mi-chemin dans un épais taillis pour me flanquer une énorme claque sur l'épaule, parce qu'il t'aimait assez pour peut-être se sacrifier et si tu *ABANDONNES* (elle le crie, ce mot-là), alors c'est comme si tu disais que son sacrifice ne vaut rien.

– Aïe… je marmonne, frottant mon épaule. Mais pourquoi il se sacrifie ? Pourquoi le perdre une fois de plus ?

Elle se rapproche et, d'un ton menaçant, me crache presque :

– Parce que tu crois être la seule personne à avoir perdu quelqu'un ? Tu oublies sans doute que mes parents sont morts, eux aussi ?

Bon, d'accord.

Oui, j'avais oublié.

– Tout ce qu'il me reste maintenant, c'est toi, continue-t-elle, toujours colère. Et tout ce qui te reste maintenant, c'est moi. Et j'en suis malade qu'il soit parti, moi aussi. Et j'en suis folle que mes parents soient morts, et j'en suis malade que nous soyons venus sur cette planète mais c'est comme ça et c'est trop c… que ça nous arrive à nous, mais on n'y peut rien.

Je réponds toujours pas.

Mais elle est là et je la regarde, je la regarde vraiment, probablement pour la première fois depuis que je l'ai trouvée recroquevillée à côté d'un arbre dans le marais, quand je pensais qu'elle était un Spackle.

C'était il y a une éternité.

Il lui reste encore un peu de la propreté de Carbonel Downs (juste hier, seulement hier), mais elle a de la terre sur les joues et elle est plus maigre qu'avant, et il y a des marques noires sous ses yeux et ses cheveux sont en broussaille et ses mains sont couvertes d'une espèce de suie et sa chemise est tachée d'herbe du fait qu'elle est tombée une fois, et elle a une coupure à la lèvre quand une branche l'a giflée quand on courait avec Ben (et on a plus de pansements pour soigner ça) et elle me regarde.

Et me dit qu'elle est tout ce que j'ai.

Et que je suis tout ce qu'elle a.

Et je crois que je sens comment ça fait.

À cause que les couleurs dans mon Bruit virent autrement.

Sa voix s'adoucit, juste un peu.

– Ben est parti et Manchee est parti et mon père et ma mère sont partis. Et je déteste ça. Je l'ai en horreur. Mais on est presque au bout de la route. On y est presque. Et si tu n'abandonnes pas, alors je n'abandonne pas.

– Tu crois vraiment qu'il y a un espoir au bout ?

Détournant les yeux, elle répond tout simplement :

– Non. Je n'y crois pas. Mais j'y vais quand même…

Elle me fixe.

– T'es partant ?

Pas besoin de répondre.

On continue à courir.

Mais.

– On devrait prendre la route et c'est tout, je dis, me retenant à une autre branche.

– Mais l'armée ? Et les chevaux ?

– Ils savent où on va. On sait où ils vont. D'ailleurs, tout le monde a l'air de prendre la même route et d'aller à Haven.

Elle hoche la tête.

– Et on les entendra arriver. Et on ira plus vite, par la route.

– Oui, la route est plus rapide.

– Alors, on la prend, cette feuttue route, et on fonce jusqu'à Haven.

Je souris un peu.

– T'as dit « feuttue ». T'as vraiment dit « feuttue ».

Et donc, on la prend cette feuttue route, aussi vite que notre fatigue nous le permet. Toujours la même piste poussiéreuse, tortueuse, parfois boueuse qui longe la rivière comme depuis des kilomètres et des kilomètres et toujours le même Nouveau Monde feuillu d'arbres autour de nous.

Si vous débarquiez ici sans rien savoir sur rien, vous pourriez vraiment imaginer que c'est le paradis, après tout.

Une large vallée s'ouvre autour de nous, plate au niveau de la rivière, mais des collines commencent à s'élever au loin, des deux côtés, juste éclairées par la brillance des lunes, aucun signe de colonies nulle part, et en tout cas aucune lumière.

Aucun signe de Haven non plus, mais on est au point le plus plat de la vallée et on peut pas voir grand-chose au-delà des tournants de la route. La forêt couvre toujours les deux rives et on pourrait même penser que tout Nouveau Monde s'est refermé, que tous ses habitants sont partis, laissant cette route déserte.

On continue.

Et on continue.

Seulement quand les premières stries de l'aube apparaissent au bout de la vallée, on s'arrête pour reprendre de l'eau.

On boit. J'entends rien que mon Bruit et le son de la rivière qui passe.

Pas de sabots. Aucun autre Bruit.

– Ça veut dire qu'il a réussi, murmure Viola en évitant mon regard. D'une manière ou d'une autre, il a stoppé l'homme à cheval.

Je me contente de hocher la tête.

– Hmm…

– Et on n'a jamais entendu de coups de fusil.

– Hmm…

– Je suis désolée de t'avoir crié dessus. Je voulais juste qu'on continue. Je ne voulais pas que tu abandonnes.

– Je sais.

On s'est appuyés contre deux arbres sur la berge, la route dans notre dos. Sur la rive en face, il y a rien que des arbres et puis le versant de la vallée qui s'élève au loin et ensuite seulement le ciel au-dessus devient plus clair et plus bleu et plus grand et plus vide, et alors même les étoiles commencent à le quitter.

– Quand nous sommes partis sur le vaisseau éclaireur, dit Viola qui a suivi mon regard, j'étais vraiment malheureuse de quitter mes amis. Juste quelques gamins des autres familles de gardiens, mais quand même. Je pensais que je serais la seule de mon âge sur cette planète, et pendant sept longs mois.

Je bois un peu d'eau.

– À Prentissville, j'avais pas d'amis.

Elle me fixe.

– Comment ça, pas d'amis ? Tu avais forcément des amis.

– J'en ai eu quelques-uns pendant un moment, des garçons plus âgés de quelques mois. Mais chez nous, quand les garçons deviennent des hommes, ils parlent plus aux garçons…

Je hausse les épaules.

– J'étais le dernier garçon. À la fin, il y avait juste moi et Manchee.

Elle regarde les étoiles qui s'éteignent.

– C'est une règle débile.

– Oui.

On dit rien d'autre, juste moi et Viola au bord de la rivière, se reposant pendant qu'une nouvelle aube se lève.

Juste moi et elle.

Et puis on bouge, on se prépare à repartir.

– On pourrait arriver à Haven demain, je dis, si on continue comme ça.

Elle hoche la tête :

– Demain. J'espère qu'il y aura à manger.

C'est son tour de porter le sac, alors je le lui tends et le soleil se montre tout juste au bout de la vallée, comme si la rivière s'écoulait tout droit dedans, et alors que sa lumière frappe les collines, de l'autre côté de la rivière, quelque chose attire mon œil.

Viola se tourne aussitôt vers l'étincelle allumée dans mon Bruit.

– Quoi ?

J'abrite mes yeux. Une petite traînée de poussière monte, au sommet des collines.

Elle se déplace.

– Qu'est-ce que c'est ? je demande.

Viola sort les jumelles.

– Je ne vois pas bien. Les arbres me gênent.

– Quelqu'un ?

– Peut-être l'autre route. Celle qu'on n'a pas prise, à l'embranchement.

On regarde pendant une minute ou deux. La traînée continue à monter, elle se dirige vers Haven à la vitesse lente d'un nuage. C'est étrange, de la voir sans entendre aucun son.

– Si seulement on savait où se trouve l'armée, je dis. À combien ils sont derrière nous.

– Peut-être que Carbonel Downs leur a donné trop de fil à retordre.

Viola pointe les jumelles en amont pour examiner la route d'où on vient, mais c'est trop plat, trop tortueux. Rien d'autre que des arbres. Des arbres et du ciel et du calme et une traîne silencieuse de poussière qui s'avance le long des cimes les plus éloignées.

– Bon, on y va ? je lâche. L'ambiance commence à me porter sur le système…

– Très bien, allons-y, réplique-t-elle, d'une voix presque tranquille.

De retour sur la route.

De retour à notre vie de course.

On a pas de provisions, alors notre petit déjeuner c'est un fruit jaune que Viola remarque au passage sur certains arbres, elle jure qu'on en a mangé à Carbonel Downs. Ils nous serviront aussi de déjeuner, mais c'est mieux que rien.

Je pense au couteau à ma ceinture.

Est-ce que je pourrais chasser, si j'en avais le temps ?

Mais on a pas le temps.

Midi vient, puis l'après-midi s'avance. Le monde toujours aussi abandonné, inquiétant. Juste moi et Viola courant dans la vallée, pas de colonies en vue, pas de caravanes ni de charrettes, aucun son assez fort pour se faire entendre par-dessus le courant de la rivière, plus fort à chaque heure qui passe, au point que c'est dur même d'entendre mon Bruit maintenant, au point que pour parler il faut élever la voix.

Mais on a trop faim pour parler. On est trop fatigués pour parler. On court trop pour parler.

Alors on continue.

Et je me surprends à regarder Viola.

La traîne de poussière sur la cime des collines nous suit longtemps, elle progresse lentement avec le jour qui se prolonge puis finalement disparaît au loin et je regarde Viola qui la guette aussi pendant qu'on accélère. Je la regarde courir à mon côté, grimaçant à cause des douleurs dans ses jambes. Je la regarde les frotter quand on se repose et je la regarde quand elle boit à la gourde.

Maintenant que je l'ai vue, je peux plus m'empêcher de la voir.

Elle surprend mon regard.

– Quoi ?

– Rien…

Et je regarde ailleurs du fait que je sais vraiment pas quoi répondre.

La rivière et la route filent plus droit, la vallée maintenant plus abrupte et plus resserrée des deux côtés. On peut apercevoir un bout du chemin parcouru. Pas d'armée encore, pas de cavaliers non plus. Un calme presque plus effrayant que du Bruit partout.

Le crépuscule vient, le soleil se couche dans la vallée derrière nous, se couche là où l'armée pourrait se trouver et sur ce qui reste de Nouveau Monde là-bas, sur ce qui est arrivé aux hommes qui ont lutté contre l'armée et aux hommes qui l'ont rejointe.

Sur ce qui a bien pu arriver aux femmes.

Viola court devant moi.

Je la regarde courir.

Juste après la tombée de la nuit, on arrive finalement à une autre colonie, encore une colonie abandonnée, et des pontons sur la rivière. Seulement cinq maisons au total, étirées sur un ruban de route, avec une qui ressemble à une petite épicerie, placardée en façade.

– Attends un peu… dit Viola en s'arrêtant.

Je retiens mon souffle.

– Tu crois que… ?

Elle hoche la tête.

Cinq ou six bons coups de pied suffisent pour enfoncer la porte. Même s'il y a évidemment plus personne ici, je jette quand même des coups d'œil inquiets, m'attendant à une punition bien méritée. À l'intérieur, on découvre surtout des conserves, mais aussi une miche de pain rassis, quelques fruits rabougris et des filets de viande séchée.

– Hmm… Pas plus d'un jour ou deux, estime Viola en mangeant. Ils ont dû s'enfuir vers Haven hier ou avant-hier.

– La rumeur d'une armée en marche fait des miracles…

Je mâche pas assez longtemps ma viande avant d'avaler et je m'étrangle un peu.

On remplit nos estomacs au maximum et je fourre le reste dans le sac de Viola, maintenant passé à mon épaule. Le livre toujours là, toujours enveloppé dans son plastique, toujours avec la fente en forme de lame qui le traverse.

Je glisse la main dans le plastique, passe mes doigts sur la couverture. Elle est douce au toucher, dégage encore un vague parfum de cuir.

Le livre. Le livre de maman. Il a fait tout ce chemin avec nous. Il a survécu à sa blessure. Exactement comme nous.

Je lève les yeux vers Viola.

Elle surprend mon regard, encore.

– *Quoi* ? s'impatiente-t-elle.

– Rien… (Je remets le livre dans le sac avec nos provisions.) On y va.

Sur la route, le long de la rivière, en direction de Haven.

– Ça devrait être la dernière nuit, tu sais, dit Viola. Si le docteur Snow ne s'est pas trompé, on y sera demain.

– Mmouais, je fais. Et le monde va changer.

– Une fois de plus.

– Ouais, une fois de plus.

On fait encore quelques pas.

– Tu commences à ressentir de l'espoir ? demande Viola, curieuse.

– Non, je réponds en farfouillant dans mon Bruit. Et toi ?

Elle secoue la tête.

– Non, non plus.

– Mais on y va quand même.

– Sûr…

Puis elle ajoute :

– … qu'il pleuve ou qu'il neige.

– T'inquiète, on aura probablement les deux.

Le soleil se couche, les croissants de lune se lèvent, plus petits que la nuit dernière. Le ciel toujours dégagé, étoilé, le monde silencieux sauf le chant de la rivière, qui augmente régulièrement.

Minuit vient.

Quinze jours.

Quinze jours jusqu'à –

Jusqu'à quoi ?

On continue à travers la nuit, le ciel tombe lentement derrière nous, nos mots plus rares maintenant que le dîner s'éloigne et que la fatigue nous reprend.

Juste avant l'aube, on découvre deux charrettes renversées sur la route, des grains de blé éparpillés partout et quelques paniers vides abandonnés plus loin.

– Ils n'ont même pas pris le temps de tout mettre à l'abri, dit Viola. Ils en ont laissé la moitié par terre.

– Pas pire qu'ailleurs pour une pause petit déjeuner.

Je retourne un panier, le traîne jusqu'à un endroit où la route domine la rivière et je m'assieds dessus.

Viola en ramasse un autre, le place juste à côté du mien et s'assied. Il y a des lueurs dans le ciel, le soleil va bientôt se lever, la route pointe tout droit dans sa direction et la rivière aussi, filant vers l'aube. J'ouvre le sac et sors les provisions prises à l'épicerie. J'en tends une partie à Viola et je mange ce que j'ai. On boit dans les gourdes.

Le sac est ouvert sur mes genoux. Il y a nos vêtements de rechange et il y a les jumelles.

Et il y a le livre, toujours.

Je sens son silence à côté de moi, je sens son aimant et les creux dans ma poitrine et mon estomac et ma tête, et je me rappelle la douleur quand elle venait trop près, comment ça ressemblait à du chagrin, comment ça ressemblait à une perte, comme si je tombais, tombais dans un vide, comment ça m'étreignait et me faisait vouloir pleurer, me faisait vraiment pleurer.

Mais maintenant…

Non, plus tant que ça.

Je la regarde.

Elle doit savoir ce qu'il y a dans mon Bruit. Je suis le seul ici et elle est devenue encore plus habile pour me lire, malgré le son de la rivière qui augmente.

Mais elle reste assise là, à manger tranquillement, à attendre que je le dise.

À attendre que je le demande.

À cause que c'est à ça que je pense.

Quand le soleil se lèvera, alors ce sera le jour où on arrivera à Haven, le jour où on trouvera un endroit rempli de plus de gens que jamais j'en aurai vu de ma vie, un endroit rempli de tellement de Bruit qu'on peut jamais être vraiment seul, sauf s'ils ont vraiment découvert un remède, et alors, dans ce cas, je serai la seule personne Bruyante ce qui sera finalement bien pire.

On va arriver à Haven, on fera partie d'une ville.

Ça sera plus seulement Todd et Viola, assis au bord d'une rivière pendant que le soleil se lève, prenant leur petit déjeuner, les deux seules personnes sur toute la face de la planète.

Ça sera tout le monde, tous ensemble.

Alors, c'est peut-être ma dernière chance, maintenant.

Je la regarde pas en face.

– Tu sais, cette chose que tu fais avec les voix ?

– Mmouais ?... répond-elle, tranquille.

Je sors le livre.

– Tu crois que tu pourrais faire une voix de Prentissville ?

38 *Quand j'entendis une fille appeler*

«*Mon très cher Todd*», lit Viola, copiant l'accent de Ben du mieux qu'elle peut. (Et elle le fait rudement bien.) «*Mon très cher fils.*»

La voix de ma maman. Ma maman qui parle.

Je croise les bras et compte les grains de blé éparpillés sur le sol.

«*Je commence ce journal le jour de ta naissance, le jour où je t'ai tenu dans mes bras pour la première fois, au lieu de dans mon ventre. Tu donnes autant de coups de pied dehors qu'à l'intérieur! Et tu es la plus belle chose qu'est jamais arrivée dans l'univers tout entier. Tu es facilement la plus belle chose sur tout Nouveau Monde et sans contestation possible à New Elizabeth, ça, pour sûr.*»

Je sens mon visage rougir mais le soleil est pas assez haut pour qu'elle le remarque.

«*Si seulement ton papa était là pour te voir, Todd, mais Nouveau Monde et le Seigneur au-dessus de nous ont jugé bon de l'emporter avec la maladie il y a cinq mois et on devra juste attendre tous les deux le prochain monde pour le retrouver.*

« Tu lui ressembles. Bon, les bébés ne ressemblent pas vraiment à grand-chose d'autre qu'à des bébés, mais je te dis que tu lui ressembles. Tu vas être grand, Todd, parce que ton papa était grand. Tu vas être fort, parce que ton papa était fort. Et tu vas être beau garçon, oh, comme tu vas être beau garçon ! Les dames de Nouveau Monde elles vont pas en revenir. »

Viola tourne une page et je la regarde pas. J'ai l'impression qu'elle me regarde pas non plus et je voudrais pas voir un sourire sur sa figure, là tout de suite.

Parce qu'il y a un truc étrange qui se passe aussi.

Ses mots, ce sont pas ses mots et ils sortent de sa bouche comme un mensonge, mais ils fabriquent une nouvelle vérité, ils fabriquent un monde différent où ma maman me parle directement, Viola parlant avec une voix qu'est pas la sienne, et le monde, pendant un moment en tout cas, le monde est tout pour moi, le monde il est fait pour moi.

« Laisse-moi te dire quelque chose sur l'endroit où tu es né, fils. Il s'appelle Nouveau Monde et c'est toute une planète faite entièrement d'espoir…

Viola s'arrête, juste une seconde, puis reprend.

« On a débarqué ici il y a presque exactement dix ans, cherchant un nouveau mode de vie, propre et simple et honnête et bon, différent de Vieux Monde en tous points, où les gens pourraient vivre en sécurité et en paix avec Dieu pour guide et avec l'amour comme compagnon.

« Il y a eu des luttes. Je ne vais pas commencer cette histoire par un mensonge, Todd. Ç'a pas été facile…

« Oh… écoute-moi, écrire " ç'a pas " en parlant à mon fils. C'est la vie de colon pour toi, je suppose, pas beaucoup de temps pour s'amuser et c'est facile de plonger au niveau des gens qui se complaisent à avilir leurs manières. Mais il n'y a pas grand mal dans " ç'a pas ", hein ? Bon, alors c'est décidé. Ma première mauvaise décision en tant que mère. Dis " ç'a pas " tant que tu veux, Todd, je promets de pas te corriger. »

Viola pince les lèvres mais je dis rien alors elle continue.

« Donc il y a eu des épreuves et de la maladie sur Nouveau Monde et à New Elizabeth. Il y a quelque chose qu'on appelle le Bruit sur cette planète, contre quoi les hommes luttent depuis qu'on a débarqué, mais le plus étrange c'est que tu seras l'un des garçons de cette colonie qui n'aura pas connu autre chose, alors c'est difficile de t'expliquer à quoi ressemblait la vie avant et pourquoi c'est si dur maintenant, mais on se débrouille du mieux qu'on peut.

« Un homme appelé David Prentiss, qui a un fils juste un peu plus âgé que toi, Todd, et qui est l'un de nos meilleurs organisateurs – je crois qu'il était gardien sur le vaisseau, si ma mémoire m'est bien fidèle… »

Viola fait une pause, là aussi, mais là c'est moi qui attends qu'elle dise quelque chose. Elle dit rien.

« Il a persuadé notre maire, Jessica Elizabeth, de fonder cette petite colonie de l'autre côté d'un immense marais, pour que le Bruit du reste de Nouveau Monde nous atteigne jamais, sauf si on le permet C'est quand même aussi Bruyant ici que

partout ailleurs sur Nouveau Monde, mais au moins ce sont des gens que nous connaissons, des gens en qui nous avons confiance. Pour la plupart.

«Mon rôle ici, c'est de m'occuper de plusieurs champs de blé au nord de la colonie. Depuis que ton papa s'en est allé, nos amis proches, Ben et Cillian, m'ont aidée à m'en sortir car leur ferme est voisine de la nôtre. Je suis impatiente de te les présenter. Ah! mais non, c'est déjà fait! Ils t'ont déjà tenu dans leurs mains et ils t'ont dit bonjour, alors, tu vois, tu es au monde depuis un jour seulement et tu t'es déjà fait deux amis. C'est un bon début, fils.

«En fait, je suis sûre que tout ira bien pour toi parce que tu es arrivé deux semaines en avance. Manifestement, tu en avais assez d'attendre et tu voulais voir ce que ce monde avait à t'offrir. Je ne peux pas te donner tort. Le ciel est si grand et bleu et les arbres si verts, et c'est un monde où les animaux te parlent, vraiment, et tu peux même leur répondre, et il y a tant de merveilles à découvrir, tellement de choses qui t'attendent, Todd, que j'ai presque du mal à supporter que ça ne soit pas tout de suite, que tu doives attendre encore pour voir tout ce qui est possible, toutes les choses que tu pourrais faire.»

Viola reprend son souffle, puis:

– Il y a une pause dans cette page, avec un petit espace, et ensuite elle écrit «*Plus tard*» comme si elle avait été interrompue… Ça va?

Je hoche la tête un peu vite, bras toujours croisés.

– Oui, oui. Vas-y, continue.

Il fait plus clair, le soleil commence à poindre. Je me détourne un peu d'elle.

« Plus tard.

« Désolée, mon fils, j'ai dû m'arrêter un instant, une visite de notre saint homme, Aaron. »

Autre pause, Viola se passe la langue sur les lèvres.

« On a eu de la chance de l'avoir, même si je dois avouer que depuis quelque temps il dit des choses avec quoi je ne suis pas tout à fait d'accord, sur les indigènes de Nouveau Monde. Qu'on appelle les Spackle, d'ailleurs, et qui nous ont fait une GROSSE *surprise, parce qu'ils étaient tellement timides que ni les planificateurs de Vieux Monde, ni nos premiers vaisseaux éclaireurs ne savaient même qu'ils existaient !*

« Ce sont des criatures vraiment adorables. Différentes et peut-être primitives, et pas de langage parlé ou écrit qu'on ait découvert, mais je ne suis pas d'accord avec les idées de certaines personnes ici qui pensent que les Spackle sont des animaux, et non des êtres intelligents. Et Aaron prêche depuis quelque temps que Dieu a tracé une ligne de partage entre nous et eux et...

« Bon, allez, c'est vraiment pas un sujet de discussion pour ta première journée. Aaron croit ce qu'il croit avec ferveur, c'est un pilier de la foi pour nous tous depuis toutes ces longues années et si quelqu'un trouve ce journal et le lit, laisse-moi te dire une bonne fois que c'était un honneur de l'avoir eu pour te bénir le premier jour de ta vie. D'accord ?

« Mais je préfère quand même te dire, en ce premier jour de ta vie, que l'attraction du pouvoir, c'est une chose que tu dois connaître avant de devenir trop âgé, c'est d'ailleurs la chose qui sépare les hommes

des garçons, mais pas comme le pensent la plupart des hommes.

«J'en dirai rien de plus. Les murs ont des oreilles, et ainsi de suite, je me comprends.

«Oh, mon fils, il y a tant de merveilles dans le monde. Ne laisse personne t'affirmer le contraire. Oui, la vie a été dure ici sur Nouveau Monde, et je dois admettre, parce que, quitte à commencer, autant commencer en toute honnêteté, je te dirai que j'ai failli m'abandonner au désespoir. Les choses dans la colonie sont peut-être plus compliquées que je peux l'expliquer, là tout de suite et il y a des choses que tu apprendras par toi-même avant longtemps, que je le veuille ou non, et il y a eu des problèmes avec la nourriture et avec la maladie, et c'était déjà suffisamment dur avant que je perde ton papa et alors j'ai bien failli baisser les bras.

«Mais je n'ai pas baissé les bras à cause de toi. Je ne les ai pas baissés à cause de mon beau, si beau garçon, qui sûrement pourrait améliorer ce monde, de mon merveilleux fils que je promets d'élever uniquement avec amour et espoir et qui, je le jure, verra ce monde devenir bon. Je le jure.

«Parce que quand je t'ai tenu pour la première fois ce matin et que je t'ai nourri pour la première fois de mon propre corps, j'ai ressenti tant d'amour pour toi que c'était presque de la douleur, une douleur presque pas supportable une seconde de plus.

«Mais seulement presque.

«Et je t'ai chanté une chanson que ma mère me chantait et sa mère la lui chantait et c'est…»

Et là, non, j'y crois pas, Viola, chante.

Elle chante vraiment.

J'en ai la chair de poule, ma poitrine se serre à

tout broyer. Elle a dû entendre la mélodie dans mon Bruit et bien sûr elle a entendu Ben la chanter puisque la voilà cette chanson roulant hors de sa bouche comme le son d'une cloche.

La voix de Viola entrant dans le monde dans la voix de ma maman, chantant la chanson.

Après un long sommeil, il se levait le soleil,

Quand j'entendis une fille appeler dans la vallée.

Oh, ne me déçois pas. Oh, ne m'abandonne jamais,

Comment peux-tu ainsi traiter une pauvre jeune fille ?

Je peux pas la regarder.

Non, ça je peux pas.

Je me mets les mains sur la tête.

« Et c'est une chanson triste, Todd, mais c'est aussi une promesse. Je ne te décevrai jamais et je ne t'abandonnerai jamais et je te le promets pour qu'un jour tu puisses le promettre à d'autres et savoir que c'est vrai.

« Ho ! Hé ! Todd ! C'est toi qui pleures ? C'est toi qui pleures dans ta couverture, tout juste sorti du premier sommeil de ta première journée ? Toi, Todd, qui à peine réveillé demandes au monde de venir à toi ?

« Alors, pour aujourd'hui, je vais mettre ceci de côté.

« Tu m'appelles, fils, et je vais répondre. »

Viola s'arrête. Il y a juste la rivière et mon Bruit. Je lève pas la tête.

– Il y en a plus, dit-elle au bout d'un moment, feuilletant les pages. Il y en a beaucoup plus. Tu veux que j'en lise plus ? (Elle me regarde, puis regarde encore le livre.) Tu veux que je te lise la fin ?

La fin.

Lire la dernière chose que maman a écrite pendant les derniers jours avant…

– Non, je réponds, presque aussitôt.

Tu m'appelles, fils, et je vais répondre.

Dans mon Bruit pour toujours.

– Non, je répète. On va en rester là pour maintenant.

Je lui jette un coup d'œil. La même tristesse qui résonne dans mon Bruit contracte son visage. Ses yeux sont mouillés et son menton tremble dans la lumière de l'aube. Elle me voit l'observer, sent mon Bruit l'observer et elle se détourne face à la rivière.

Et là, ce matin-là, avec ce nouveau lever de soleil, je réalise quelque chose.

Quelque chose d'important.

Si important que je dois me lever à la seconde même où je le réalise complètement.

Je sais ce qu'elle pense.

Même dans son dos, je *sais* ce qu'elle pense et je ressens ce qui se passe en elle.

La façon dont elle a tourné son corps, la façon dont elle tient sa tête et ses mains et le livre sur ses genoux, la façon dont son dos se raidit un peu quand elle entend tout ça dans mon Bruit.

Je peux le lire.

Je peux *la* lire.

Parce qu'elle pense à ses parents, comment ils sont venus ici avec le même espoir que ma maman. Elle se demande si l'espoir au bout de notre route est aussi trompeur que celui qui était au bout de la route de maman. Et elle prend les mots de ma maman et elle les met dans la bouche de sa maman et de son papa à elle et elle les entend dire qu'ils l'aiment et qu'elle leur manque et qu'ils lui souhaitent tout le bonheur du monde. Et elle prend la chanson de ma maman et elle la tisse en quelque chose d'autre, jusqu'à ce que ça devienne une chose triste qui lui appartient.

Et ça lui fait mal, mais c'est un mal bon, ça fait mal quand même, mais c'est bon, mais ça fait mal.

Elle se fait mal.

Je sais tout ça.

Je sais que c'est vrai.

Du fait que je peux la lire.

Je peux lire son Bruit même si elle en a pas.

Je sais qui elle est.

Je connais Viola Eade.

Je plaque les mains sur mes tempes pour contenir tout ça.

– Viola, je chuchote, et ma voix tremble.

– Je sais, répond-elle tranquillement, bras croisés bien serrés, regardant toujours ailleurs.

Et je la regarde assise là et elle regarde de l'autre côté de la rivière et on attend que l'aube se lève complètement…

Et chacun sait –

Chacun sait ce que l'autre pense.

39 *Les chutes*

Le soleil escalade lentement le ciel et la rivière gronde et se précipite vers le bout de la vallée, gonflant des rapides et crachant de l'écume.

Viola brise la première le charme qui nous est tombé dessus.

– Tu devines ce que ça veut dire, non ?

Elle regarde en aval à travers les jumelles. Le soleil monte au bout de la vallée. Elle doit mettre une main en visière pour abriter les lentilles. Elle appuie sur un bouton, regarde encore, puis me tend les jumelles.

Je suis les rapides, l'écume, jusqu'au –

Jusqu'au bout.

À quelques kilomètres seulement, la rivière s'arrête dans le vide.

– Des chutes, hein, je fais.

– M'ont l'air nettement plus grandes que celles qu'on a vues avec Wilf.

– La route trouvera un moyen de les contourner. Ça devrait pas nous poser de problème.

– Oui, mais je voulais dire autre chose.

– Quoi donc ?

Elle fronce un peu les sourcils, comme agacée par ma lenteur d'esprit.

– Je veux dire que des chutes aussi importantes ont nécessairement une ville à leur pied. Que si tu dois choisir un endroit sur une planète pour fonder une première colonie, alors, une vallée à la base d'une chute, avec des terres riches et de l'eau en quantité peut sembler idéale, vue de l'espace.

Mon Bruit s'enfle un peu, juste un peu.

– Haven ? j'articule sans trop y croire.

– Je te parie tout ce que tu veux que nous l'avons trouvé. Je te parie que quand on arrivera à cette chute, on verra Haven tout en bas.

– Si on court, on peut y être en une heure. Et même moins.

Elle me regarde dans les yeux pour la première fois depuis le livre de maman.

– T'as dit quoi ? « Si » on court ?

Elle sourit.

Un vrai sourire.

Et ça, je sais ce que ça veut dire, aussi.

On attrape nos quelques affaires, et on y va.

Plus vite qu'avant.

Mes jambes sont lourdes, mes pieds me font mal. Pareil pour elle, sûrement. J'ai des ampoules et des courbatures et mon cœur me fait mal de tout ce qui me manque et de tout ce qui ne reviendra plus. Et le sien aussi.

Mais on court.

Et on fait pas semblant.

À cause que peut-être (*oui, bon, ça va, hein*) –

Peut-être bien, quoi, je sais pas, mais –

Peut-être qu'il y a *vraiment* de l'espoir, au bout de cette route.

La rivière s'élargit, et elle file tout droit maintenant, pendant qu'on galope, et les versants de la vallée se rapprochent peu à peu, celui de notre côté si près maintenant du bord de la route qu'elle commence à se relever. L'écume des rapides flotte dans l'air. Elle mouille nos habits, et nos figures aussi, et nos mains. Le grondement se transforme en tonnerre, remplissant le monde, comme une chose matérielle presque, mais pas d'une mauvaise façon. Comme s'il vous lavait, comme s'il lavait le Bruit.

S'il vous plaît, faites que Haven soit au pied des chutes.

S'il vous plaît.

À cause que je vois Viola devant moi qui me jette un regard et y a de la lumière sur son visage et elle me presse avec des signes de tête et elle sourit et je pense comment l'espoir c'est peut-être la chose qui vous entraîne en avant, peut-être ce qui vous fait continuer, mais que c'est dangereux en même temps, dangereux, douloureux et risqué, que c'est défier le monde, et depuis quand le monde vous laisse-t-il remporter un défi ?

S'il vous plaît, faites que Haven soit là.

S'il vous plaît, oh, oui, s'il vous plaît.

La route prend un peu de hauteur par rapport à la rivière qui commence à vraiment gifler les rochers. Plus aucune partie boisée entre nous et la berge maintenant, juste une pente de plus en plus haute et abrupte sur notre droite, tandis que la vallée se resserre et puis plus rien que la rivière et les chutes droit devant.

– On y est presque, crie Viola, cheveux soulevés par sa course, le soleil illuminant tout.

Et puis.

Et puis, au flanc de la pente, la route arrive à une corniche, où elle vire brusquement en plongeant sur la droite.

Et c'est là qu'on s'arrête.

Les chutes sont énormes, larges d'un kilomètre, facile. Les eaux rugissent par-dessus la falaise dans une écume blanche violente, elles envoient des embruns à des centaines de mètres dans le gouffre et au-dessus et autour, trempant nos vêtements, elles projettent des arcs-en-ciel partout dans les rayons du soleil levant.

– Todd, dit Viola, si doucement que je l'entends à peine.

Mais j'en ai pas besoin.

Je sais ce qu'elle veut dire.

Dès le départ des chutes, la vallée s'ouvre à nouveau, aussi large que le ciel, avalant la rivière qui repart au pied des chutes blanchies par les rapides avant de s'étaler en bassins et de se calmer pour redevenir une rivière.

Et traverser Haven.

Haven.

Forcément.

Étalé tout en bas, à nos pieds, comme une immense table de banquet.

– Et voilà, dit Viola.

Et je sens ses doigts envelopper les miens.

Les chutes sur notre gauche, vapeurs et arcs-en-ciel, le soleil montant au-dessus de nos têtes, la vallée en bas.

Et Haven, qui nous attend tranquille.

À trois, peut-être quatre kilomètres en contrebas.

Mais c'est là.

Et rudement bien là.

Je regarde autour de nous, là où la route bifurque brusquement à nos pieds, descendant et coupant à travers la pente sur notre droite, mais ensuite zigzaguant en lacets comme une fermeture éclair au flanc de la falaise pour rejoindre finalement la rivière.

Et la suivre tout droit jusqu'à Haven.

– Je veux voir… dit Viola, lâchant ma main et sortant les jumelles. (Elle regarde, essuie les lentilles humides, regarde encore.) C'est beau… dit-elle, et c'est tout ce qu'elle dit et elle regarde et elle essuie encore la buée.

Au bout d'un moment sans rien dire de plus elle me tend les jumelles et je jette mon premier coup d'œil sur Haven.

La brume est si épaisse, même en essuyant les verres on voit pas les gens ni rien, mais il y a toutes sortes de genres de bâtiments, la plupart entourant quelque chose comme une grande église au milieu, et puis d'autres grands bâtiments aussi, et des vraies rues qui partent du centre et s'enroulent à travers les arbres pour rejoindre d'autres groupes de bâtiments.

Il y en a au moins cinquante en tout.

Peut-être même une *centaine*.

J'ai jamais rien vu d'aussi grand de toute ma vie.

– Je dois dire, crie Viola, que c'est quand même plus petit que je n'imaginais !

Mais je l'entends pas vraiment.

Avec les jumelles, je reprends la route de la rivière à partir de Haven et je distingue une sorte de barricade, de clôture fortifiée.

– Ils se préparent… ils se préparent au combat.
Viola me regarde, inquiète.
– Tu crois que c'est assez grand ? Tu crois qu'on sera en sécurité ?
– Tout dépend si les rumeurs sur l'armée sont exagérées ou pas…
Je regarde derrière nous, par réflexe, comme si l'armée attendait qu'on avance. Je scrute la colline la plus proche. Un bon observatoire, peut-être.
– Allez, on va en avoir le cœur net.
On revient sur nos pas en courant, on cherche la bonne voie pour grimper, et puis on grimpe. Mes jambes pèsent rien, mon Bruit n'a pas résonné si clair depuis des jours. Je suis triste pour Ben, triste pour Cillian, je suis triste pour Manchee, triste pour ce qui nous est arrivé à moi et à Viola.
Mais Ben avait raison.
Il y a de l'espoir au bout de la plus grande chute.
Et peut-être que ça fait pas si mal, après tout.
On grimpe, à travers les arbres. La pente est raide et il faut
s'agripper aux lianes et se cramponner aux rochers avant de gagner assez de hauteur pour apercevoir la route en bas, et puis la vallée qui s'étale en dessous de nous.
J'ai gardé les jumelles et j'inspecte la rivière et la route, par-dessus la cime des arbres. Mais je dois toujours essuyer la buée.
– Tu les vois ? demande Viola.
La rivière diminue au loin, et plus loin, et encore plus loin.

– Non.

Je regarde encore.

Et encore.

Et –

Là.

Au creux du tournant le plus caché de la route, dans la partie la plus profonde de la vallée, dans l'ombre la plus lointaine, à contre-jour du soleil levant – ils sont là.

Une masse, forcément, probablement l'armée, qui progresse lentement, et si loin, je devine seulement que c'est eux du fait que ça ressemble à de l'eau noire coulant dans un canyon à sec. Difficile de voir aucun détail à une pareille distance, je peux pas distinguer les individus et je pense pas les chevaux non plus.

Juste une masse, une masse qui se déverse sur la route.

– Ils sont combien ? demande-t-elle. Combien, maintenant ?

– Je sais pas. Trois cents ? Quatre cents ? Je sais pas. On est trop loin pour… on est trop loin pour le dire. (Je souris.) Des kilomètres et des kilomètres.

– On les a eus, dit Viola, avec un sourire aussi. On a couru et ils nous ont poursuivis et on les a eus.

– Dès qu'on sera à Haven, on va prévenir les responsables, je fais tout excité, parlant plus vite, mon Bruit plus fort. Mais ils ont des lignes de bataille et l'approche est vraiment étroite et l'armée est *au moins* à une journée, et peut-être même encore une nuit, et je te promets qu'ils peuvent pas être mille.

Je te le promets.

(Quoique.)

Viola souriant le sourire le plus fatigué, le plus heureux que j'ai jamais vu. Elle me reprend la main.

– On les a eus.

Et puis les risques de l'espoir montent encore et mon Bruit se voile un peu.

– Bon, on y est pas encore et on sait pas si Haven peut…

Mais elle secoue la tête.

– Non, non. On les a eus, t'en fais pas. Écoute-moi, et réjouis-toi, Todd Hewitt. Nous avons passé tout ce temps à courir au-devant d'une armée, et… tu sais quoi ? On a été les plus rapides.

Elle me regarde, souriante, elle attend quelque chose de moi.

Mon Bruit bourdonne, heureux et chaud et fatigué et soulagé et encore un peu inquiet, mais je pense que peut-être elle a raison, que peut-être on a gagné et que peut-être je devrais l'embrasser si je me sentais pas bizarre mais malgré tout ça faut bien reconnaître que je suis d'accord avec elle.

– Oui, t'as raison, on les a eus.

Et alors elle me prend vraiment dans ses bras, et elle me serre fort, on pourrait presque tomber, mais on reste juste là sur la pente mouillée, à respirer un moment.

Elle sent pas tout à fait la rose, mais ça va.

Et je regarde, et les chutes basculent en bas, et Haven étincelle à travers la brume ensoleillée, et le soleil brille sur toute la rivière au-dessus des chutes, les illumine comme un serpent en métal.

Et je laisse mon Bruit bouillonner, jeter des petites étincelles heureuses et mon regard remonte doucement le cours de la rivière et –

Non.

Tous les muscles de mon corps tressaillent.

– Quoi ? lance Viola, sursautant.

Et puis, elle voit.

– Non, c'est pas possible.

Descendant la rivière, une barque.

Assez proche pour se voir sans jumelles.

Assez proche pour voir le fusil et la soutane.

Assez proche pour voir les cicatrices et la colère du juste.

Ramant furieusement vers nous, fondant sur nous comme le Jugement dernier.

Aaron.

40 Le sacrifice

– Est-ce qu'il nous a vus ? demande Viola, d'une voix tendue comme une corde.

Je pointe les jumelles. Aaron surgit, énorme, terrorifiant. Je presse quelques boutons pour le reculer. Il nous regarde pas, rame juste comme un malade pour guider la barque vers la berge et la route.

Sa figure est déchirée, toute tachée et sanguilonante, avec le trou dans sa joue, le nouveau trou à la place de son nez et pourtant, derrière tout ça, un air fairosse et daivorasse, un regard sans pitié, un regard qui s'arrêtera pas, qu'on arrêtera pas – jamais.

J'entends Ben dire : *La guerre transforme les hommes en monstres.*

Et c'est un monstre qui vient vers nous.

– Je pense pas qu'il nous a vus. Pas encore.

– On peut courir plus vite que lui ?

– Il a un fusil. Et toute la route reste visible jusqu'à Haven.

– On quitte la route, alors. Par les arbres.

– Il y en a pas tant que ça, entre nous et la route en bas. Faudra faire vite.

– Je peux faire vite.

Alors on dévale la pente, glissant dans les feuilles et les lianes mouillées, utilisant les pierres comme prises. Le couvert des arbres est léger et on voit la rivière, et Aaron qui rame.

Et qui peut donc nous voir s'il regarde dans la bonne direction.

– Vite ! fait Viola.

En bas –

Et plus bas –

Et glissant vers la route –

Et pataugeant dans la gadoue sur le bas-côté –

Et quand on arrive sur la route il a disparu, trop haut maintenant sur la rivière –

Mais seulement une seconde –

À cause que le revoilà –

Le courant l'entraîne vite –

Il file sur la rivière –

Et il nous regarde.

Le rugissement des chutes est assez fort pour tout avaler, mais son cri je l'entends quand même.

À l'autre bout de la planète, je l'entendrais encore.

– TODD HEWITT !!!

Et il tend la main vers son fusil.

– Fonce ! je crie.

Les pieds de Viola tambourinent le sol et je suis juste derrière elle, filant vers la corniche qui plonge ensuite en zigzag.

Encore quinze foulées, peut-être vingt avant de disparaître derrière –

On court comme si on venait de passer deux semaines de repos –

Pat, pat, pat sur la route –

Je regarde par-dessus mon épaule –

Vois Aaron essayer de prendre son fusil d'une main –

Essayer de l'équilibrer en gardant la barque en ligne –

Elle rebondit dans les rapides, le secoue d'arrière en avant –

– Il pourra pas ! je crie à Viola. Il peut pas ramer et tirer en même –

CRAC !!!

Une motte de terre vole, arrachée à la route, au ras des pieds de Viola devant moi –

Je lance un cri et Viola aussi et tous les deux instinctivement on se plie en avant –

Courant de plus en vite –

Pat, pat, pat –

Cours cours cours cours siffle mon Bruit comme une fusée –

Sans regarder en arrière –

Cinq enjambées –

Cours cours

Trois –

CRAC !!!

Et Viola tombe –

– NON ! je crie.

Et elle tombe par-dessus la corniche de la route, basculant de l'autre côté et s'écrasant plus bas en roulant –

– NON ! je crie encore et saute derrière elle –

Trébuche dans la pente abrupte –

Me rue vers elle qui continue en tonneau –

Oh –

Pas ça –

Pas maintenant –

Pas maintenant que –

S'il te plaît, non –

Et elle en roulant elle atteint des broussailles sur le côté de la route et elle les traverse –

Et puis elle s'arrête face contre terre.

Et je me précipite vers elle et j'arrive tout juste à rester sur mes deux jambes et je suis déjà à genoux dans le buisson et je l'attrape et je la retourne, cherchant le sang et la blessure et je dis : « Non non non et non… »

Et je suis presque aveuglé par la rage et la despérance et les promesses trompeuses d'espérance et non non et non…

Et elle ouvre les yeux…

Elle ouvre les yeux et elle m'agrippe et elle dit :

– Je ne suis pas touchée, je ne suis pas touchée.

– Non ? je balbutie, tremblant un peu. T'es sûre ?

– Je suis juste tombée. Je te jure, j'ai senti la balle voler juste devant mes yeux et je suis tombée. Je ne suis pas blessée.

Et je respire très fort et encore et encore.

– Dieu merci… Dieu merci.

Et le monde tourbillonne et mon Bruit tournoie.

Et la voilà déjà debout et je me relève aussi, regardant la route autour et en dessous de nous.

Les chutes basculent par-dessus la falaise sur notre gauche et la route se trouve à la fois derrière et devant nous dans le premier lacet de sa descente abrupte vers le pied des chutes.

Une vue dégagée tout du long.

Pas d'arbres, juste quelques broussailles.

– Il va nous repérer, dit Viola, jetant un regard vers le haut de la route, vers où on peut pas voir Aaron, sûrement il s'avance vers la berge, patauge dans les eaux rugissantes, *marche dessus* même, pour ce que j'en sais.

– TODD HEWITT!!! on entend encore faiblement, au milieu du rugissement des eaux, mais aussi fort que l'univers tout entier.

– Il n'y a nulle part où se cacher, continue Viola, regardant autour de nous. Pas avant d'arriver en bas.

Je regarde aussi. Les berges sont trop encaissées, la route trop à découvert, les secteurs entre les épingles à cheveux semés de broussailles trop rases.

Nulle part où se cacher.

– TODD HEWITT!!!

Viola pointe le bras.

– On pourrait grimper jusqu'à ces arbres, en haut de la pente.

Mais c'est tellement à pic, j'entends déjà l'espoir faiblir dans sa voix.

Et je pivote, cherchant toujours…

Et alors je le vois.

Un sentier minuscule, à peine dessiné, qui part du premier lacet de la route et mène aux chutes. Il disparaît au bout de quelques mètres mais je le suis jusque-là où il pourrait aller.

Directement à la falaise.

Tout droit vers les chutes.

Tout droit vers une corniche à peine visible.

Une corniche sous la chute.

Je fais quelques pas hors du fourré, jusqu'à la route. Le sentier disparaît de ma vue.

Comme la corniche.

– Qu'est-ce que c'est ? demande Viola.

Je rentre dans les broussailles.

– Là, je fais, tendant le doigt. Tu le vois ?

Elle plisse les yeux. La chute projette son ombre sur la corniche, plongeant le bout du sentier dans l'obscurité.

– D'ici, on l'aperçoit, j'esplique. Mais pas de la route. On peut s'y cacher.

– Il t'entendra. Il nous trouvera.

– Pas dans ce vacarme, seulement si je crie dans mon Bruit.

Son front se plisse et elle observe la route en bas, vers Haven, et là-haut, où Aaron peut surgir à tout instant.

– Nous sommes si près… murmure-t-elle.

Je lui tire le bras.

– Allez, viens. Jusqu'à ce qu'il passe. Jusqu'à la nuit. Avec un peu de chance, il pensera qu'on a rebroussé chemin vers les arbres
au-dessus.

– S'il nous trouve, on est pris au piège.

– Et si on court vers la ville, il nous tire comme des lapins. Là au moins, on a une chance. Une *chance*.

– Todd…

– Viens avec moi. (Je plonge mes yeux dans les siens, déversant autant d'espoir que je peux en concentrer – *Oh, ne m'abandonne jamais*.) Je te promets que je te conduirai à Haven cette nuit.

(Je lui serre le bras. *Oh, ne me déçois pas*.) Je te le promets.

Elle me retourne mon regard, elle écoute tout ce qui est dedans, puis me fait un simple, brusque signe de tête.

On court jusqu'au sentier et on descend jusqu'à l'endroit où il s'arrête et on saute par-dessus les broussailles pour voir où il continue et –

– TODD HEWITT !!!

Le voilà presque aux chutes –

Et on descend la berge comme on peut, les parois de la gorge rugissant au-dessus de nous –

Et on se laisse glisser vers le bord de la falaise –

Les chutes juste au bout –

Et j'arrive au bord et brusquement je dois me rejeter en arrière, percutant Viola, à cause que ça plonge tout droit –

Elle agrippe ma chemise et me retient –

Et l'eau s'écroule juste devant nous, se fracasse sur les rochers tout en bas –

Et la corniche qui passe dessous est juste là –

Mais il faut faire un saut dans le vide pour y arriver –

– J'avais pas vu cette partie-là, je crie, Viola cramponnée à ma ceinture pour nous éviter de basculer.

– TODD HEWITT !!!

Il est près, si près –

– Maintenant ou jamais, Todd... elle me dit à l'oreille...

Et elle me lâche –

Et je bondis –

Dans le vide –

Et le rebord des chutes se déverse au-dessus de ma tête –

Et j'atterris –

Et je me retourne –

Et elle saute –

Et je l'agrippe et on tombe en arrière sur la corniche –

Et on reste là à souffler –

Écouter –

Et tout ce qu'on entend pendant une seconde c'est le rugissement de l'eau par-dessus nous.

Et puis, faiblement, détaché –

– TODD HEWITT!

Et ça paraît soudain à des kilomètres.

Et Viola est sur moi et je lui souffle très fort dans la figure et elle souffle dans la mienne.

Et on se regarde dans les yeux.

Et c'est trop fort pour entendre mon Bruit.

Au bout d'une seconde, elle se soulève un peu avec les deux mains et se dégage. Elle lève la tête en même temps et ses yeux s'écarquillent.

Je l'entends juste lâcher: *Ouaoh*.

Je roule sur le côté et je regarde.

Ouaoh.

La corniche, c'est pas une petite corniche. Elle se retire loin, très loin sous la chute. On se tient à l'entrée d'un tunnel avec une muraille d'un côté, et de l'autre la chute qui rugit blanche et pure et si rapide qu'elle paraît presque solide.

– Viens…

Je m'avance sur la corniche, mes chaussures glissant sur la pierre humide et gluante et on se penche autant que possible du côté de la paroi, loin du tonnerre de l'eau.

Le son est hallucinant. Il daivore tout. Comme une chose réelle qu'on peut goûter et toucher.

Si fort, le Bruit est gommé.

Si fort, jamais j'ai senti un calme pareil.

On continue en posant un pied après l'autre

le long de la corniche, grimpant sur des bosses savonneuses, pataugeant dans des petites mares couvertes par une bave verdâtre. Il y a des racines aussi, qui pendent des rochers au-dessus, appartenant à qui sait quoi comme plante.

– Tu crois que ce sont des marches ? crie Viola, voix étouffée dans le grondement.

– TODD HEWITT ! on entend, et ça nous paraît à des millions de kilomètres.

– Tu crois qu'il nous a repérés ? demande Viola.

– Je sais pas. Je crois pas.

La paroi est irrégulière et la corniche s'incurve autour en avançant. On est complètement trempés, l'eau est froide et il faut se rattraper aux racines suspendues pour garder l'équilibre.

Alors la corniche plonge et s'élargit brusquement, avec des marches plus nettement taillées. Presque un escalier.

Quelqu'un est déjà venu là avant nous.

On descend, l'eau tonne à quelques centimètres de nous.

On arrive au fond.

– Ouaoh, fait Viola derrière moi. Elle a levé la tête.

Le tunnel s'ouvre d'un coup et la corniche s'élargit en même temps pour former une grotte qui monte loin au-dessus de nos têtes, face à la chute qui souffle sa gifle, muraille gonflée vers l'extérieur comme une voile vivante enrobant les parois et la corniche.

– Une église, je dis.

Oui, une église. Quelqu'un a taillé ou déplacé des rochers en quatre rangées de bancs avec une allée au milieu, le tout face à un plus grand rocher, une chaire, une chaire où un prédicateur peut se tenir et prêcher avec l'éblouissante muraille d'eau blanche qui se fracasse dans son dos, le soleil du matin qui l'illumine comme une nappe d'étoiles et remplit la salle d'étincelles vibrant sur chaque surface humide, tout ça jusqu'à un cercle taillé dans la pierre avec deux cercles plus petits d'un côté, Nouveau Monde et ses deux lunes, la nouvelle colonie de l'espoir et de la promesse de Dieu peinte en une sorte de blanc imperméable et luisant sur la paroi, illuminant toute l'église.

L'église sous sa chute d'eau.

– C'est beau, dit Viola.

– C'est abandonné, je dis, du fait que passé le premier choc de la découverte, je distingue quelques bancs renversés et pas remis à leur place, et des choses écrites sur la muraille, parfois gravées avec des outils, parfois dessinées avec la même peinture blanche que Nouveau Monde, des choses en général incompréhensibles. *P.M+M.A.* et *Willz & Chillz Pour 2jours* et *Abandonne Tout Espoir Toi Qui* et quelque chose quelque chose.

– Des enfants, dit Viola. Ils se sont glissés en douce ici, ils en ont fait leur endroit.

– Ah oui ? Les enfants font ça ?

– Sur le vaisseau, il y avait une conduite de ventilation inutilisée où nous nous cachions. Elle promène son regard sur les murs. Nous en avons écrit bien plus.

On déambule, bouche bée. La voûte doit bien être à dix mètres au-dessus de nous et la corniche fait facilement cinq mètres de large.

– Sûrement une grotte naturelle, je dis. Ils ont

dû la trouver et penser que c'était une sorte de miracle.

Viola se croise les bras.

– Et ensuite ils ont réalisé que ce n'était pas très pratique, comme église.

– Trop humide. Trop froid.

– Et comment, qu'il devait faire froid quand ils ont débarqué la première année sur ce Nouveau Monde tout blanc. Tout neuf et rempli d'espoir… (Elle pivote pour jeter encore un regard d'ensemble.) Jusqu'à ce que la réalité s'installe.

Moi aussi, je me retourne lentement. Je lis parfaitement leurs pensées. La façon dont le soleil frappe les chutes, transformant tout en blancheur aveuglante, à la fois assourdissante et tellement silencieuse que même sans la chaire et les bancs ce serait déjà comme entrer dans une église, comme un lieu sacré même si aucun être humain ne l'avait jamais vue.

Et alors je réalise qu'au bout des bancs, il y a plus rien après. Ça s'arrête net sur un à-pic de cinquante mètres, jusqu'aux rochers en bas.

Alors, c'est là qu'on va devoir attendre.

C'est là qu'on va devoir espérer.

Dans l'église sous les eaux.

– Todd Hewitt !

Ça s'évapore presque à travers le tunnel.

Un frisson saisit Viola.

– Qu'est-ce qu'on fait, maintenant ?

– On attend jusqu'à la tombée de la nuit. Puis on se glisse à l'extérieur en espérant qu'il nous voie pas.

Je m'assieds sur un banc de pierre. Viola s'assied à côté de moi. Elle passe le sac par-dessus sa tête et le pose sur le sol.

– Et s'il trouve le sentier ?
– Faut espérer que non.
– Oui, mais s'il le trouve ?
Je passe la main dans mon dos et sors le couteau.
Le couteau. On dit rien on le regarde juste luire au milieu de l'église.
– Todd Hewitt !
Viola dirige son regard vers l'entrée. Elle se prend le visage entre les mains et serre les mâchoires. Puis elle explose, prise d'une rage soudaine :
– Mais enfin, quel est son but ? Si l'armée veut absolument t'avoir, qu'est-ce qu'il me veut à moi ? Pourquoi me visait-il ? Je n'y comprends rien.
– Avec les fous, y a pas besoin d'esplication.
Mais mon Bruit se souvient du sacrifice que je l'ai vu faire avec elle, dans le marais.
Le signe, comme il appelait ça.
Un don de Dieu.
Je sais pas si Viola m'entend ou si elle s'en souvient elle-même, mais elle dit :
– Non, je ne crois pas que je sois le sacrifice.
– Tu dis ?
Elle se tourne vers moi, d'un air perplexe.
– Je ne crois pas que ce soit moi. Il m'a gardée endormie presque tout le temps que j'ai passé avec lui et quand je me suis réveillée, je n'ai pas cessé de voir des choses confuses dans son Bruit, des choses qui n'avaient pas de sens.
– Il est fou. Encore plus fou que la plupart des hommes.
Elle ajoute rien, regarde juste la chute.
Et tend sa main pour prendre la mienne.
– TODD HEWITT !

Je sens sa main bondir en même temps que mon cœur sursaute.

– C'est plus près, dit-elle. Il se rapproche.

– Il nous trouvera pas.

– Si.

– Alors on s'en occupera.

Tous les deux on regarde le couteau.

– TODD HEWITT !!!

– Il l'a trouvé, dit-elle, agrippant mon bras et se serrant contre moi.

– Pas encore.

– On y était presque, lâche-t-elle d'une voix aiguë, brisée. Presque.

– On va y arriver.

– TODD HEWITT !!!

Là, c'est vraiment plus fort.

Il a trouvé le tunnel.

Je serre mon couteau et je jette un regard à Viola, et ses yeux remontent le tunnel, avec tant de peur dedans que ma poitrine commence à me faire mal.

Je serre le couteau plus fort.

S'il la touche seulement…

Et mon Bruit vacille en arrière jusqu'au début de notre voyage, Viola quand elle disait rien, Viola quand elle m'a dit son nom, Viola quand elle parlait à Hildy et à Tam, Viola quand elle a pris l'accent de Wilf, Viola quand Aaron l'a capturée et l'a emportée, Viola quand je l'ai vue en me réveillant dans la maison du docteur Snow, Viola quand elle a fait cette promesse à Ben, puis quand elle a pris la voix de ma maman et qu'elle fait changer le monde entier, juste pendant un moment.

Toutes ces choses qu'on a traversées.

Comment elle a pleuré quand on a abandonné Manchee.

Quand elle m'a dit que j'étais tout ce qu'elle avait.

Quand j'ai découvert que je pouvais la lire, silence ou pas.

Quand j'ai cru qu'Aaron l'avait tuée, sur la route.

Comment je me suis senti pendant ces quelques secondes terribles.

Comment je me sentirais si je la perdais.

La douleur et l'injustice.

La rage.

Et combien je préférerais que ça soit moi.

Je regarde le couteau dans ma main.

Et je réalise qu'elle a raison.

Je réalise ce qui était la vérité tout du long, si fou que ça paraisse.

C'est pas elle le sacrifice.

Non.

Si l'un de nous tombe, nous tombons tous.

– Je sais ce qu'il veut, je fais, en me redressant.

– Quoi ?

– TODD HEWITT !!!

Plus de doute, il descend le tunnel, maintenant.

Nulle part où courir.

Il arrive.

Elle se tient droite aussi, et je me déplace entre elle et le tunnel.

– Mets-toi derrière un banc, je dis. Cache-toi.

– Todd…

Je m'écarte, ma main posée sur son bras jusqu'à ce que je sois trop loin.

– Où vas-tu ? dit-elle d'une voix étranglée.

Je regarde le chemin qu'on a pris, le tunnel d'eau.

Il sera là d'une seconde à l'autre.

– TODD HEWITT !!!

– Il va te voir ! dit-elle.

Je tiens le couteau devant moi.

Le couteau qui a causé tant d'ennuis.

Le couteau qui détient tant de pouvoir.

– Todd ? Qu'est-ce que tu fais ?

Je me retourne vers elle.

– Il te fera pas de mal. Pas quand il saura que je sais ce qu'il veut.

– Qu'est-ce qu'il veut ?

Je la contemple, au milieu des bancs, la planète blanche et ses lunes qui se reflètent sur elle, l'eau qui déverse sa lumière scintillante sur elle, je contemple son visage et le langage de son corps pendant qu'elle se tient là à me regarder et je vois que je sais toujours qui elle est, qu'elle est toujours Viola Eade, que silencieux veut pas dire vide, que ça veut *jamais* dire vide.

Je la regarde droit dans les yeux.

– Je vais l'accueillir en homme.

Et même si le rugissement l'empêche d'entendre mon Bruit, même si elle peut pas lire mes pensées, elle me retourne mon regard.

Et je vois qu'elle comprend.

Elle se redresse encore un peu.

– Je ne vais pas me cacher, Todd. Si tu ne te caches pas, moi non plus.

J'en demande pas plus.

Je hoche la tête.

– Prête ?

Elle me regarde.

Elle hoche la tête une fois, fermement.

Je me retourne vers le tunnel.

Je ferme les yeux.

Je prends une grande inspiration.

Et avec tout l'air de mes poumons et jusqu'à la dernière note de Bruit dans ma tête, je me cambre en arrière –

Et je hurle, aussi fort que je peux :

– AARON !!!!!!

Et j'ouvre les yeux et je l'attends.

41 Si l'un de nous tombe

Je vois ses pieds en premier, dérapant sur les marches un peu mais sans se presser, prenant son temps maintenant qu'il sait que nous sommes là.

Je tiens le couteau dans ma main droite, main gauche tendue et prête aussi. Je me tiens dans l'allée centrale entre les bancs, autant que possible au milieu de l'église. Viola se tient un peu en arrière dans une travée.

Je suis prêt.

Je réalise que je suis prêt.

Tout ce qui est arrivé m'a amené ici, à cet endroit, avec ce couteau à la main et quelque chose qui mérite d'être sauvé.

Quelqu'un.

Et s'il faut faire un choix entre elle et lui, il n'y a pas de choix, et l'armée peut aller se faire voir.

Et donc je suis prêt.

Plus que jamais.

À cause que je sais ce qu'il veut.

– Allez… je lâche dans un souffle.

Ses jambes apparaissent, puis ses bras, l'un portant le fusil, l'autre s'appuyant au mur.

Et puis sa figure.

Son épouvantaille de figure.

À moitié arrachée, la plaie ouverte dans sa joue montrant ses dents, le trou où était son nez ouvert et béant lui donnent un air à peine humain.

Et il sourit.

Son sourire, le moment où se déclenche toujours ma peur.

– Todd Hewitt, lâche-t-il, presque comme pour dire bonjour.

J'élève ma voix au-dessus de l'eau, évite de la laisser trembler.

– Tu peux poser ce fusil, Aaron.

– Ah ? Vraiment ?

Ses yeux s'écarquillent, il a vu Viola derrière moi. Je tourne pas la tête mais je sais qu'elle fait face à Aaron, je sais qu'elle lui sort toute la bravoure qu'elle a.

Et ça me rend plus fort.

– Je sais ce que tu veux, je dis. Je l'ai compris.

– Réellement, jeune Todd ?

Alors il peut pas s'en empêcher, il regarde dans mon Bruit, il essaye d'entendre quelque chose au-dessus du rugissement.

– C'est pas elle, le sacrifice, je dis.

Il répond rien, avance seulement de quelques pas dans l'église, jetant un coup d'œil sur les bancs et la chaire.

– Et je suis pas le sacrifice non plus, j'ajoute.

Son affreux sourire s'élargit encore. Une nouvelle déchirure s'ouvre au bord de sa plaie où le sang se mélange avec l'eau du brouillard.

– Un esprit intelligent est ami du diable lâche-t-il.

Sa façon à lui d'admettre que j'ai raison.

J'assure mon équilibre et tourne avec lui qui contourne l'église vers la chaire, du côté de la chute.

– C'est toi, je fais. Le sacrifice, c'est toi.

Et j'ouvre mon Bruit au maximum pour que lui et Viola sachent que je dis la vérité.

À cause que la chose que Ben m'avait montrée, quand je suis parti de notre ferme, comment un garçon de Prentissville devient un homme, la raison pour laquelle les garçons devenus des hommes parlent plus aux garçons restés des garçons, la raison pourquoi les garçons devenus des hommes sont accomplicites des crimes de Prentissville, c'est qu'ils –

Ils –

Et je me force à le dire –

Ils tuent un autre homme.

Tous ces hommes qui ont disparu, qui ont essayé de disparaître.

Ils ont pas disparu, finalement.

Mr. Royal, mon maître d'école, qui s'est mis au whisky et s'est tiré une balle, il s'est pas tiré une balle lui-même. Il a été abattu par Seb Mundy à son treizième anniversaire, obligé de se tenir là debout et de presser la détente pendant que le reste des hommes de Prentissville regardait. Mr. Gault, qu'on a repris son troupeau de moutons quand il a disparu il y a deux hivers, a seulement *essayé* de disparaître. Il a été retrouvé par Maire Prentiss fuyant à travers le marais, et Maire Prentiss a appliqué la loi de Nouveau Monde et il l'a exécuté, mais en attendant le treizième anniversaire de son fils et Mr. Gault a été torturé à mort par Mr. Prentiss Jr., et sans l'aide de personne.

Et ainsi de suite. Des hommes que je connaissais tués par des garçons que je connaissais pour qu'ils deviennent des hommes que je connaissais. Si les hommes de Maire avaient un fugitif capturé et gardé en réserve pour un treizième anniversaire, parfait. Sinon, ils prenaient simplement quelqu'un de Prentissville si sa tête leur revenait pas et ils prétendaient qu'il avait disparu.

Une vie était donnée à un garçon pour qu'il l'achève, tout seul.

Un homme meurt, un homme est né.

Tout le monde accomplicite. Tout le monde coupable.

Sauf moi.

– Oh, mon Dieu, souffle Viola.

– Mais pour moi, ça aurait été différent, hein, Aaron ?

– Tu étais le dernier, Todd Hewitt. Le soldat final de l'armée parfaite de Dieu.

– Je crois pas que Dieu ait grand-chose à voir avec ton armée. Pose ton fusil. Je sais ce que j'ai à faire.

– Mais es-tu un véritable messager, Todd? demande-t-il, tête penchée, élargissant son sourire impossible. Ou un imposteur ?

– Lis-moi. Lis-moi si tu penses que je peux pas le faire.

Il est à la chaire maintenant, me fait face dans l'allée centrale, projetant son Bruit par-dessus le son des chutes, le projetant vers moi, se cramponnant à ce qu'il peut, et j'entends le *sacrifice* et *l'œuvre parfaite de Dieu* et *le martyre du saint*.

– Peut-être, jeune Todd.
Et il pose le fusil sur la chaire.
Je ravale ma salive, serre le couteau plus fort.
Puis il lance un regard vers Viola et part d'un petit rire.
– Non, fait-il. Les jeunes filles pourraient vouloir en profiter, pas vrai ?
Et, d'un geste presque négligent, il balance le fusil par-dessus la corniche, dans la chute.
Ça se passe si vite, on le voit même pas disparaître.
Mais il est plus là.
Alors il reste plus que moi et Aaron.
Et le couteau.
Il ouvre les bras et je réalise qu'il prend sa pose de prédicateur, celle qu'il avait à sa chaire de Prentissville. Il s'appuie contre la pierre de la chaire et tend ses mains paumes ouvertes et lève les yeux vers la voûte blanche étincelante d'eau.
Ses lèvres bougent en silence.
Il *prie*.
– T'es dingo, je fais.
Il me regarde.
– Je suis béni.
– Tu veux que je te tue.
– Faux, Todd Hewitt…
Il fait un pas vers moi dans l'allée.
– La haine est la clé. La haine est le moteur. La haine est le feu qui purifie le soldat. Le soldat *doit* haïr…
Il fait encore un pas.
– Je ne veux pas que tu me tues. Je veux que *tu m'assassines*.
Je recule d'un pas.

Le sourire tressaille.

– Peut-être le garçon a-t-il promis plus qu'il ne peut accomplir ?

– Pourquoi ?...

Je recule encore un peu. Viola aussi, derrière et me contournant, sous l'image de Nouveau Monde.

– Pourquoi fais-tu cela ? Quel sens cela peut-il avoir ?

– Dieu m'a dicté mon chemin.

– J'ai vécu là-bas presque treize ans, et je n'ai jamais rien entendu que des hommes.

– Dieu œuvre à travers les hommes...

– Tout comme le diable, coupe Viola.

– Ah, vraie parole du diable ! Mots d'attentation pour endormir...

– Tais-toi ! je fais. Tu lui parles pas comme ça !

J'ai dépassé la dernière travée de bancs. Je me déplace vers la droite, Aaron suit jusqu'à ce qu'on bouge en un cercle lent, ses mains toujours dressées, mon couteau toujours brandi, Viola derrière moi, les embruns nous arrosant, nous couvrant tous les trois. La grotte tourne lentement autour de nous, la corniche toujours glissante, le mur d'eau blanchi de lumière par le soleil.

Et le rugissement, l'incessant rugissement.

– Tu étais le test final, dit Aaron. Le dernier garçon. Celui qui nous complète. Avec toi dans l'armée, il n'y a plus de maillon faible. Nous serons véritablement bénis. Si l'un de nous tombe, nous tombons tous, Todd. Et tous nous devons tomber, tous ! (Il serre les poings, lève les yeux.) Pour pouvoir renaître ! Pour nous emparer de ce monde maudit et le transformer en...

– Tu sais que je l'aurais pas fait, je coupe, et l'intrupssion lui arrache une grimace. J'aurais tué personne.

– Ah, oui, Todd Hewitt. Et c'est pourquoi tu es si, si spécial, pas vrai ? Le garçon qui ne peut pas tuer !

Je glisse un coup d'œil vers Viola, un peu écartée de moi. On continue à tourner en rond.

Et Viola et moi on atteint le côté du tunnel.

– Mais Dieu demande un sacrifice, continue Aaron. Dieu demande un martyre. Et pour un garçon si spécial, qui tuer de mieux que la propre bouche de Dieu ?

– Je crois pas que Dieu te dise grand-chose. Mais je veux bien croire qu'il te préfère mort.

Les yeux d'Aaron deviennent si dingos, si vides, que j'en ai un frisson.

– Je serai un saint ! clame-t-il, avec une sorte de feu dans la voix. C'est mon destin !

Il a atteint le bout de l'allée et nous suit en longeant la dernière travée de bancs.

Viola et moi on recule toujours.

Presque jusqu'au tunnel.

– Mais comment motiver le garçon ? continue Aaron, ses yeux comme des trous. Comment faire un homme de lui ?

Et son Bruit s'ouvre à moi, puissant comme la foudre.

Mes yeux s'élargissent.

Mon estomac chute dans un puits.

Mes épaules se voûtent et je sens une faiblesse s'abattre sur moi.

Je le vois. C'est une illusion, un mensonge, mais les mensonges des hommes sont aussi crédibles que leurs vérités et je vois tout jusqu'au moindre détail.

Il allait assassiner Ben.

C'est comme ça qu'il allait me forcer à le tuer. C'est comme ça qu'ils l'auraient fait. Pour rendre leur armée parfaite et faire de moi un tueur, ils allaient assassiner Ben.

Et me faire assister au spectacle.

Mon Bruit se met à gronder, assez fort pour être entendu.

– Espèce de feuttu…

– Mais Dieu m'a envoyé un signal… dit Aaron, regardant Viola, ses yeux encore plus grands maintenant, le sang se déversant de la plaie, le trou où était son nez ouvert en grand.

– … la fille. Un don des cieux.

– La regarde pas ! je hurle. Tu entends, la regarde même pas !

Aaron se retourne vers moi, toujours avec le sourire.

– Oui, Todd, oui. C'est ton chemin, c'est le chemin que tu vas prendre. Le garçon au cœur tendre, le garçon qui pouvait pas tuer. Pourquoi tuerait-il ? Qui protégerait-il ?

Un autre pas en arrière, un autre pas plus près du tunnel.

– Et quand son maudit silence du diable est venu polluer notre marais, j'ai pensé que Dieu m'avait envoyé un sacrifice à exécuter moi-même, un dernier exemple du diable qui se cache et que je pourrais détruire et purifier. (Il penche la tête sur le côté.) Mais alors son vrai rôle m'a été révélé. (Il la regarde, puis se retourne vers moi.) Todd Hewitt protégerait la sans-défense.

– Elle est *pas* sans défense !

– Et puis… tu t'es *enfui* ! Les yeux d'Aaron s'élargissent, comme pour simuler la stufépaxion. Tu t'es enfui, tu as couru plutôt que d'accomplir ton destin. (Il lève les yeux vers l'église.) Rendant la victoire sur toi encore plus douce.

– La victoire est encore loin, Aaron.

– Ah oui ? (Il sourit encore.) Allez, Todd. Viens à moi, viens le cœur plein de haine.

– Pour ça oui, je vais le faire, t'inquiète pas.

Mais je fais un nouveau pas en arrière.

– Tu en as été proche déjà, jeune Todd. Dans le marais, le couteau levé, moi attachant la fille, mais non. Tu hésites. Tu blesses mais ne tues pas. Et puis je te la vole, et tu la poursuis, comme je savais que tu le ferais, souffrant de la blessure que je t'ai faite, mais encore, pas assez. Tu sacrifies ton chien bien-aimé de peur qu'il lui arrive quelque chose à elle, tu me laisses même briser son corps plutôt que de remplir ton véritable rôle.

– Ferme-la !!!

Il me tend ses paumes.

– Me voici, Todd. Remplis ton rôle. Deviens un homme.

(Il incline tellement la tête que ses yeux se révulsent pour me fixer.) *Tombe*.

Ma lèvre se rétracte.

Je me raidis.

– Je *suis* déjà un homme.

Et mon Bruit le dit aussi.

Il me dévisage. Comme s'il me traversait.

Et puis il pousse une sorte de soupir.

Comme s'il était *déçu*.

– Pas encore un homme. Et peut-être même jamais.

Je recule pas.

– *Pitié*... implore-t-il, je sais pas qui...

Puis il me saute dessus.

– Todd ! hurle Viola...

– Cours ! je crie...

Mais je recule pas –

J'avance –

Et le combat s'engage.

Je lui fonce dessus et il se jette sur moi et je tiens le couteau mais à la dernière seconde je saute de côté, le laissant percuter la paroi –

Il pivote sur lui-même, tordu par un rictus, balance le poing pour me frapper et je plonge et laisse le couteau lui entailler l'avant-bras et ça le freine même pas –

Et il m'envoie son autre poing et me touche juste sous la mâchoire –

Me fait tituber en arrière –

– Todd ! crie Viola –

Je trébuche jusqu'au dernier banc, tombe lourdement –

Lève la tête –

Aaron se tourne vers Viola –

Elle est en bas des marches –

– File !... je hurle.

Mais elle tient une grosse pierre plate dans ses mains –

Et avec une grimace et un grognement furieux, elle la lance vers Aaron.

Il plonge et tente de la dévier mais la pierre l'atteint en plein front, l'oblige à s'écarter d'elle et de moi en titubant, vers le bord de la corniche –

– Viens ! hurle Viola.
Je me redresse –
Mais Aaron s'est retourné –
Le sang ruisselle sur son visage –
Sa bouche s'ouvre sur un hurlement –
Il bondit en avant comme une araignée, agrippe le bras droit de Viola –
Elle le gifle farouchement de sa main gauche, qu'elle ensanglante sur sa figure –
Mais il ne lâche pas –
Je hurle en me ruant sur eux –
Couteau brandi –
Mais là encore je le détourne au dernier moment –
Et je lui rentre dedans –
On atterrit sur le départ de l'escalier, Viola en arrière, moi sur Aaron, ses poings martelant ma tête et il approche son effarrible figure et il me mord, il arrache un morceau de mon cou –
Je hurle, sursaute en arrière, le frappant du revers de la main en même temps –
M'écarte à quatre pattes, tenant mon cou –
Il repart à l'attaque, poing en avant –
Me touche l'œil –
Toute ma tête résonne –
Je trébuche à travers une travée de bancs, jusqu'au centre de l'église –
Un autre coup –
Je lève mon couteau pour le parer –
Mais garde la lame en travers –
Et il me frappe encore –
Je m'écarte, dérape sur la roche trempée –
Remonte l'allée vers la chaire –

Et pour la troisième fois son poing atteint mon visage –

Et je sens deux dents s'arracher de leurs racines –

Et je tombe presque –

Et puis je tombe vraiment –

Mon dos et ma tête heurtant le rocher de la chaire –

Et je lâche le couteau.

La lame tinte en rebondissant jusqu'à la corniche.

Inutile, comme toujours.

– *Ton Bruit te révèle* ! glapit Aaron. *Ton Bruit te révèle* !

Il avance vers moi maintenant, se tient au-dessus de moi.

– *Dès l'instant où j'ai pénétré en ce lieu saint, j'ai su qu'il en serait ainsi* !

Il s'arrête à mes pieds, me contemple, poings serrés et ensanglantés par mon propre sang, la figure ensanglantée par le sien.

– Jamais tu ne seras un homme, Todd Hewitt ! *Jamais* !

Du coin de l'œil je vois Viola chercher despérancement d'autres pierres…

– Je suis déjà un homme, je répète.

Mais je suis tombé, j'ai laissé tomber le couteau, ma voix faiblit, ma main se serre sur le sang de mon cou.

– Tu me voles mon sacrifice !

Ses yeux brûlent comme des diamants, son Bruit s'enflamme d'un rouge si violent qu'il fait pratiquement fumer sa soutane détrempée. Il penche la tête sur moi

– Je vais te tuer… Et tu vas mourir en sachant que je l'ai tuée lentement…

Je bloque mes mâchoires.

Je commence à me soulever sur mes purains de pieds.

– Alors viens donc, au lieu de parler, je grogne.

Il pousse un grand cri et s'avance d'un pas –

Mains tendues –

Mon visage levé pour le recevoir –

Et Viola lui FRACASSE la tempe avec une pierre qu'elle peut à peine soulever –

Il titube –

Se penche vers les bancs, se rattrape –

Trébuche encore –

Mais ne tombe pas.

Il tombe même pas.

Il vacille mais reste debout, entre moi et Viola, se déplie, tourne le dos à Viola mais la surplombe de toute sa masse ruisselante du sang qui jaillit de sa tempe maintenant, mais il reste aussi grand qu'un feuttu cauchemar –

Un monstre, vraiment.

– T'es pas humain, je lâche.

– Je te l'avais dit, jeune Todd… il rétorque d'une voix grave et monstrueuse, son Bruit flamboyant d'une rage si pure qu'elle me renverse presque. Je suis un saint.

Il projette son bras dans la direxion de Viola sans même regarder, la frappe d'un grand coup dans l'œil –

Elle lâche un cri et part à la renverse –

Bascule par-dessus un banc, heurte le sol tête la première –

Et se relève pas.

– Viola ! je hurle.
Et je bondis –
Il me laisse passer –
Je la rejoins –
Ses jambes relevées sur le banc de pierre –
Sa tête sur le sol en pierre –
Un filet de sang s'écoule –
– Viola !
Et je la soulève –
Et sa tête retombe en arrière –
– VIOLA ! je hurle.
Et j'entends un sourd grondement derrière moi –
Un rire.
Il rit.
– Chaque fois, tu étais sur le point de la trahir. C'était écrit.
– Tu LA FERMES !
– Et tu sais pourquoi ?
– JE VAIS TE TUER !
Sa voix se transforme en murmure.
Mais un murmure que je sens frissonner à travers tout mon corps.
– *Tu es déjà tombé*.
Et mon Bruit fait des flammes rouges.
Plus rouge qu'il l'a jamais été.
Rouge *assassin*.
– Oui, Todd, il siffle. Oui, c'est ainsi.
Je repose doucement Viola et je me redresse et je lui fais face.
Ma haine est si grande, elle remplit la grotte.
– Allez, mon garçon. Purifie-toi.
Je regarde le couteau –
Dans une flaque d'eau –

Tout près de la corniche et de la chaire, derrière Aaron –
Où je l'ai lâché –
Et je l'entends m'appeler –
Prends-moi, dit-il –
Prends-moi, utilise-moi, dit-il –
Aaron ouvre grand les bras.
– Assassine-moi. Deviens un homme.
– *Ne m'abandonne jamais*, dit le couteau.
– Je suis désolé… je murmure, quoique sans savoir pour qui ni pour quoi –
Je suis désolé –
Et je bondis –
Aaron bouge pas, bras ouverts comme pour m'embrasser –
Je le percute avec mon épaule –
Il résiste pas –
Mon Bruit hurle rouge –
On roule jusqu'à la corniche –
Je suis sur lui –
Il résiste toujours pas –
Je lui envoie des coups de poing dans la figure –
Encore –
Et encore –
Et encore –
Sa figure je la brise encore plus –
En morceaux, en bouillie sanglante –
La haine se déverse à travers mes poings –
Et je continue à le frapper –
Et je frappe encore –
À travers la rupture des os –
Et le craquement des cartilages –
Un œil écrabouillonné sous mes phalanges –

Jusqu'à ce que je sente plus mes mains –
Mais je frappe encore –
Et son sang se déverse sur moi et partout –
Et son rouge c'est comme le rouge de mon Bruit –
Alors je me rejette en arrière, toujours sur lui, couvert de son sang –
Et il rit, il rit *encore* –
Et il gargouille « Oui » à travers ses dents cassées, « Oui » –
Et le rouge monte en moi –
Et je peux pas le retenir –
Et la haine –
Et je repère –
Le couteau –
À un mètre pas plus –
Sur la corniche –
Près de la chaire –
Qui m'appelle –
M'appelle –
Et cette fois je sais –
Cette fois je sais –
Je vais m'en servir.

Et je bondis pour l'attraper –
Main tendue –
Bruit si rouge que je peux tout juste voir –
Oui, dit le couteau.

Oui.

Prends-moi.
Prends le pouvoir dans ta main –

Mais une autre main est là, déjà –

Viola.

Et comme je tombe vers lui une vague me submerge –
Une vague dans mon Bruit –
Une vague de la voir ici –
De la voir vivante –
Une vague qui monte plus haut que le rouge –
Et « Viola », je dis –
Juste, « Viola ».

Et elle ramasse le couteau.

Mon élan me propulse vers le bord de la corniche et je me retourne pour essayer de me rattraper et je la vois lever le couteau et je la vois faire un pas et je tombe et mes doigts glissent sur la roche trempée et je vois Aaron assis et il a plus qu'un œil maintenant qui fixe Viola et elle lève le couteau et elle le bascule en avant et je peux pas l'arrêter et Aaron essaye de se lever et Viola s'avance vers lui et je cogne la corniche avec mon épaule et je m'arrête juste au bord et je regarde et ce qui reste du Bruit d'Aaron irradie de la colère et de la peur et ça dit *Non* –
Ça dit Non, pas toi –
Et Viola lève son bras –
Lève le couteau –
Et le descend –
Et le plonge en travers de la gorge d'Aaron –
Si fort que la pointe ressurgit de l'autre côté –
Et il y a un craquement, un craquement dont

je me souviens –

Aaron tombe d'un coup –

Et Viola lâche le couteau –

Elle fait un pas en arrière.

Son visage est tout blanc.

Je l'entends respirer malgré le rugissement.

Je me soulève des deux mains –

Et on regarde.

Aaron qui se relève.

Il se relève, une main crispée sur le manche du couteau planté dans son cou. L'œil qui lui reste est grand ouvert, sa langue lui pend hors de la bouche.

Il se redresse sur ses genoux.

Puis sur ses pieds.

Viola pousse un petit cri et recule.

Recule jusqu'à moi.

On l'entend essayer d'avaler.

Essayer de respirer.

Il avance, mais trébuche contre la chaire.

Il regarde dans notre direction.

Sa langue enflée se tortille.

Il essaye de dire quelque chose.

Il essaye de me dire quelque chose.

Il essaye de sortir un mot.

Il y arrive pas.

Du tout.

Son Bruit juste des couleurs et des images et des choses folles que je pourrais jamais décrire.

Il croise mon regard.

Et son Bruit s'arrête.

S'arrête complètement.

Enfin.

Et la gravité s'empare de son corps et il s'affaisse sur le côté.

De l'autre côté de la chaire.

Par-dessus la corniche.

Et il disparaît sous la muraille d'eau.

Emportant le couteau avec lui.

42 *Dernière route pour Haven*

Viola s'est assise à côté de moi si vite, si lourdement, c'est comme si elle était tombée là.

Elle respire difficilement, regarde l'espace où se trouvait Aaron. Le soleil à travers la chute projette des vagues de lumière liquide sur son visage, mais c'est bien la seule chose qui l'anime.

– Viola ? je fais, me redressant soudain sur les genoux.

– Il est plus là.

– Oui, il est plus là.

Elle respire bruyamment, c'est tout.

Mon Bruit tressaute comme un vaisseau spatial qui s'écrase, plein de rouges et de blancs et de choses tellement différentes, j'ai l'impression que ma tête se déchire.

Je l'aurais fait.

Je l'aurais fait pour elle.

Mais au lieu de ça…

Si, je l'aurais fait, je dis. J'étais prêt à le faire.

Elle me regarde, les yeux écarquillés.

– Todd ?

– Si, je l'aurais tué moi-même. (Ma voix monte un peu.) J'étais prêt à le faire !

Et alors son menton se met à trembler, pas comme si elle allait pleurer, mais juste trembler, et puis ses épaules aussi et ses yeux s'agrandissent encore et elle tremble plus fort et rien ne quitte mon Bruit et c'est tout immobile là-dedans mais quelque chose d'autre entre dedans et c'est pour elle et je l'agrippe et je la serre contre moi et on se balance comme ça pendant un moment, pour qu'elle puisse trembler aussi longtemps, aussi fort qu'elle veut.

Elle parle pas, elle pousse juste des petits gémissements rauques, et je me souviens juste, après que j'ai tué le Spackle, comment je sentais le coup porté me remonter dans le bras, comment je voyais tout le temps son sang, comment je l'ai vu mourir encore et encore.

Comment je le revois encore.

(Mais si, je l'aurais fait.)

(J'étais prêt.)

(Mais le couteau est plus là.)

– Tuer quelqu'un, c'est pas du tout pareil que dans les histoires, je souffle, au-dessus de sa tête. Ça n'a rien à voir.

(Mais quand même, je l'aurais fait.)

Elle tremble toujours et on est toujours au bord d'une chute rugissante, furieuse, et le soleil est plus haut dans le ciel et il y a moins de lumière dans l'église et on est mouillés et couverts de sang, tout ensanglantés et trempés.

Et on a froid et on tremble.

– Allez, je fais, avec un geste pour me lever. Première chose, se sécher. D'accord ?

Je l'aide à se remettre debout. Je vais chercher le sac, sur le sol entre deux bancs et je tends la main.

Elle fixe ma main un instant avant de la prendre.

Mais elle la prend.

On contourne la chaire, sans pouvoir s'empêcher de regarder où se trouvait Aaron, son sang déjà lavé par les embruns.

(Je l'aurais fait.)

(Mais le couteau.)

Je sens ma main trembler dans la sienne, mais je sais pas laquelle des deux tremble.

On arrive aux marches, et, à mi-chemin dans la montée, elle parle pour la première fois seulement.

– Je me sens pas bien.

– Je sais.

Et on s'arrête et elle se penche plus près de la chute et elle vomit.

Beaucoup.

Je suppose que c'est ce qui arrive quand vous tuez quelqu'un, dans la vraie vie.

Elle reste penchée, ses cheveux trempés et emmêlés. Elle crache.

Mais ne lève pas les yeux.

– Je pouvais pas te laisser, dit-elle. Il aurait gagné.

– Mais je l'aurais fait.

– Je sais, marmonne-t-elle dans ses cheveux, dans la chute. C'est pour ça que je l'ai fait.

J'expulse un peu d'air.

– T'aurais dû me laisser.

– Non. (Elle penche la tête de côté pour parler.) Je ne pouvais pas te laisser… (Elle s'essuie la bouche et tousse encore.) Et puis, il n'y a pas que ça…

Elle me regarde dans les yeux. Les siens sont grands ouverts et tout injectés de sang d'avoir vomi.

Et ils sont plus vieux qu'avant, aussi.

– Je le voulais, Todd, dit-elle en plissant le front. Je voulais le faire. Je voulais le tuer. (Elle se couvre le visage des deux mains.) Oh, mon Dieu. Oh, mon Dieu…

Je lui écarte les bras.

– Arrête ça. Il était pourri. Il était dingo et pourri…

– Je sais ! elle crie. Mais je le vois tout le temps ! Je vois tout le temps le couteau entrer dans sa…

Je l'arrête avant que ça empire.

– Bon, d'accord, tu voulais le faire. Et puis ? Moi aussi, je le voulais. Mais il t'a *obligée*. Il s'est débrouillé pour que ça soit lui ou nous.

C'était *sa* pourriture. Pas la tienne ni la mienne, mais ce que *lui* a fait et décidé, d'accord ?

Elle lève les yeux vers moi, et d'une voix un peu plus calme :

– Il a accompli exactement ce qu'il avait promis. Il m'a fait tomber.

Elle pousse un gémissement, se presse les mains sur la bouche, et ses yeux se remplissent.

– Non, je rétorque fermement. Non, regarde, voilà, voilà ce que je pense, hein, regarde…

Je fixe l'eau, et le tunnel, et je sais pas ce que je pense mais elle est là et je la vois et je sais pas, *mais si, je sais ce qu'elle pense* et je la vois et elle vacille tout au bord de la corniche et elle me regarde et là maintenant elle me demande de la sauver.

De la sauver comme elle m'a sauvé.

– Voilà ce que je pense… (Ma voix est encore plus forte et des pensées arrivent, des pensées qui filtrent dans mon Bruit comme des murmures de vérité.) Je pense que tout le monde tombe. Je pense que peut-être nous tombons tous. Et je pense pas que ça soit le vrai questionnement des choses.

Je lui tire doucement les bras, pour être sûr qu'elle m'écoute.

– Je pense que le vrai questionnement, c'est de savoir si on va pouvoir remonter.

Et l'eau rugit et on tremble de froid et du reste, et elle me fixe et j'attends et j'espère.

Et je la vois faire un petit pas pour s'écarter un peu du bord.

Je la vois revenir vers moi.

– Todd… dit-elle, et c'est pas un questionnement.

Juste mon nom.

Juste qui je suis.

– Viens, je dis. Haven nous attend.

Je lui reprends la main et on remonte le reste des marches jusqu'à la partie la plus plate de la corniche, on avance prudemment sur les pierres glissantes, longeant la muraille. Le saut de retour à la berge est plus difficile cette fois, parce qu'on est tellement mouillés et si faibles, mais je prends de l'élan pour franchir le vide en courant, et puis je rattrape Viola qui arrive trébuchant après moi.

Et nous voici en plein soleil.

On respire sa lumière un bon, long moment, éliminant le plus trempé de notre trempé avant de retrouver nos esprits et de grimper sur la petite berge, pour nous frayer un passage à travers les broussailles jusqu'au sentier puis rejoindre la route.

On regarde vers le bas, tout en bas des lacets.

C'est toujours là. Haven est toujours là.

– On y est presque, je fais.

Viola se frotte les bras, essayant de récupérer encore un peu de chaleur. Elle plisse les yeux en m'examinant.

– Tu t'es vraiment fait pilonner la figure, tu sais ?

Je tâte avec les doigts. Mon œil commence à gonfler et je sens un vide du côté de la bouche où j'ai perdu quelques dents.

– Merci... Ça faisait pas mal avant que tu me le dises.

– Désolée...

Elle sourit un peu, pose une main sur l'arrière de son crâne et grimace.

– C'est comment ? je demande.

– Désagréable, mais je survivrai.

– T'es indextrutible, de toute façon.

Elle sourit encore.

Puis un étrange *Zzip... SNIK!!!* traverse l'air et Viola lâche un petit cri, un son en forme de *oh*.

On se regarde dans les yeux pendant une seconde, en plein soleil, tous les deux surpris mais sans trop savoir par quoi.

Alors je suis son regard qui se baisse.

Il y a du sang sur sa chemise.

Son propre sang. Du sang *neuf*.

Qui s'écoule d'un petit trou à droite de son nombril.

Elle touche le sang et relève ses doigts.

– Todd ? dit-elle.

Et puis tombe en avant.

Je la rattrape, trébuche sous le poids.
Et je regarde derrière elle.
Jusqu'au sommet de la falaise, au départ de la route.
Mr. Prentiss Jr.
À cheval.
Bras tendu.
Tenant un pistolet.
– Todd ? lâche Viola contre ma poitrine. Je crois que quelqu'un m'a tiré dessus, Todd…
Il n'y a pas de mots.
Pas de mots dans ma tête ni dans mon Bruit.
Mr. Prentiss Jr. talonne son cheval et le dirige vers nous.
Pistolet toujours pointé.
Il y a nulle part où courir.
Et j'ai pas mon couteau.
Le monde se déplie aussi net, aussi lent que la pire des douleurs, Viola commence à respirer plus fort contre moi, Mr. Prentiss Jr. descend la route, et mon Bruit monte avec la certitude qu'on est foutus, qu'il y a plus d'issue cette fois, que si le monde vous veut, il viendra toujours vous chercher jusqu'à ce qu'il vous rattrape.
Et qui suis-je pour pouvoir en décider autrement ? Qui suis-je pour pouvoir le changer ce monde s'il le veut autant ? Qui suis-je pour arrêter la fin du monde si toujours elle revient ?
– Je crois qu'elle t'a vraiment *dans la peau*, Todd ! ricane Mr. Prentiss Jr.
Je serre les dents.
Mon Bruit monte, rouge et violet.
Je m'appelle Todd feuttu Hewitt.
C'est ça que je suis, purain.

Je le regarde droit dans l'œil, lui envoie mon Bruit direct, et je lui crache comme un râle :

– Je te saurais gré de m'appeler *Mr. Hewitt*.

Mr. Prentiss Jr. sursaute, il sursaute vraiment, tirant involontairement sur ses rênes, et son cheval se cabre légèrement.

– Allez, hein, fait-il d'une voix un peu moins sûre. Mains en l'air. Je te ramène à mon père.

Et je fais la chose la plus incroyable.

La plus incroyable que j'aie jamais faite.

Je l'écoute pas.

Je pose Viola à genoux sur la route.

– Ça brûle, Todd, dit-elle à voix basse.

Je la dépose et je lâche le sac et je passe ma chemise par-dessus ma tête et je la chiffonne et je l'applique sur le trou.

– Tu tiens ça bien fort, tu m'entends ? (Ma colère monte comme une lave.) J'en ai pour une seconde à peine.

Je tourne les yeux vers *Davy* Prentiss.

– Lève-toi, ordonne-t-il, son cheval rendu nerveux par la chaleur qui sort de moi. Je vais pas te le dire deux fois, Todd !

Je me lève.

Je m'avance.

– Je t'ai dit de mettre tes mains en l'air, fait Davy, et son cheval hennit, souffle et danse d'un pied sur l'autre.

Je marche vers lui.

Plus vite.

Je cours, même, maintenant.

– Je vais te descendre ! crie Davy, agitant son fusil, essayant de contrôler son cheval qui envoie partout Chargez ! Chargez ! avec son Bruit.

– Non, tu le feras pas !!! je hurle, courant droit à la tête du cheval et lui envoyant tout un énorme fracas de Bruit.

SERPENT!

Le cheval se cabre pour de bon, cette fois.

– Bon sang de... ! Todd ! glapit Davy, pivotant et tournoyant, essayant de contrôler son cheval de la main qui tient pas le pistolet.

Je fais un bond, balance une violente claque dans le poitrail du cheval et saute en arrière. Le cheval hennit, se cabre encore.

– T'es un homme mort ! crie Davy, parti en cercle complet avec son cheval qui hennit et se cabre encore.

– T'as qu'à *moitié* raison, je lâche.

Et je vois ma chance –

Le cheval hennit plus fort, plonge puis relève son encolure –

J'attends –

Davy tire sur les rênes –

J'esquive –

J'attends –

– *Feuttu bourrin !* crie Davy.

Il essaye de raccourcir ses rênes –

Le cheval pivote encore une fois –

J'attends –

Et voilà ma chance –

Mon poing reculé attend –

BAMMM !!!

Ça le prend en travers de la figure comme un coup de marteau –

Je jure que j'entends son nez craquer sous mon poing –

Il crie de douleur et tombe de sa selle –

Lâche le pistolet dans la poussière –
Je saute en arrière –
Son pied reste pris dans l'étrier –
Le cheval cabré pivote encore –
Je lui envoie une énorme claque sur les fesses –
Et là, le cheval décide que ça suffit.

Il se rue à l'assaut de la pente, remonte la route à toute allure, le pied de Davy toujours coincé, son corps, sa tête rebondissant sur les pierres et la terre –

Le pistolet dans la poussière –

Quand j'entends :

– Todd ?

Et on a plus le temps.

Plus le temps de rien.

Sans même y penser, j'abandonne le pistolet et je cours, je descends jusqu'à Viola, au bord des fourrés.

– Je crois que je vais mourir, Todd…

– Tu vas pas mourir, je fais, glissant un bras sous ses épaules, puis un autre sous ses genoux.

– J'ai froid.

– Purain, tu vas pas mourir ! Pas aujourd'hui !

Et je me relève, avec elle dans mes bras, et me voici en haut du zigzag qui descend vers Haven.

Bien trop long.

Alors je plonge, directement, à travers les broussailles.

–Allez ! je lance tout haut, mon Bruit s'oubliant, et tout ce qui reste dans l'univers ce sont mes jambes, mes jambes.

Allez !

Je cours.

Coupe à travers les broussailles.

Coupe la route.
Coupe d'autres broussailles.
La route encore, je coupe son lacet –
Plus bas, plus bas –
Soulevant des mottes de terre, sautant par-dessus les buissons –
Trébuchant sur les racines –
Allez.
– Tiens bon. Tiens bon, tu entends ?
Viola pousse un grand râle à chaque secousse –
Mais ça veut dire qu'elle respire encore.
Plus bas –
Plus bas –
Allez.
S'il te plaît.
Je dérape sur des fougères –
Mais je tombe pas –
Route et broussailles –
Plus bas –
S'il te plaît.
– Todd ?
– Tiens bon !

J'atteins le bas de la pente, rebondis et cours toujours.

Elle est si légère dans mes bras.

Si légère. Je cours jusqu'où la route rejoint la rivière, la route de Haven, les arbres surgissent autour de nous, la rivière file, se précipite.

– Tiens bon ! je répète, descendant la route aussi vite que mes pieds peuvent me porter.

Allez.
S'il te plaît.
Tournants et virages –
Sous les arbres et le long des berges –

Devant, je vois la barricade que j'avais aperçue de la colline avec les jumelles, d'énormes X en bois empilés de chaque côté avec une ouverture au milieu de la route.

– AU SECOURS ! je crie en l'atteignant. AIDEZ-NOUS !!!

Je cours.

Allez.

La barricade, on y arrive –

Mais il y a personne.

Il y a personne ici.

Je passe par l'ouverture et de l'autre côté.

Je m'arrête assez longtemps pour me retourner.

Personne.

– Todd ?

– On y est presque…

– Je peux plus, Todd…

Et sa tête bascule en arrière.

– Si, tu peux… je lui crie en pleine figure. RÉVEILLE-TOI, VIOLA EADE ! Garde tes feut-tus yeux ouverts !

Et elle essaye. Je la vois essayer.

Et ses yeux s'ouvrent, seulement un peu, mais ouverts.

Et je recommence à courir, de toutes mes forces.

Et je crie « AU SECOURS ! » en même temps.

AU SECOURS !

S'il te plaît.

AU SECOURS !

Et elle commence à hoqueter.

AIDEZ-NOUS !

S'il te plaît, non.

Et je vois PERSONNE.

Les maisons, elles sont fermées, vides. La route passe de la terre au goudron, mais toujours personne, nulle part.

AU SECOURS !

Mes pieds claquent sur la chaussée –

La route mène à une grande église, un clocher étincelant et une place.

Et toujours personne.

Non.

AU SECOURS !

J'arrive à la place, je la traverse, je regarde tout autour, j'écoute –

Non.

Non.

C'est désert.

Dans mes bras, Viola respire difficilement.

Et Haven est désert.

J'atteins le centre de la place.

Je vois pas, j'entends pas âme qui vive.

Je pivote encore.

– AU SECOURS !

Mais il y a personne.

Haven est complètement désert.

Il y a aucun espoir, ici.

Viola glisse un peu et je dois m'agenouiller pour la rattraper. Ma chemise est tombée de sa blessure et d'une main je la remets en place.

Il nous reste plus rien. Le sac, les jumelles, le livre de maman, tout est resté sur la colline.

Moi et Viola, on est tout ce qu'on a, tout ce qu'on a au monde.

Et elle saigne tellement…

– Todd ? souffle-t-elle d'une voix lente, pâteuse.

– S'il te plaît…

Mes yeux se mouillent, ma voix se brise.
– S'il te plaît.
S'il te plaît s'il te plaît s'il te plaît s'il te plaît…
– Eh bien, puisque c'est demandé si poliment… fait une voix venue de l'autre bout de la place, et qui se donne à peine le mal de hausser le ton.
Je lève la tête.
Débouchant d'un côté de l'église, un cheval solitaire.
Avec un cavalier solitaire.
– Oh, non, je murmure.
Non.
Non.
– Hélas, Todd, dit Maire Prentiss. J'en ai bien peur.
Il conduit son cheval presque paresseusement, traverse la place vers moi. Il a conservé son air impassible, ses vêtements impeccables, ses gants d'équitation, et même ses bottes étincellent.
Non, c'est pas possible.
– Mais comment… êtes-vous là ? je fais, élevant la voix. Comment… ?
– Même un simple d'esprit sait qu'il y a deux routes pour Haven, réplique-t-il, d'une voix calme et soyeuse, presque moqueuse, mais pas tout à fait.
La poussière qu'on a vue. La poussière qu'on a vue hier se déplacer vers Haven.
– Mais comment ? je répète balbutiant. L'armée est à un jour au moins…
– Parfois, la rumeur d'une armée fait autant d'effet que l'armée elle-même, mon garçon. Les termes de la reddition nous ont été infiniment favorables. Notamment celui qui demandait l'éva-

cuation des rues pour que je puisse t'accueillir en personne. (Il tourne la tête vers les chutes.) Même si bien sûr je m'attendais à ce que mon fils t'amène.

Je regarde autour de la place et maintenant j'aperçois des visages, plaqués aux fenêtres, glissés au coin des portes entrebâillées.

Je vois quatre hommes à cheval contourner l'église.

Je regarde Maire Prentiss.

– En fait, c'est Président Prentiss à présent... Et tu ferais bien de t'en souvenir.

Et alors je réalise.

J'entends pas son Bruit.

J'entends le Bruit de *personne*.

– Eh non... Je présume que tu ne le peux pas... Une histoire intéressante, mais pas ce que tu pourrais...

Viola glisse un peu plus de mes mains, et la secousse lui arrache un hoquet douloureux.

– S'il vous plaît, je crie. Sauvez-la ! Je ferai tout ce que vous voudrez ! Je rentrerai dans l'armée ! Je...

– Tout vient à point à qui sait attendre, réplique-t-il, d'un air finalement un peu agacé.

Il descend de selle d'un mouvement gracieux, et commence à ôter ses gants, un doigt après l'autre.

Et je sais qu'on a perdu.

Que tout est perdu.

Que tout est fini.

– En tant que président nouvellement nommé de cette belle planète qui est nôtre, articule posément le Maire, tendant le bras comme pour me montrer ce monde pour la première fois, permettez-moi d'être le premier à vous accueillir dans sa nouvelle capitale.

– Todd… murmure Viola, les yeux clos.

Je la tiens serrée contre moi, chuchotant :

– Je suis désolé… tellement désolé.

On a couru tout droit dans un piège.

On a couru tout droit en plein dans la fin du monde.

– Bienvenue, déclare le Maire, bienvenue à New Prentissville.

FIN DU PREMIER LIVRE

Table des matières

Retrouvez un extrait du tome 2

Le Cercle et la Flèche

J'entends le Maire, il est près de la petite table. Je l'entends bouger des choses dessus. J'entends à nouveau le grattement du métal.

Je l'entends s'approcher derrière moi.

Et après toutes ces promesses, la voilà, ça y est.

Ma fin.

Je suis désolé. Pardonne-moi, pardonne-moi.

Le Maire pose une main sur mon épaule et je me recroqueville mais il la laisse là, appuyant de plus en plus fort. Je vois pas ce qu'il tient, mais il approche quelque chose de moi, de mon visage, quelque chose de dur et métal et rempli de douleur et prêt à me faire souffrir et terminer ma vie et il y a un trou à l'intérieur de moi où j'ai besoin de ramper de fuir tout ça, un trou profond et noir et je sais que c'est la fin la fin de tout, que je pourrai jamais m'enfuir d'ici et qu'il va me tuer et la tuer et qu'il y a aucune chance, aucun espoir, aucune vie, rien.

Pardonne-moi.

Et le Maire pose une compresse sur ma figure.

Ma respiration se bloque c'est si froid je tente d'échapper à ses mains mais il continue à presser doucement sur la bosse de mon front et les plaies de mon visage et de mon menton, son corps tellement proche maintenant je sens son odeur, sa propreté, l'odeur de bois de son savon, le souffle de ses narines passant surmes joues, ses doigts presque tendres surmes coupures, soignant les cernes gonflés de mes yeux, ma lèvre fendue et je sens la compresse faire son effet presque aussitôt, les antidouleur s'écouler dans mon corps, et je pense une seconde qu'ils sont tellement bien les pansements de Haven, tellement comme ses pansements à elle, et le soulagement arrive si vite, tellement inattendu, j'ai la gorge qui se serre au passage de ma salive.

– Je ne suis pas l'homme que tu crois, Todd, dit tranquillement le Maire, presque dans mon oreille, posant une autre compresse sur mon cou. Je n'ai pas fait les choses que tu crois. J'ai demandé à mon fils de te ramener. Je ne lui ai demandé de tirer sur personne. Je n'ai pas demandé à Aaron de te tuer.

– Vous êtes un menteur…

Mais ma voix est faible, elle tremble tellement, c'est très dur d'en chasser les larmes (fermez-la).

Le Maire applique d'autres pansements sur les ecchymoses de ma poitrine et de mon estomac, c'est si doux, je peux à peine le supporter, c'est si doux, presque comme s'il s'inquiétait de ce que je ressens.

– Oui, j'ai un coeur, Todd… Et il viendra un temps pour toi où tu apprendras cette vérité…

Il se déplace derrière moi et pose un bandage autour de mes poignets liés, puis il prend mes mains et les masse avec ses pouces pour y ramener la circulation.

– … Un temps viendra où tu finiras par me faire confiance. Et même, peut-être, par m'aimer. Et même, un jour, par me considérer comme ton père, Todd.

Je sens mon Bruit fondre sous l'effet des médicaments, de toute cette douleur qui s'en va, de moi qui disparais avec, comme s'il me tuait finalement, mais en me soignant, pas en me punissant.

Je peux plus bloquer les larmes dans ma gorge, mes yeux, ma voix.

– S'il vous plaît, je répète, s'il vous plaît.

Je sais plus ce que je dis.

– La guerre est finie, Todd. Nous sommes en train de créer un nouveau monde. Cette planète va enfin faire honneur à son nom. Crois-moi, une fois que tu le verras, eh bien oui, tu voudras en être.

Je cherche mon souffle dans l'obscurité.

– Tu pourrais être un meneur d'hommes, Todd. Tu as déjà prouvé que tu étais quelqu'un de peu ordinaire.

Je continue à respirer fort, tente de m'accrocher, mais je me sens glisser.

Ma voix croasse, se dissout en quelque chose d'irréel :

– Comment je le saurai? Comment je saurai si elle est seulement vivante?

– Tu ne peux pas. Tu n'as que ma parole.

Il attend.

– Et si je le dis, si je fais ce que vous demandez, vous la sauverez?

– Nous ferons tout ce qui sera nécessaire.

Sans douleur, j'ai l'impression de plus avoir de corps, comme si j'étais un fantôme assis sur sa chaise, aveugle, éternel.

Comme déjà mort.

Parce que, comment savoir si on est vivant quand on a plus mal ?

– Nous sommes nos propres choix, Todd. Ni plus, ni moins. J'aimerais que tu décides de me le dire. Oui, j'aimerais vraiment.

Sous les pansements, rien que l'obscurité plus profonde.

Rien que moi, assis dans le noir.

Seul avec sa voix.

Je sais pas quoi faire.

Je sais rien.

(Je fais quoi ?)

Mais s'il reste une chance, juste une chance –

– Est-ce vraiment un tel sacrifice, Todd ? coupe le Maire qui m'écoute penser. Ici, au terme du passé ? Au début de l'avenir ?

Non. Non, je peux pas. C'est un menteur et un assassin, il peut raconter ce qu'il veut –

– J'attends, Todd.

Mais elle est peut-être en vie, peut-être qu'il peut la garder en vie –

– ... Nous approchons de ta dernière opportunité, Todd.

Je lève la tête. Ça tire sur les pansements et je grimace dans la lumière, tournant mes yeux vers ceux du Maire.

C'est plus opaque que jamais.

C'est le mur vide, sans vie.

Je pourrais aussi bien parler dans un puits sans fond.

Je pourrais aussi bien être le trou sans fond.

Je les détourne, mes yeux. Je regarde par terre.

– Viola, dis-je au tapis. Elle s'appelle Viola.

Le Maire laisse échapper un long souffle de satisfaxion.

– Bien, Todd. Je te remercie.

Et, se tournant vers Mr. Collins :

– Enfermez-le.

L'auteur

PATRICK NESS est né aux États-Unis, dans l'État de Virginie. Après des études de littérature anglaise aux États-Unis, il s'installe à Londres en 1999, où il vit actuellement, et enseigne pendant trois ans l'écriture à Oxford. Il écrit également pour la radio et, comme critique littéraire, pour le journal britannique *The Guardian*. Avec *La Voix du couteau*, le premier volume du *Chaos en marche*, Patrick Ness fait une entrée fracassante dans la littérature jeunesse et se voit décerner, dès sa parution, les plus prestigieux prix littéraires. (PRIX GUARDIAN 2008, BOOKTRUST TEENAGE PRIZE 2008)

Retrouvez Patrick Ness sur son site internet :
http://www.patrickness.com/

Dans la collection Pôle fiction:

Juin 2010

Quatre filles et un jean, Ann Brashares

Le deuxième été, Ann Brashares

13 petites enveloppes bleues, Maureen Johnson

Felicidad, Jean Molla

Code Cool, Scott Westerfeld

Octobre 2010

Genesis, Bernard Beckett

Le Combat d'hiver, Jean-Claude Mourlevat

Mon nez, mon chat, l'amour et moi, Louise Rennison

L'amour est au bout de l'élastique, Louise Rennison

Novembre 2010

Cher inconnu, Berly Doherty

LBD - Une affaire de filles, Grace Dent

Le papier de cet ouvrage est composé de fibres naturelles, renouvelables, recyclables et fabriquées à partir de bois provenant de forêts plantées et cultivées expressément pour la fabrication de la pâte à papier.

Mise en pages : Anne-Catherine Boudet

ISBN : 978-2-07-063435-4
Loi n° 49-956 du 16 juillet 1949
sur les publications destinées à la jeunesse
Dépôt légal : juin 2010
N° d'édition: 175958 – N° d'impression : 100437
Imprimé en France par CPI Firmin Didot